JN169248

体系流通論〔新版 第2版〕

田口冬樹【著】

Distribution

Taguchi Fuyuki

東京 白桃書房 神田

新版第２版への序文

流通は生産と消費を結びつけるマッチングの役割を担っており，われわれの生活にとって不可欠な仕事である。しかしその一方で，流通の仕組みや中身となるとわかりにくいというイメージも存在する。本書は，変化の激しい流通の世界に対して，できるだけわかりやすく，しかも知識のばらばらな獲得に終わらずに流通を体系立てて理解できるように考え編集したものである。特徴としては，基礎的・原理的な視点と体系的な理解とを習得できるようにというねらいがある。

流通の実態は，一見すると複雑で何ら脈絡のない世界のように思われがちである。しかし，激しく変化する流通の現場にも，効率性と有効性を追求する普遍的な競争と協調のロジックが作用しており，本書はこれまでもそのロジックを明示することによって，流通の場で起きている現実的な問題を平易に解き明かそうとしてきた。今回は，前著『新訂・体系流通論』の全体の章の体系は継承しながら，時代の変化に合わせて，大きな改訂を行なった。個別の解説の変更に加えて，とくに，情報流通，統計データ，企業の動向それに法律の改正などについて大幅に手を加えている。

本書は，全体で15の章から構成されている。第１章と第２章は，流通をできるだけわかりやすく理解でき，流通の基礎を学習できるように設定している。また流通の変化がどのようにして発生し，イノベーションがいかにして実現できるのかを考えるヒントも提供している。第３章から第６章までは，流通の役割として流通機能の種類と特徴を論じており，とくに商流，物流，情流，補助的流通の内容を明らかにし，こうした流通機能の相互の関係について考察している。それと同時に近年注目されている，サプライチェーン・マネジメント（SCM），３PL（サードパーティ・ロジスティクス），ID－

POS，流通BMS（ビジネスメッセージ・スタンダード）の果たす効果や重要性について検討している。第７章は，流通機構のトータルな形成過程を分析しており，そのとらえ方に幾つかの接近方法があることを提示している。今日では，地球環境・資源の制約条件のもとで，リサイクル（再生資源化）のための逆流通の必要性が高まっており，循環型社会構築による持続可能な社会を目指して広義の流通機構に対する理解と整備がますます重要となっていることを強調している。

流通機構を具体的に編成し発展させる主体は，小売業者，卸売業者，それにメーカー（製造業者・生産者）である。第８章から第11章までは，小売業の形態と構造について考察しており，業種店から業態店への発展，それによる競争関係の複雑化をわれわれの日常生活の変化と関連づけて分析している。第12章と第13章は卸売業の形態と構造の分析であり，メーカーや小売企業による中間流通への介入や中抜き，さらにはＥコマース（電子商取引）の影響を含め，近年の卸売業のポジショニングとイノベーション（経営革新）の方向を示唆している。第14章は，メーカー主導の流通システムの特徴を取り上げ，戦後形成された流通系列化のその後の動向について考察している。とりわけチェーンベースの小売企業のパワーシフトとの関係，インターネットの浸透などの影響を踏まえて，メーカーの多様化するチャネル政策を検討している。最後に，第15章では，わが国の流通政策を調整政策，競争政策，振興政策の３つの局面から取り上げている。とくに最近の規制緩和の影響や新たに施行された流通関連法規のねらいや問題点を検討している。

そして，本書の最後の部分には，各章に対応した「演習問題＆討論テーマ」と「さらなる学習と研究のための参考文献」を載せている。本書の各章ごとに，また全体を読み終えた後に，それぞれの問題に取り組むことで流通にいっそうの関心や問題意識を持っていただき，次の学習や研究に役立てていただけたら幸いである。

本書では，一見すると複雑に見える現代の流通問題をできるだけわかりやすく体系立てて理解できるように，消費者が位置する川下から川中そして川上に至る全プロセスを総合的に位置づけ，そのプロセスに行政の流通政策が果たす意味や役割の考察を含めて，全体で15の章で編成している。本書が，流通やマーケティングに携わる実務家，経営コンサルタント，ならびにこの分野を研究する研究者や学生の皆さんの参考になれば幸いである。

本書の新版第２版の発行に際して，お世話になっている本学経営学部・商学部の先生方はじめ，日本商業学会ならびに日本流通学会の皆様にも日ごろのご指導にお礼を申し上げたい。なお本書増刷に際しては，拓殖大学商学部准教授　中嶋嘉孝先生，専修大学経営学部教授　目黒良門先生，同大経営学部教授　金成洙先生ならびに石巻専修大学経営学部教授　李東勲先生から有益なアドバイスをいただき感謝したい。そして，本書が何度か改訂を続けられる原動力は，これまでの田口ゼミナールの皆さんのおかげである。卒業生・現役生のさまざまな形での研究や学習への高いモチベーションが刺激となっており，本書の改訂に貢献したことに感謝したい。

今回も本書の出版にあたり，忍耐強く筆者を励まし続けてくださった白桃書房取締役社長　大矢栄一郎氏に厚くお礼申し上げたい。いつも協力を惜しまず筆者を支えてくれる妻の知子，母の昌子，それに息子の広樹にも，研究活動や大学の業務でしばしば生活が犠牲になることを理解し，励ましてくれることを有難く思っている。広樹には，本書の校正にも協力してもらい感謝したい。

2020年１月吉日

田　口　冬　樹

目　　次

第1章
流通分析の視点と方法

第1節　交換取引の発生と流通概念

今日，流通についての関心は，日増しに高められている。これにはさまざまな理由が指摘できるが，究極的にはその役割の重要性に求められる。まず消費者の立場からいっても，物価の安定やライフスタイルの多様化を支え，高度な生活水準を持続するために日常生活に密着した働きとして流通の重要性が広く認められている。同じように，そうした生活水準を支える側の生産者や供給業者にとっても，流通の円滑な推進や効率的な展開が企業成長や産業の発展をもたらし，経済全体の活力を生み出すものとしてその役割が強く認識されてきた。しかし，流通の役割やその重要性が認められていながら，いざ流通とはどのような対象や内容をもつのかを明確にしようとすると論者によってさまざまであることも否定できない。つまり流通とは何かについて，これまで統一された見解や明確な合意が存在しているわけではない。しかし，流通は，総称的には，生産物の生産から消費への社会的移転をめぐって生み出された概念であり，主として戦後になって広く使用されるようになったということはできる。

実は，この生産物の社会的移転をめぐっては，歴史的にさまざまな概念や表現が生み出されてきた。時代とともに，その名称や概念は変化し，異なった意味が与えられてきた。本章では，流通がどのようなねらいのもとで使用される概念であるかを明らかにするために，その前提となる交換取引の歴史的な展開過程を，きわめて大づかみに提示している。そのうえで，さらに現代の流通活動を評価するための尺度を提供している。

1 共同体における自給自足

人類の歴史をひもとくと，原始社会や古代社会に象徴される近代以前の社会において，人々の経済的欲望がどのように満たされていたのかというと，もっぱら自給自足を通して営まれていたといえる。人々は，家族の一員として，氏族や村落など生まれ落ちた特定の集団に所属し，特定の共同体を構成しながら，その規制と保護のもとに生活を繰り広げることができた[1)]。

自給自足を構成する社会は，血縁的人間関係によって氏族，集落，村落などの共同体を形成し，その一族の必要とするものは，その共同体内の働きによって確保され，獲得物はその共同体内の身分関係に応じて分配された。このことは，原始社会や古代社会にまで遡らなくても，かつてのわれわれの家庭生活を考えても理解できる。たとえば，その家庭にとって必要不可欠な味噌，醤油，豆腐の生産，衣服の加工・洗濯など多くの生産活動が家庭で行なわれ，家庭生活を支配し，そうした自給によって消費が成り立っていた。

しかし，共同体が占有する特定の土地で調達できない物資――例えば，塩や金属など――もある。また，共同体の人数の増加や気候・自然条件の変化によっては，共同体内での自給自足に限界を生み出すことになる。さらに，高い身分と権威を誇示する奢侈的な装飾品や装身具など，これらの必要な物資は共同体の外部から何らかの方法で獲得されなければならなかった。

2 共同体間の交換取引の発生

自給自足が徐々に解体をはじめ，上述のように地域の自然条件の違いやそれぞれの地域での生産力の相違，それに集落民の特殊能力や欲望の差異が明確になるにつれて，交換取引の発生がいっそう現実のものとなる。

とりわけ，自然への積極的な働きかけとして，生産手段の発展を推し進めることにより，土地や労働に対する生産性の向上がはかられ，共同体内に余剰生産物を発生させる。当初は余剰生産物も不規則的に生み出されるにすぎなかったのが，生産手段の発展やその結果としての生産性の向上にともなって恒常的に発生するようになる。

余剰生産物の恒常化は，交換の当事者間に，より安全で，相互に有利な交換取引の方法を要請する。歴史的には，平和的な交換取引に至るまでには集落間の生産物をめぐる移転手段として，闘争や戦争による略奪，貢納や献上による贈答などが存在し，とりわけ後者の方法は今日でも形を変えて——日本の文化の中に中元や歳暮などの形で——人間関係や会社同士の取引関係の良好な維持と発展のために定着している。しかし，強制力による物の一方的・片務的移動では犠牲や危険が大きく持続性がないし，余剰生産物の恒常的な発生に対処する方法としては適切ではない。

⑴　直接交換（物々交換）

平和裡に交換できる方法のよりプリミティブなものとしては，物々交換（barter trade）が存在する。この方法は，今日でも国際間の取引として，石油の産油国が工業製品を購入するため原油を決済の手段として利用したり，また国によっては慢性的な外貨不足のため現物での決済を行なうことにもまれにみられる。日本でも，正月の福袋の購入後に，サイズや好みに合うものとの交換会が行なわれたり，さまざまな生活用品の物々交換のサイトまで存在している。しかし，この方法では，物相互の交換に際して数量や比率に合意が得にくく，偶発性・冒険性・詐欺性といった不安定要素が常につきまといやすい。

⑵　間接交換（貨幣による交換）

そこで，物々交換の難点を克服するために導入されたのが，交換に媒介物を利用する方法である。媒介物としてまず，物品貨幣が登場し，歴史的にも，地域的にも，さまざまな希少性のある物品が利用された。とくに，保存性にすぐれ，ある程度分割可能なものが物品貨幣の要件をなした。

やがて，交換の尺度や支払いの手段にいっそうすぐれた金属貨幣が用いられるようになる。わが国では，これまで708年（飛鳥時代）に和同開珎（わどうかいちん・ほう）が金属貨幣としてはじめて鋳造されたといわれてきた。しかし，最近では奈良県明日香村の飛鳥池遺跡から出土した，富本銭（ふほんせん：富本とは国を富ませる基本という意味）がそれよりも四半世紀遡る，683年に鋳造されたとみられ，主として都城の宮人社会を中心に利用されたのではないかと考えられている。これが日本最古の貨幣とみられるようになった。また，和同元年（708年）に発行された銅銭および銀銭（和同２年銀銭は廃止）は，銭の形を唐の開元通宝から模倣したといわれている。貨幣の出現は，それだけ余剰生産物の恒常的な供給を促進し，販売を目的とした商品としての生産を活発にした。さらに，国家の統一により貨幣に信用が与えられるようになると，貨幣は全国的な交換や支払いの手段として浸透し，多くの生産物との交換を可能とした。金本位制の時代にみられる兌換券の利用，今日では信用貨幣としての不換紙幣や硬貨の利用，小切手や手形の利用，さらにクレジットカード，プリペイドカード，それに今後の利用が注目されているICカードや携帯電話・スマートフォンによる電子マネーなどさまざまな信用・支払い手段が発展している。

3　市（いち）の成立と商人の活躍

交換取引を円滑に進めるうえで，交換当事者間に果たした貨幣の役割はきわめて大きかったが，もうひとつ大きな役割を演じたものとして，商人の存在を無視できない。交換取引に商人がいつ登場したのか定かではないが，すでに古代社会において，フェニキア，カルタゴあるいはギリシヤの商人による大規模な交易活動の展開が知られている。なかでもフェニキアは世界最古の商業民族として知られており，BC（紀元前）1500年頃から当時の文明国であったエジプトやメソポタミアなどの交易活動に従事し，海上貿易を支配していた[2)]。

商人は，行商や旅商人の形ではじまり，農民や家内工業者の副業あるいは季節商業として発展し，しだいに商人層が独立の職業集団として社会的に分化する。わが国でも，すでに平安期には，農村・山村・漁村でのそれぞれの特産品の交換が活発になり，頭上，籠，天秤棒を利用して農作物や魚介類を売り歩く商人の姿がみられたし，江戸時代からは富山の薬の置き売りなどにみられるように行商人が生活物資の取引を通して人々の日常生活に深く浸透していた。またフェニキアの商人やシルクロードでのキャラバン（隊商）の活躍は，異なった国々の文化の伝達者としても知られている。大航海時代の商人にしても，国家の権力の庇護の下で遠隔地との交易を通してさまざまな物資の移動を担い，重商主義の基礎を作った。とりわけ，15世紀末―16世紀前半にかけての新大陸・新航路の発見は，商業革命としてヨーロッパ商業の中心地を地中海から大西洋にドラスティックに移動させ，ヨーロッパ近代社会の資本蓄積の原動力となった。

ところで，余剰生産物の交換の場である市の成立は歴史が古く，わが国では，古代の市としては軽市が知られており，律令時代には，藤原，平城，平安諸京に官設の東西市が開かれていた。市は，生産力の発展，人口の増加・集中，そして交通の整備・発達に伴って，不定期なものから定期性のあるもの（三斎市，六斎市，九斎市など）へ進化し，鎌倉時代・室町時代には，寺社門前や交通の要衝に常設市が発展し，市日の増加とともにしだいに恒常的な店舗施設も現われた。市はさまざまな物資の交換を目的とする商人の活躍の舞台であり，さらに人々の文化の交流，宗教的祭事や娯楽の提供と密接に結びついていた。商業の発展が同時に都市や宗教の発達と歩調を合わせてきたことも単なる偶然ではない。わが国での商業が本格的に成立してくるのは，中世，鎌倉時代に入ってからであり，寺社門前および交通の要衝での定期市，問屋の源流である問丸（といまる）（平安末期には津屋と呼ばれていた）や商工業者の特権的同業組合である座などの発展に示されている。室町時代には遠隔地間の物資の移動が活発に行なわれ，商人層の活躍が目立つようになった。

このように，交換取引にそれを専門に担当する主体としての商人を媒介させることで経済はいっそう発展を遂げる。ここでも，商人を介在させた意味での間接交換は，生産者と消費者，あるいは供給者と需要者との直接交換以上の効果を発揮し，より精巧でしかも複雑な商業組織を作り出していく。一見遠回りのようでも，生産力の発展や消費購買力の拡大に持続的に対応するためには，交換取引に貨幣や商人を介在させることの方が効率的かつ有効的であることを歴史が示してきたといえる。

4　交換取引をめぐる諸概念

交換取引をどのように進めるかによって，いくつかの類似の概念や表現が生み出されてきた。これは，いい方を換えると，生産物の社会的移転をめぐって，その時代の背景やそれぞれの国のおかれた状況によって，また移転を実質的に担う主体の勢力（power）によっていくつかの名称を生み出してきたと考えられる。

商業，配給，マーケティング，流通などがそれである。これらは，それぞれ最広義の意味においては，生産物の社会的移転を表わす概念として位置づけることができる。しかし，狭義においては，それぞれ異なった意味づけや評価が与えられてきた。

商業は，交換取引を専門的に担当する主体によって推進され，その特徴は，継続的な「再販売購入行為」を通して営利を追求するところにある。この点で，商業の本質は「商業者を中心とした需給調整活動」として発展してきた。

配給は，「分配給与」，「分配給付」，「分配供給」の略語であり，公式の経済用語として，1917（大正６）年，政府の設置した経済調査委員会の調査報告の中に「米の配給を円滑ならしむ」との表現が用いられていた。大正から昭和初期には，配給が生産物の社会的移転を意味するマクロ的な学術用語として使用されていたが，第２次大戦の戦時統制下において，軍事物資優先のもとに基礎物資の割当て・分配のための統制経済用語として用いられた。戦後，再び社会経済的な意味での学術用語として利用され出したが，いったん戦時統制経済時代に定着した政府による物資統制の社会的イメージは抜きがたく，物不足のもとでの「政府による計画配分」の意味合いを残したまま今日に至っている。なお，映画業界では，映画の製作会社と興行会社・映画館の間に入って映画のフィルムを供給する会社を配給会社・配給元という呼び方をしており，配給という表現が現在も使われている。

マーケティングは，歴史的にとらえると，20世紀初頭の米国において，生産者（供給業者）の立場から農産物や消費財の大量生産体制の確立にともなう市場問題解決の手法や考え方として生み出されてきた。しかし，最近では，マーケティングの担い手は生産者とは限らず，さらには営利企業だけではない。マーケティングの適用領域が非営利組織や個人にまで拡張され，その担い手・方法・適用範囲など多様化している。AMA（American Marketing Association）が示す定義も何度か改訂を重ねており，時代によってマーケティングのとらえ方が変化してきている。さらに2007年の定義では，「マーケティングとは，顧客，クライアント（依頼人），パートナー（協力者），それに社会全体にとって価値のある提供物を創造し，伝達し，配達し，そして交換するための活動であり，一連の制度およびプロセスである」[3)]としている。マーケティングの主体は，顧客以外の利害関係者にも価値を提供すること，またマーケティングを主体的な視点からの活動としてとらえるだけでなく制度やプロセスとしても位置付けようとしており，マネジメントの視点だけではなく，社会的な広がりの中でとらえるようになってきている。しかしマーケティングは主体の視点が重要であり，たとえ政府や地方自治体の公共政策の一環としてのマーケティングの場合でも，組織の立場からの需給調整活動として歴史的に発展してきたという特徴をここでは指摘しておきたい。今日では，「売れる仕組みづくり」，「市場への適応と創造のための活動」や「顧客の問題解決のための活動や考え方」といった企業や組織の主体的な視点からとらえようとする傾向が強い。

それでは，流通という表現によって，何を意味させようとしているかを述べておこう。ここでは，流通概念を，「生産から消費に至る生産物の社会的な移転を円滑に推進する活動および過程」としてとらえ，「特定の組織や視点に限定されない包括的な意味をもつもの」として理解する。このことは，後に詳しく述べるように，流通機能を担当する主体がさまざまな段階から出現しており，商業者や生産者のみならず，消費者や政府までも流通機能の遂行に直接・間接に影響力をもつようになり，商業やマーケティングあるいは配給というそれぞれ特定の主体の視点を想定した概念からでは，全体としての生産物の移転をそれ自体十分に把握できない状況におかれているからである。

それはまた，流通機能の遂行の主体が多様化している状況のみならず，今日の生産物移転の姿は，個々の組織や個人の機能遂行によってのみ実現されるというだけでなく，異なった段階の制度間で協調をベースに形成される垂直的なチャネル・システムを通じて生産物移転が組織化され，そのシステム同士が相互に競争し，対抗し合うというチャネル・システム間競争によって推進されている（たとえば，製造業者と商業者の協調関係にもとづくチャネル・システムの形成，メーカー主導型のチャネル・システムと小売業者主導型のチャネル・システムの競争と協調の関係）。このような組織間の相互関係やチャネル・システム（あるいはネットワーク）間の競争（対抗）と協調（依存）のダイナミックスは，生産物の社会的な移転の仕組みに大きな影響を及ぼすものだけに，とくに重要な問題であるが，こうした現実的な問題への接近も，実は，特定の主体の視点から把握されるだけで全体の動きをとらえられるというものでもない[4)]。

生産物の移転がどのような主体によって，いかなる方法で，何を対象に行なわれるのか，さらにそれによってどのような社会・経済的効果が生み出されるかを問題にする場合，担い手の多様性や担い手同士の相互関係の形成は生産物の移転の成果を左右するものであるだけに，流通というよりいっそう広角的な視点で全体の移転の仕組みをとらえていくことが必要になる。さらにもう一つの流通というトータルな把握の必要性を提起しておきたい。それは社会全体の経済の仕組みに関係する流通の位置づけである。流通は経済の三大セクターの一つを占めており，生産・流通・消費という流れを形成している。しかも商品が購入され使用され消費された後には，廃棄処分で経済の流れが終わってしまうわけではない。有価資源の回収・分別・再生資源化（リサイクル）を内容とした逆流通を必要としている。図１－１に示したよ

図 1-1　経済の三大セクターと流通のポジション

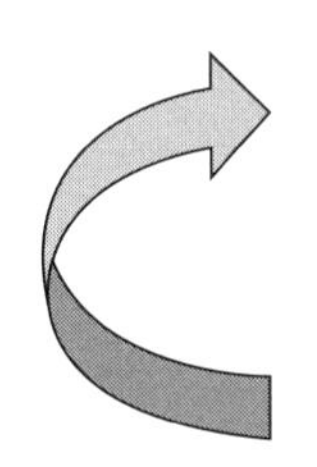
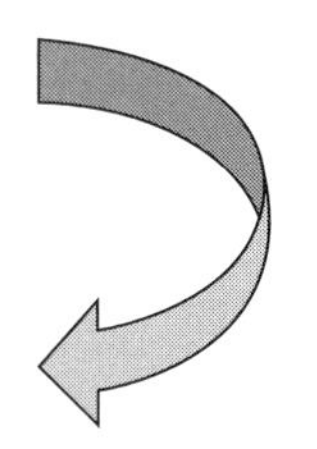

※逆流通＝回収・分別・再生資源化⇒資源の循環

うに，一次資源（first or virgin materials）の流通に対して二次資源（secondary materials：再生資源のこと）の逆流通がわれわれの経済や生活にとって不可欠となっている。広義の流通はこのような一次資源の正規流通と二次資源の逆流通を包摂したトータルな概念を内容としている。

第2節　流通分析のための視点

流通は，生産と消費もしくは需要と供給の間に介在し，多段階な生産を結合しながら，生活者や需要者に多様な商品およびサービスを提供する。それによって，経済循環を可能にし，社会全体の発展を円滑にする役割を担っている。生産，流通，消費という経済の三大セクターのいずれかが逆機能に陥っても，経済発展は望めない。流通は，これまでしばしば社会的に無用の長物とみなされてきたが，流通が適切に機能しないことによって引き起こされる社会的混乱は物の不足・過剰状態あるいは物価の急激な乱高下など，はかり知れない問題を生み出すといえよう。さらに資源の循環という視点でも，流通は逆流通を含んだ広い範囲での流通機能が求められている。

1　流通の2つの役割

原理的には，流通は経済過程で2つの対応を求められている。まず，ひとつは生産への対応であり，社会的にみて流通は生産者の販売代理機能を担当しているといえる。流通を専門的かつ効率的に担当する企業を流通業者とすると，流通業者の活動によって生産者（あるいは製造業者）は流通を彼らに任せることによって効率的な生産活動に専念できる。流通業者は，生産者の製品開発や生産計画に役立つ情報を提供したり，製品の安定した販売窓口となって生産者を支援する。しかし流通業者のこのような役割は生産者が自ら行なう以上の成果をあげることが条件となり，この条件を満たさない限り生産者は販売代理機能を負担させることはなく，自らそれを担うことになる。

第2の対応は，消費に対する役割であり，流通業者が消費者（ユーザー）に代わって消費者の購買代理機能を担当しているといえる。流通業者は，消費者が欲するさまざまな商品やサービスを国内はもとより海外の多様な生産者から購入し，ときには自ら生産者と同じく自社ブランドの製品を開発・製造してまで消費者の品揃え・価格要求に応えようとする。消費者が，流通業者を通して購入することのメリットを認める限り，流通業者の存続と成長が可能となるが，逆に消費者の期待に応えられない場合には，消費者自ら消費生活協同組合や産地直結（産直）運動などを通して直接その役割を担うことが起こる（図1-2参照）。

このように流通の2つの役割は，流通が経済過程における生産セクターと消費セクターの間に介在し，両者を媒介することを課題としている限り宿命

図 1-2　流通における委託と代替の関係

□　流通の利用は，流通業者が生産者や消費者よりも優位性を発揮する場合であり，それが実現できない場合は前2者によって代替される。

➢ 代替の側面　　　　　　委託の側面
（いずれの側で効率性・有効性を発揮できるか）

- 生産者≧　　＜流通業者：POSデータを活用し製品開発・生産計画に役立つ情報を提供し，販売を代行
- 消費者≧　　＜流通業者：消費者に代わって適切な商品を調達し，便利にかつ低コストで提供

的に発生するものといえるが，アダム・スミスが指摘したように，すべての生産は消費のために行なわれるという立場に立つなら，流通は本質的には消費生活や需要の動向を的確に踏まえた形で生産と消費の両セクターを結合することが求められている。さらに重要なことは，この流通の役割を誰が担当するかについては，アプリオリには決められていない。多くの流通機能を仮に専門的に担当する企業が流通業者として登場したとしても，彼らの遂行する機能が生産者や消費者など他の経済主体以上の効率性や有効性を発揮できない限り，社会的にその存在を認められたことにはならない。

そこには効率性と有効性をめぐる競争を通して，経済主体間に常に流通機能担当の代替関係が発生する。したがって，流通業者とはこうした流通機能を最も効率的にかつ効果的に遂行する専門企業のことを表わしており，そのような企業を流通業者と呼び，その業者の集合（企業群）を流通産業ととらえることができる。ただし，現実的には，流通業者が担当する機能は流通機能だけとは限らず生産機能などを同時に遂行することで競争力が発揮されたり（流通業者によるプライベートブランド＝ストアブランドの企画・製造のケース），機能担当の境界がオーバーラップしていたり（製造卸・製造小売などのケース）で，必ずしもそれぞれの企業の事業内容は流通に限定されるわけではない。そのような場合には，どの機能にもとづく売上が相対的に多いかで何屋であるかの判断の尺度にしている。また，現存する流通業者がすべて効率的であるといえるかというと判断に苦しむ業者が存在することもあり，必ずしも効率的だから存続できているとはいえないような場合もみられる。この点は有効性という別の尺度の使用も含め，次のところで詳しく述べてみよう。

2　流通活動の評価に対する２つの尺度と流通イノベーション

流通活動の成果はいかなる尺度や基準から評価できるのであろうか。たとえば，われわれは利用した小売店やそこから購入した商品に対して，良い・悪いを経験的に判断している。その根拠は評価する人によってさまざまであるといえるが，そのような経験的判断の根拠を整理するために，ここに２つの判断基準を示しておこう。

まず，われわれが最も共通して関心を与えがちである評価の尺度は，コストである。一般に，流通活動のコストもしくはある店舗での商品やサービスの販売価格についてかなり厳しい比較が行なわれる。同じ内容の流通活動や商品であれば，できるだけコストの低いものの方が買手としては望ましい。メーカーにしても，同じ内容の流通活動あるいは同じ品質の材料を扱う卸売業者が多数存在すれば，なかでもコストを低減できる業者と取引することで予算を有効に活用しようとするだろう。消費者にしても，限られた所得の中においては，同じ内容の商品を扱うのであればできるだけ低価格販売を行なう小売店を選択する。流通コストの低減によって，企業には利益増大効果が生じ，消費者には所得増大効果がもたらされる。流通の合理化・近代化による流通コストの低減が求められるのもこうした点に理由がある。

さらにコスト以外で，一般の消費者が日常的に体験する判断基準としてわかりやすい例を述べると，ある小売店舗が提供する利便性，快適性，あるいは楽しさといったベネフィット（benefit：論者によってはこれをアメニティ：amenityと呼ぶ場合もある）の尺度が存在する。このベネフィットという尺度にはかなり雑多な内容が含まれているので，必ずしも一義的に確定することができない性質のものといえる。しかし，われわれが店舗を利用したり，商品を購入するときに，必ずしも価格やコストが安いから求めるというのではなく，他より高くても買物の便利さや雰囲気の良さあるいは情報価値に魅せられてある特定の店舗を利用したり商品を買うという場合も少なくない。流通活動をコスト・パフォーマンスだけで判断できない部分があるというのはこのことである。とくに最近の商店街の近代化や活性化の焦点は，個店レベルだけでなく商店街全体としても，このベネフィットの充実をいかにはかるかにおかれており，まちづくりということが大きなテーマとなっている。これは，まさにこうした尺度から具体化に取り組んでいるケースとみることもできる。ベネフィットという尺度は，それを充実させようとすると高コストになりやすく，ときとしてコスト基準とトレードオフの関係になる。さらに，このようなベネフィットにかかわる基準は，その表現の妥当性はともかくとして，企業間の取引でも多少高コストになっても互恵取引，安定的な品質の維持や品揃えの総合化などの理由から用いられることがある。

企業と消費者とのコスト負担の関係はある種のシーソーや綱引きの関係で成立していると見ることができる。商品の選択から配達，据え付け，保守点検などをすべて企業に任せてしまう場合と，消費者がこれらの機能を自分ですべて負担する場合とは当然であるが買物コストが異なってくる。消費者が自分で負担するか，企業が負担するかを以下の図1－3で示すと，明らかに買物コストには単に実売価格の範囲に収まらない消費者コストがかかわっていることも見えてくる。これをライフサイクルコスト（費用）としてとらえる見方もある。とくに消費者が自ら流通機能を実行する場合に流通費用や生

図 1-3　流通費用と消費者費用

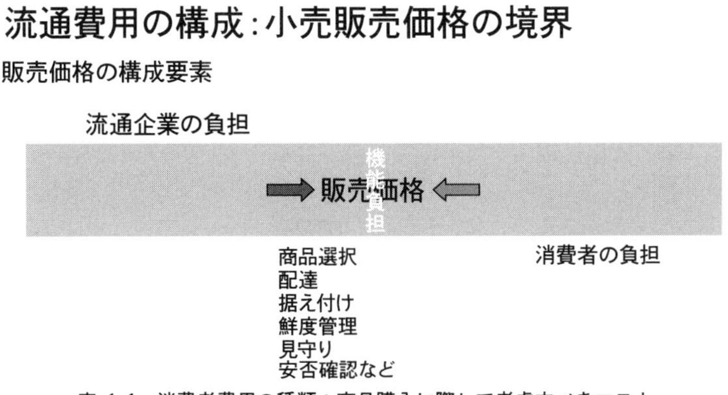

表 1-1　消費者費用の種類：商品購入に際して考慮すべきコスト

＊情報収集コスト―企業が提供する以外に，消費者自身が収集する情報―雑誌，新聞，クチコミ・ネットでのチャット

＊買物探索コスト―買物場所へのアクセスする時間・費用―ガソリン代・駐車場料金・バス代・電車代・送料・インターネットでの利用料など

＊ランニングコスト（使用経費）－車の税金，電気代，ガス代

＊メンテナンスコスト（維持経費）―洗車代，修理代，車検，クリーニング代

＊廃棄コスト―不用時の廃棄経費―家電リサイクル法や自動車リサイクル法に基づく廃棄コストや粗大ごみの処分費用

活費用がどのように発生するかについて，田村正紀（2006）はライフサイクル費用概念で説明しようとした[5)]。消費者の視点で流通活動をとらえた場合，単に購買時のコストだけでなく，トータルな生活で必要となるコスト負担を最小化する行動が選択される場合があり，流通企業の視点ではこのライフサイクルコストの低減を視野に入れた流通活動や家庭サポートをベースにベネフィットの最大化を提案する時代にきている。

このように流通活動は消費者の生活機能や企業のビジネス機能と常に接触しながら，コスト基準にしろ，ベネフィット基準にしろ，いずれの基準を大きく改善する方向に加えて，両方の基準を同時に達成することで流通のあり方を最も進化させ，顧客価値を向上させてきた[6)]。この双方の基準が同時に実現された状態を本書では流通イノベーションとしてとらえ，顧客価値が最も大きく達成された条件と位置づけている。ここでは，一方の尺度であるコスト基準を効率性（efficiency：能率と表現されることもある）と呼び，他方の尺度であるベネフィット基準を有効性（effectiveness：効果と表現されることもある）と呼ぶことにしよう。流通活動の成果は，効率性と有効性から成る２つの基準のバランスある発展のうえに成り立っているといえる。したがって，国の流通政策や企業の流通活動を評価する場合にはこのような基準がどのように強調され，活用されているかを理解することも大切となる。

注

1）石坂昭雄・壽永欣三郎他著『商業史』有斐閣双書，1980年，pp. 6-7。

2）篠原一壽「商業の発展と概念」田中由多加編著『入門商業政策』（増補改訂版）創成社，1991年，pp. 6-11。

3）https://www.ama.org/AboutAMA/Pages/Definition-of-Marketing.aspx（Approved July 2013）2015・12・6現在。

4）荒川祐吉「現代商業の本質とその一般的形態」久保村隆祐・荒川祐吉編『商業学』有斐閣大学双書，1974年，第２章所収，pp. 57-102。

5）田村によると，ライフサイクル費用とは，「その製品の探索，購買，使用，廃棄など，消費者と製品の関わりの全過程（ライフサイクル）から発生する費用である。ライフサイクル費用の最大項目は，その製品の購買価格である。これ以外に，その製品の買物に際して費消した交通費や時間，耐久財の場合はその保守維持費，さらには廃棄費用などが加わる。」として，製品や流通から得られるベネフィット（田村は便益と表現）とライフサイクルコストの差額が顧客価値とみなす。顧客価値の追求は，製品や流通の便益を高くするか，あるいはライフサイクルコストを低くすることで顧客価値は向上するが，ベネフィットかコストのいずれか一方ではなく，両者をともに追求することで両者の差額，その比率を高めることが重要であることを提起している。田村正紀著『バリュー消費：「欲ばりな消費集団」の行動原理』日本経済新聞社，2006年，pp.43-47。

6）　矢作敏行著『現代流通』有斐閣アルマ，1996年，p.199。田口冬樹著『流通イノベーションへの挑戦』白桃書房 2016年。

第2章 流通過程における調整手段と流通機構の編成原理

第1節 調整手段について

流通過程において生産物の移転はどのようにして行なわれるのか。いかなる手段を通して移転が実現されるのか。流通過程での生産物の移転を担う中心的な主体は企業であるが，彼らは真空状態の中でこのような流通活動を担うわけではない。流通活動の遂行をめぐっては個別主体間にはいくつかの調整手段が存在している。競争，協調，統合，そして個別主体同士の調整がより円滑に促進されるように行政介入が行なわれる。現実の流通の世界では，これらの調整手段が企業，消費者，政府の間で，同時に，複合的に展開され，生産物の移転が実現されている。

ここで，調整手段は，生産物の移転をめぐって，生産者・卸売業者・小売業者・消費者・政府・その他流通機能担当者（組織）同士およびそれぞれの間の相互関係を規定し，流通機構を編成するための原理的な役割を果たしている。また調整手段は，流通機構における部分対部分の関係のみならず，部分と全体を媒介する方法でもある。これらの手段は，国や時代さらには企業のおかれた状況によって，その利用の仕方や成果の評価に相違がみられるのが普通である[1)]。

1 競 争（competition）

競争は市場経済における最もポピュラーな調整手段である。通常，２人以上の個別主体が同一目的の達成をめざして，対抗し優劣を競うことである。同一の顧客獲得をめざした売手間の競争によって，買手は取引価格の低下，品質向上，生産物の選択範囲の拡大などの効率性と有効性の実現を期待する。この競争的調整様式のもとでは，効率性と有効性の追求が，個別主体にとって競争に打ち勝つために不可欠となる。結果として，望まれない生産物やその提供者は市場から排除され，さらに特定の機能遂行を高コストで遂行する方法は，低コストの方法に代替される。その反面，競争のパラドックスとして，過度な競争が効率を阻害し，流通コストを逆に増加させるという「程度問題」に対しても十分に配慮せねばならない。一口に競争といっても，流通過程でみられる競争の形態にはいくつかのレベルがあり，それぞれの企業はその企業のおかれた状況から多くの競争戦略の形態を採用している。

流通過程での競争としては，次のようなタイプが存在する。

⑴　**水平的競争（horizontal competition）**

個別企業同士が同一の顧客獲得をめぐって，同一段階の生産―流通過程で競い合う同業種・同形態（業態）間での競争であり，具体的には，同業種メーカー同士の競争・同業種卸売業者同士の競争・同業種小売業者同士の競争・百貨店同士の競争にみられる。

⑵　**垂直的競争（vertical competition）**

流通過程での異なった段階に位置する企業間の競争であり，メーカーの希望小売価格に対する小売業者（たとえば，ディスカウント・ストア）側からの価格競争，同様のことは卸売業者 vs（versus；対）小売業者の間でも発生する。また競争ほどはっきりとした対抗関係にはないが，利害関係の対立状況としては，垂直的衝突（vertical conflict）が存在する。これは，メーカー主導型のチャネル・システム内での役割―期待の設定をめぐって，あるいはマージン率の配分や物流コストの負担をめぐってメーカーとそこでのチャネル構成員との対立などがみられる。

⑶　**異業態（形態）間競争（inter-type competition）**

流通過程の同一の段階にある異なった販売・営業形態を採用する企業間の

競争であり，小売業内でも，たとえば，小売段階での百貨店 vs 専門店，チェーン・ストア vs 単独店，卸売段階での全機能卸売業者と限定機能卸売業者（これらの用語は第12章参照）との関係で競争が行なわれ，また類似商品の異なった販売方法をめぐる競争として，通信販売 vs 店舗販売，現金販売 vs クレジット販売などがみられる。さらに小売業の枠を越えたところでも，食料品スーパー vs 外食レストラン vs 食材のケータリング・サービス vs テイクアウトの弁当販売店での内食（うちしょく）・外食（がいしょく）・中食（なかしょく）における競争関係の進行，小売業のキャッシング・サービス vs 金融機関の一般消費者向けローン提供でも業際化・融合化の進展によって競争関係が複雑に発生している。

⑷　ブランド間競争（inter-brand competition）

ブランドの役割としては，製造責任の主体であること，他社との識別を容易にすることが意図されている。ナショナル・ブランド（NB：明確な規定はないが，全国的な市場を対象とした生産者・製造業者によるブランド）間競争，プライベート・ブランド（PB：商業者によるブランド＝ストア・ブランド）間の競争，PB vs NB 間競争，NB vs PB vs DC（Designers' and Character Brand）間競争などが考えられる。ブランドを中心とした競争が行なわれている一方で，相手先へのブランド製造（OEM）を行なう形態もみられる。

相手先ブランド製造は，OEM（Original Equipment Manufacturing/Manufacturer：相手先ブランド製品製造もしくは供給とも訳される）ともいわれ，相手先メーカーの委託にもとづいて生産し，自社ブランドではなく，委託先のメーカーのブランドをつけさせることを認めた供給体制である。これを商業者が利用すると，PB となる。メーカー間では，一般に，両社の競合が比較的少ない商品分野で OEM 提携が展開されやすい。提携企業間で守秘義務を課しているために，通常，消費者にはわかりにくくなっている場合が多く，中身は同じものを，消費者はブランド・イメージだけで選択するという状況が生まれる。

⒜　OEM を受ける側のメリット[2)]：①自社でその製品を開発したり，設

備投資するコストやリスクを回避できる。②相手先企業の量産効果によるコスト低減を期待できる。③消費者ニーズの個性化・多様化・短サイクル化の動きを反映した品揃えの拡大要求や製品のライフ・サイクルの短縮化に素早く対応できる。④売れ筋製品の発見，確認のテスト・ケースとして採用できる。

(b) OEM を受ける側のデメリット：①その製品の開発・製造に関する技術やノウハウの蓄積ができない。②故障や修理あるいはクレームに対する問題解決能力が不足するということ。③自社で製造していないだけにマーケティングの特徴づけがしにくい。④OEM を引き受けた協力企業がライバルに転嫁する危険性がある。

(c) OEM を提供する側のメリット：①自社ブランド併用企業にとっては，生産量確保によるコストダウン効果が期待できる。②販路（市場）開拓にともなうコストやリスクを節約できる。③委託先のリードユーザー（キーバイヤー）からの優れた技術や経営の専門的知識の学習が期待できることである。

(d) OEM を提供する側のデメリット：①継続性・安定性で問題がある。②顔のない企業としては独自性のある商品コンセプトを打ち出しにくい。③相手先ブランドとのカニバリゼーション（共食い）の発生という問題である。

(5) チャネル・システム間競争（inter-channel system competition）

流通チャネル・システムの構築・維持に際し，流通段階のどこに所属する誰がリーダーシップをとるかによって，主導するチャネル・システムのタイプを分類することができるが，この場合の競争の単位は個別企業から，垂直的な企業集団（グループやネットワーク）の単位へ拡大する。

① 生産者主導型チャネル・システム
② 卸売業者主導型チャネル・システム
③ 小売業者主導型チャネル・システム
④ 消費者主導型チャネル・システム

かつては，商品の種類によって主導する主体（リーダー）が決まっていたが，同じ商品・業種レベルにおいても，リーダーの出現の形態が異なり，流通段階を異にしたリーダー同士の対抗がみられる。このことは，かつてJ. K. ガルブレイスがカウンターベーリング・パワー（countervailing power：対抗力・拮抗力）として提唱したことがあるが，大規模生産者の流通支配力に対抗できる大規模卸売業者や大規模小売業者，とくにチェーン・ストアやボランタリー・チェーン，さらには消費生活協同組合の市場力の形成やチャネル・リーダーシップの発揮が垂直的な競争を刺激する。これは，競争が同業種からではなく，異なった流通段階から登場することに注目したものといえる。リーダーになり得る条件として，全体をまとめていくコーディネーター型のタイプの他に，最近では，情報処理能力のある企業，いい換えれば情報を集約する力のある（ノード型）企業がリーダーとなるケースが注目されている。

2　協　調（cooperation）

2人以上の個別主体同士がある共通の目標の達成をめざして，相互に協力関係をもつことである。それによって個々に行動するよりもより多くの利益が期待できることが協調の動機となっている。競争的な市場においても，協調は必要なものであり，売手と買手の間で，製品の仕様・納期・品質・コスト・取引場所などの契約条件，資金や情報提供などをめぐって協調関係が求められる。通常，売手と買手の円滑な交換取引の達成は，相互に最低限の協調を行なうことからもたらされているといってもよい。個別主体同士が相互にどのような経営資源をもち，それによってお互いにいかなる資源を利用し合うかによって，私的レベルで流通機能遂行の合理化・効率化が期待できる。その反面，資本的独立性を維持しながらも，経営資源のもち方や行使いかんでは，流通機能遂行力や交渉力に差が生じ，対等な関係や一方を他方が支配し，支配される関係となって協調の内容が多様に織りなされる。

協調の手段としては，相互に独立した企業間で，主に法律による契約や協定あるいは伝統的な取引慣行が利用される。とくに，寡占的なメーカーが垂直的なチャネル・システムを構築し，独立した卸売業者や小売業者をそのシステムの構成員として参加させ，自社ブランドの価格や供給量の安定化をはかるために，協調をベースに一定の役割関係を設定しようとしての統制（control）が重視される。統制は，企業間の緊密な関係を長期にわたって維持し，生産・流通の効率化をはかるためにも，ライセンス協定，フランチャイズ協定，ボランタリー協定などの公式な取り決め，あるいは慣行のような非公式な話し合い・取り決めを含め，協調をベースに企業間相互の作業手順を統一したり，調整したりするのにも利用される。たとえば，企業間で原材料・部品・製品の標準化，作業工程・作業手順（手続）の統一化，受発注方法・販売方法の調整，在庫管理・配送手順の同期化による配送のジャスト・イン・タイムや在庫削減の実現などが行なわれる。ここで，協調と統制はしばしば同時に用いられることが多い。流通の世界での協調の具体例としては，メーカー主導型のチャネル・システムへの卸売業者や小売業者の参加，卸売業者主催のボランタリー・チェーンへの小売業者の参加，フランチャイズ・システムにおけるフランチャイザー（本部）とフランチャイジー（加盟店）との関係，大手メーカーと大手小売企業との製品の共同開発をめぐる戦略同盟・提携（strategic alliance）や共同広告の例などを指摘できる。

企業間協調のタイプとしては，次のものがあげられる。

(1) 水平的協調（horizontal cooperation）：業務提携（生産技術，販売技術，商品企画，商品仕入・供給ルートの提携など），商店街での共同事業や共同催事などの共同活動（中小企業が組合を設立し，事業協同組合や商店街振興組合の組織化を通して，公的資金を活用しながら商店街の整備や街づくりを行なうなど）があげられる。

(2) 垂直的協調（vertical cooperation）：ブランド商品などを中心とした流通チャネル・システム（共通の目的を実現するために，相互依存的な縦の企業間関係を形成し，メンバー間の役割期待や対立の克服をはかりながら，所属するシステムの成果を向上させようとする），情報ネットワーク（主として，情報処理・利用を中心とした企業間連結であり，必ずしも垂直的側面だけではなく，水平的な側面でも形成される）などが指摘できる。流通チャネルや情報ネットワークは，メンバー間の協調をベースに各種の経済性の実現をはかり，他企業の主導するチャネル・システムやネットワークに対しては競争的な関係を創出する。

経済性のタイプとしては，以下の3つがとらえられるが，協調を通して期待できる経済性には①と③がしばしば指摘される。

① 規模の経済性（economies of scale）:標準化された商品の大量生産・大量流通にともなうコスト低下。

② 範囲の経済性（economies of scope）:ある企業が同一の原材料や半製品を使用したり，あるいは同じ製造工程や販売チャネルを利用して，複数のさまざまな製品の生産や流通を行なう場合にあらわれる。たとえば，1企業が製品の1品種を生産するコストの総和より，1企業で多品種生産するコストの方が安いと相対的にコスト低下の効果がもたらされる。単一企業がこうした効果をベースにして，関連製品・事業を拡大し，多角化をはかることが，他企業に対する競争優位性を発揮する。

③ 連結の経済性（economies of network）: 複数主体間のネットワークの結びつきが生み出す経済性であり，企業のもつ内部資源（共通要素）の活用のみならず，外部企業の経営資源（共有要素）を活用することにより，複数企業のもつ情報や技術の多重利用から相乗効果や補完効果が発揮される。これは，宮沢健一教授の造語であるが，その焦点は,単一企業によって規模や範囲のメリットを追求するのではなく，複数企業によって追求されるところにある。ネットワークというのは，市場の自動調整によるものではなく，また組織内での指令や命令の形での純粋の権限調整とも異なる，市場と組織とをつなぐ第3の社会的調整システムとして連鎖型組織と位置づけられる[3]。

3　統　合（integration）

企業によっては，経済効率や競争効果を考えて，ひとつの企業資本の下にさまざまな購買過程，製造過程，販売過程を集約し，遂行することがある。統合の概念は，協調の概念とオーバーラップして用いられることが少なくないが，同一企業内では事業所の統合，同業他社や異業他社の場合は企業の集中・合併を意味する。統合が行なわれる理由としては，取引費用の節約，生産・販売数量の確保，過剰能力・重複投資の回避などがあげられる。統合の方法には，その企業の内的な経営資源を活用した機能拡大・多角化にともなう新規参入と，既存企業の合併・買収（M＆A＝Mergers and Acquisitions）による方法がある。

⑴　水平的統合（horizontal integration）：同一産業に属するいくつかの事業所（企業）が1つの企業に統合（合併）すること。水平的合併は，市場におけるシェアの増大によって，競争に大きなインパクトを与えることになるが，大きなシェアをもつ企業が成立する場合には，競争制限への懸念として，独禁法における合併規制の対象となる（第15章第4節2の⑷参照）。経営統合としては，これまでに百貨店同士の経営統合や銀行同士の経営統合が行なわれてきた。

⑵　垂直的統合（vertical integration）：原材料の供給・購買，製造・加工，保管，販売，輸送などいくつかの段階にわたる垂直的な流れにおいて，そのいずれかの隣接する階層を同一企業の下に統合し遂行することであり，これは2つの方向で行なわれる。①後方垂直統合（backward vertical integration）：原料・素材部門へ向かう統合の動きであり，②前方垂直統合（forward vertical integration）：消費者販売部門へ向かう動きである。総合スーパーによるPB開発のための製造部門への資本投資や大量集中仕入にともなう卸売部門への資本投資などの例は前者の例であり，完成品メーカーの卸売部門への資本投下による販売会社の設置や小売部門への直営店の進出は後者の例である。

⑶　多角的統合（conglomerate）：複合企業といわれ，流通の世界では，

コングロマーチャント（conglomerchant：コングロマリットとマーチャントの複合語，小売業を軸に形成されるものを小売複合体とも呼ぶ：第10章3節1参照）という言葉で呼ばれてきた。異なった産業・業種・業態（形態）に属するいくつかの企業を統合した多角化企業であり，米国では1950年代からこのコングロマリット型の合併・買収による方法が多くみられた。その理由として，1950年，米国ではクレイトン法の第7条を改正し，水平的・垂直的合併に対する規制が強まったことがコングロマリット合併を促進したとされる。1970年代後半から現在にかけては，巨大企業や外国企業を中心としたM＆Aが活発化している。M＆Aは企業の業容拡大（事業多角化・海外進出など），効率向上を目的として進められ，企業のリストラクチャリング（事業の再構築・体質改善）を短期間で実現することを期待して行なわれている。

4　行政介入（government intervention）

今日，流通機構の発展が私的合理性の追求をベースとした競争・協調・統合といった調整手段のみから引き出されるのではなく，多くの政治的・社会的状況を背景にもつ政府の行政介入によって推進されてきている。とりわけ，わが国やヨーロッパ諸国の場合，流通の世界で政府や地方自治体の行なう流通政策や公共政策の果たす機会や役割には，かなり大きいものがある。現実の経済が完全な市場機構か集権的な計画機構かのいずれか一方でのみ処理できない以上，法的規制や一定の行政介入によって現体制の要である市場機構の不備な面や欠陥ならびに失敗を調整し，補正していく工夫が行なわれてきている。このことを流通の世界に置き換えていうと，流通の目標と現実のギャップを明確にし，目標に近づける政策努力が求められ，流通機構の発展を適正に誘導する努力とそれを阻害する要因の除去が行なわれなければならない。こうした流通政策や法的規制あるいは支援の存在は，私的な制度やその集団の行動を規定し，企業間の相互関係にも大きな影響を及ぼし，結果的に一国の流通機構の発展を左右することになる[4)]。

流通政策は，多数の私的な制度体（機関）やその集団によって遂行される流通活動もしくはマーケティング活動を社会的利益と合致させるための行政行為である。しかし現実の流通政策が，ややもすると，特定の利害集団の政治的圧力の下で，特定集団の保護に偏る傾向がみられたり，競争関係や参入を阻害するようなケースにならないとも限らない。とくに，これまで大規模小売店舗法（大店法）をめぐっては，国内のみならず，海外からも大型店の参入規制や中小小売店の保護の問題点を指摘され，経済的な視点からの規制緩和の流れを受けて，2000年には最終的に廃止された。それに代わって環境問題の視点からの社会的規制を特徴とする大規模小売店舗立地法（大店立地法）が設置されている。こうした変遷をみても，政府が自ら行なう流通過程への公的介入を社会のニーズに照らしてその必要性を検証し，政策の手続をオープンにし，よりコンシステントに方向づけていく努力が求められる。

流通過程への行政介入もしくは法律は，２つのカテゴリーから整理できる。

⑴　小売業における各種規制や拘束といった流通機構の特定の段階において，そこでの企業に影響を及ぼすもの。「薬機法」（薬事法の改正された法律の略称，「医薬品医療機器法」とも略称される）による薬局・薬店での医薬品の販売許可，大店立地法の存在など。

⑵　流通機構の複数の段階での（異なったレベルにまたがる）企業間関係に影響を及ぼす各種の動きである。流通系列化規制や著作物の法定再販制など。

ここで，流通政策や法的調整は，これまで論じてきた競争・協調・統合の働きを全体の視点で制御し，私的な制度やその集団の行動に一定の枠組みや行動のルールを提供することを任務としており，流通全体への活動基盤を創出してきている。

「コラム」PB 商品開発をめぐる競争・協調・OEM・統合

この章で取り上げている４つの概念は，流通の現場ではどのように関連しているのだろうか。身近な例として，流通企業が提供する PB 商品から考えてみよう。このところ，小売企業による PB 商品の開発や提供が活発化している。従来のような安かろう・悪かろうの低価格・低品質のイメージを払拭し，店の特徴や他店との差別化の手段として利用されるようになっている。つまり，PB 商品の開発や提供を通して，同業態や異業態間での競争力を発揮しようとしている。

そこで，次にこの水平的な横の競争は実は垂直的な縦の協調によって支えられていることを明らかにしてみよう。まず，小売企業の PB 品は，誰が開発し，誰が製造し，誰がどこで販売するだろうか。小売企業の PB 商品だから開発の主体は常に小売企業なのだろうか。小売企業は製造工場をもっているのだろうか。また販売も当然自分のお店でだけで販売することになるのだろうか。身近なはずの小売流通でも，問題意識をもつと，次から次へと疑問の連鎖が発生する。

そこで，最初の疑問であるが，小売企業が PB 商品を開発したいと考えた場合，そうした開発のための経営資源をもっている企業であれば，それを自前で組織を用意して取り組むことができる。現に，イオンは「トップバリュ」（中価格帯）をコアにして，「トップバリュベストプライス」（低価格帯）と「トップバリュセレクト」（高価格帯）という3層構造を編成し，独立の PB 開発会社で開発が行なわれている。セブン＆アイでは「セブンプレミアム」，さらにワンランク上を追求した「セブンゴールド」の2層構造をベースに，コンビニエンスストアのセブン-イレブンを中心に，発足時から編成されてきた企業横断的なチームマーチャンダイジングというプロジェクト方式を受け継いで PB 商品開発が行なわれている。しかし，こうした開発体制が十分ではない中堅スーパーのような企業では，シージーシージャパン（CGC）【ボランタリーチェーン】のような小売企業が結集した共同仕入・PB 商品開発企業に加盟することで利用するか，日本の私鉄系スーパーマーケット8社が共同で設立した八社会のような共同企画商品を手がける企業を利用する場合もある。しかし，そうした選択ができない場合は，メーカーに全面的に開発機能を依存せざるを得ない。言葉は悪いが丸投げのような形になる。一口にOEMといっても，幾つかの選択肢があり，①委託先＝小売企業が開発・設計を担当する場合，②受託先＝メーカーが委託先企業との関係で開発・設計を担当する場合（ODM：Original Design Manufacture），さらには③受託先が独自に開発・設計・ノンブランド状態までを担当し，他社からの受注を待つ状態（ODM）という分類も可能である。開発機能を自社組織で統合するのか，外部に依存するかで重要なことは開発のリーダーシップを小売企業が担っているかが重要である。

開発のリーダーシップを小売企業が担っていても，製造工場をもつことは必ずしも得策ではない。自店で販売しているPB商品のすべてに自社工場を抱えるとしたなら小売企業のPB商品の開発や販売は柔軟性を失ってしまう。そのため小売企業のPB商品はメーカーにOEMという方法で製造してもらうことになる。小売企業にとっては，低価格から高価格までのPB商品の開発・製造の多くはメーカーの優れた経営資源やノウハウをいかに引き出すかにかかっているといっても過言ではない。メーカーの開発力やモノづくりの力に依存することになる。たとえ，経営資源が豊富といえども，それは小売経営の資源であって，製品開発や品質改善の専門能力ではない。むしろ優れた商品開発力のあるメーカーに協力してもらった方が消費者にそのことが知れた場合にPB商品の信頼性が高まる効果もある。たとえ，セブン-イレブンであっても，米飯商品，調理パン，惣菜といった地場的性格の強い商品の共同開発やその原材料・資材の調達の共同購入には，日本デリカフーズ協同組合（NDF）という協同組合組織を利用し，原材料メーカー，製品メーカー，包装容器メーカーを厳選し，各取引先メーカーとのきめ細かい独自商品開発を実現している。さらに特定商品ごとに設定される個別プロジェクト方式の場合にも，業界事情を考慮して，ハム，ソーセージなど複数のNBメーカーが参加するチームマーチャンダイジングと，ビールのように特定メーカー1社とのみプロジェクトを編成する個別プロジェクトの2通りの方法が行なわれている。このことが意味しているのは，大量に売れるPB商品だから自前で製造工場をもとうとはしておらず，メーカーに協力してもらっているという構図である。セブン＆アイの鈴木敏文会長が，自社のPB商品の開発に際して，「おいしいものは飽きられるので，常にリニューアルする」ということを発言し，商品開発の基準は「一日一店舗当たり10個以上売れるもの」ということを明らかにしている。たくさん売れるからといってもあえて製造の機能を統合しようとはしていない。むしろメーカーとの垂直的な緊密な協調を実現することで，小売段階での水平的な競争力を強化していることが明らかとなる。さらに言えば，PB商品は自分のお店だけでなく，系列のグループの小売企業に対しても取り扱わせて販売している。イオンでは，マックスバリュ，いなげや，ダイエー，カスミ，マルエツなどに提供されている。セブン＆アイでは，セブンの店舗数は1万8000店以上展開しており，イトーヨーカ堂はじめ西武やそごうまで含めたグループの店舗でも扱っている。総額では年間10億円以上売れる商品を生み出しており，グループの小売企業同士では緊密な協調で，ライバルにはPB商品でも競争している。このようにPB商品開発では特定のメーカーとの協調をはかり，小売段階ではグループ企業同士では協調し，その協調の力を結集することで，ライバルの同業態や異業態の小売企業に競争力を発揮していることがわかる。ちなみに日本でこれほどまでにコンビニエンス・ストアが成長し普及したきっかけとしては，大店法（1973年制定）による大型店への出店規制という行政介入の影響を指摘することができる。当時の大手総合スーパー企業に対して，コンビニエンス・ストアへの投資を促進する重要な推進力を与えたこと，また70年代には通産省（現在の経済産業省）や中小企業庁の流通の近代化・システム政策は，バーコードやPOSシステムの普及に多大な影響力を発揮したことなど，行政介入と流通イノベーションは深く関与してきたことも確認できるところである。競争・協調・OEM・統合それに行政介入はわれわれの生活にさまざまな影響を与えており，日ごろから流通問題に関心をもってウォッチングしてもらいたい。

（参考文献）田口冬樹著『流通イノベーションへの挑戦』白桃書房，2016年。

第2節　流通機構の構成要素

一国の流通機構が編成され，発展する動因はきわめて複雑であり，必ずしも一元的な原理の下で動かされているわけではない。しかしそこにはある共通した構成要素や環境条件さらには調整手段の存在をみいだすことは可能である。ここで流通機構とは，生産（供給）過程から消費（需要）過程への生産物（商品およびサービス）の権利移転をつかさどる社会的な仕組みととらえることができる。流通機構の発展に影響を及ぼす要因として，主に4つの層から整理することが可能である（図2－1参照）。

1　流通機構の内部要素

第1の層は，流通機構をそれ自体成立させている内部要素であり，生産物（商品およびサービス），機能（流通活動）および制度体（機関：通常は，企業や組織体およびそれらの集団，家庭もしくは個人の場合も含められる）が主に該当する。これまでは，どのような商品特性をもつかによって，必要な流通機能と流通制度の対応関係が規定されてきたが，近年の傾向は企業の多角化や消費者の購買行動の変化を反映して，必ずしもこうした関係が成立せず，企業ごとに，流通制度ごとに異なった機能や商品流通の独自のパターンが出現するようになってきた。たとえば，専門品であれば，かつてはチャネルの短い

図 2-1　流通機構の編成要因

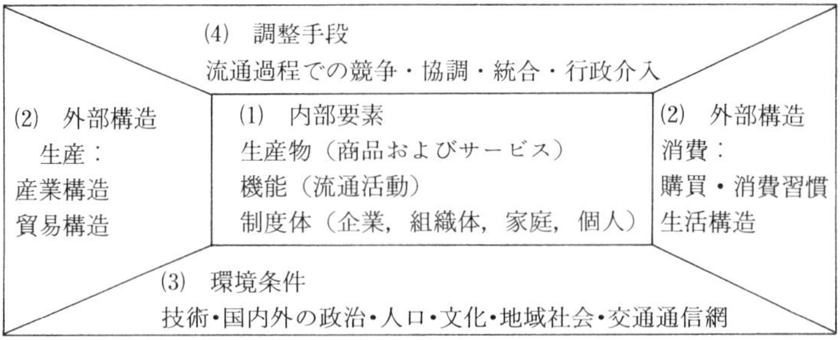

(4)　調整手段
流通過程での競争・協調・統合・行政介入

(2)　外部構造
生産：
産業構造
貿易構造

(1)　内部要素
生産物（商品およびサービス）
機能（流通活動）
制度体（企業，組織体，家庭，個人）

(2)　外部構造
消費：
購買・消費習慣
生活構造

(3)　環境条件
技術・国内外の政治・人口・文化・地域社会・交通通信網

専門店ルートで，専門販売員による情報提供やアフターサービスが求められるといったパターンに対して，今日では専門品を製造する企業，流通のルート，販売店の選択，販売方法なども実に多様化し，企業ごとに異なった発展を示すようになってきた。このことは，商品の特性だけから流通機構を理解できるわけではなく，流通制度の革新が流通機能の配合をどのように変化させるか，あるいは生産物の性格と流通機能の関連づけ，さらには制度との対応を含め全体として把握することで，はじめて流通機構の編成が理解されるという特徴をもっている。

2　流通機構の外部構造

第2の層は，流通過程を取り巻く直接的な外部構造である。流通は，生産と消費を媒介することを課題として，それ自体，社会的分業と専門化の一形態として生み出されてきたが，このことは同時に，流通が生産と消費の両方の条件によって強く規定されていることにほかならない。たとえば，生産構造が，多品種少量，分散生産といった条件を抱え，消費構造も個性化，多様化，少量多頻度消費という条件を示すような場合には，流通の役割もそれに適合するように，収集・中（仲）継・分散の3つの過程で流通機能と制度の組織的な展開を要請される。図2-1においては，生産領域では1国の産業構造，貿易構造，消費領域では購買・消費習慣，生活構造を指摘するにとどめているが，情報化，グローバル化，少子高齢化という今日の時代の要請は，流通の目標形成に大きな影響を及ぼしている。とりわけ，生産領域では，コンピュータやロボットの導入によって製品の設計・開発・製造を自動化し，多品種少量生産を低コストで実現する製造システムを展開（たとえば，CIM＝Computer Integrated Manufacturing：全社的オートメーション化）しており，また円高を背景に，製造業者のみならず，流通業者までが海外で開発輸入に取り組み，製品の供給構造を変えてきた。それに対して，消費領域では，個性化，多様化，小ロット化，短サイクル化の消費条件の創出によって，より多様できめの細かい流通の方式が求められており，生産と消費の両構造が流通過程に及ぼすインパクトは間断なく続いている。逆に流通サイドのイノベーション（革新）によって，生産や生活の変化が求められる状況も発生している。新業態開発や流通情報革新は新製品開発，物流システムの改革もしくは消費者のライフスタイルの変化を刺激するなどの動きとなっており，生産，流通，消費が相互作用的に規定しあっていることを示唆している。

3　流通機構の環境条件

第3の層は，流通過程にとって環境条件をなすものである。これらは，流通のみならず，生産や消費に対しても，底流で影響を及ぼす性質のものであり，技術，国内外の政治・法律，地理的条件・人口，所得，文化，教育水準，地域社会，交通・通信網などのさまざまな要因が含まれている。この意味からも流通機構は，その国に固有な側面と国際的に共通な側面の2面性を有しているといえよう。環境条件の多くは，その国固有な側面を作り出している場合が多い。わが国の取引慣行や流通機構に対し，海外から「わかりにくい」，「非関税障壁（NTB＝Non Tariff Barriers）となっている」といった批判が相次いで出されてきた。こうした批判がすべて正しいわけではないが，一面では，流通機構や取引慣行がその国の歴史的・文化的な要因によって形成されているため，それぞれの国の違いが意図せざる障害や不満の種になっていることを象徴している。わが国の流通機構や取引慣行をどのように認識するのかということと，個々の商品に対して適切なチャネルをどのように設定するのかは，一応別個の問題であるという反論もわが国では耳にする。今日では，その国の文化に固有な形で発展してきた取引慣行や商慣習といえども，グローバルな視点でよりオープンなルールづくりや見直しを求められる状況を迎えている。一国の流通機構の性格や内容がどのように発展するかには実にさまざまな要因が関連していることになるが，こうした環境条件の影響は実際にはかなり複雑・多様な相互関係を通じて生み出されていると考えられる。

4　流通機構の調整手段

第4の層は，生産物の制度間での調整手段であり，生産（供給）から消費（需要）へどのようなメカニズムで商品やサービスが移転させられるかの問題である。これには，代表的には，先にふれた企業間の競争，協調，統合あるいは政府による行政介入といういくつかの調整手段が展開されており，これらは一国の経済体制の維持や性格づけとも不可分な関係をもっている。流通の世界を，可能な限り競争的な調整手段で処理する方向と，できるだけ国家の集権的な計画によって処理していく方向は，体制選択の問題ともいえるが，今日ではいずれの体制でも，これらの各調整手段のバランスある利用によって流通の円滑な処理と国民に高い質量の生活水準を提供できる流通機構の発展が求められている。

以上の4つの層における諸要因のかかわり合いは，相互関係・相互依存を特徴としており，ある商品が最終消費者の手元にわたる過程には，少なくともこの4つの層の諸要因が相互に密接に作用しあって，具体的に流通機構や特定の商品流通のチャネルを創出していくものとみられる。

注

1）L. E. Preston, *Markets and Marketing : An Orientation*, Scott, Foresman and Company, 1970, pp. 55-75.
2）OEMの特徴と動向については，田口冬樹著『流通イノベーションへの挑戦』白桃書房，2016年，第6章に詳しい。
3）宮沢健一著『業際化と情報化――産業社会へのインパクト』有斐閣リブレ，1988年，第4章。
4）田口冬樹「流通政策の役割と問題点――流通機構に対する行政介入を中心として」『専修経営学論集』第36号，1983年，pp. 141-145。

第3章
流通機能の解明と商的流通機能

第1節　社会経済的分離と流通の役割

1　社会的分業と流通

経済を発展させる基本的な方法として，社会的分業が重要な役割を果たすことはよく知られている。しかし社会的分業だけでは十分とはいえない。

社会的分業と専門化の進展は，各経済主体を分離し，そのままでは相互に無関係な状態を生み出し，経済価値を享受しあうことがない。とくに，生産者と消費者というそれぞれ異なった立場から独自に満足基準を追求する場合，両者のさまざまなギャップ（gap／separation／lag）となって，その分離状態（懸隔，距離や隔離とも呼ばれることがある）を結びつけるための役割が必要となる。流通も経済過程における社会的分業の一形態であるが，流通は社会的分業や専門化により発生する生産（供給）と消費（需要）間の各種の社会経済的分離を調整・適合すること（matching）で経済価値を創造するための活動を内容としている。生産物が生産者（製造業者）の工場や農家の倉庫におかれている状態では，その生産物の価値が実現したことにはならない。それを必要とする消費者やユーザーの手に渡され使用・消費されて，はじめて，価値を生み出す。このように流通の本質は，需給の調整や適合にある。経済過程の中で生産物の円滑な移転を推進し，生産と消費の間で再生産循環を形成するためには，需給調整が的確に果たされなければならないが，この役割を担当しているのが流通ということになる。社会的分業という方法に加えて，流通にみられるような調整や適合という仕事が重要であるといわれるのはこのためである。

2　社会経済的分離

社会的分業と専門化の進展によって発生するギャップは，ここで社会経済的分離と呼ばれるが，それにはいくつかの種類が存在する。

⑴　人（格）的分離

分業による専門化の利益を追求する場合，生産する人（生産主体）と消費する人（消費主体）とが異なっている状態が一般的である。生産者が生産している生産物は，自ら消費するためではなく，他の生産者や消費者のために生産する。消費の単位である家庭では，ますます生産機能を外部の産業に依存するようになっている。この場合，生産者が生産物（商品やサービス）の所有権や使用（占有）権をもっているが，消費者はその権利を得て生産物の使用・消費を実現しようとする。

⑵　場所的分離

生産する場所と消費する場所とが異なっている状態で，たとえば，生鮮食料品の生産は，かつては消費地に隣接して行なわれることが多かったが，最近では，都市化にともなう農地の不足，地価の高騰，200カイリ漁業水域宣言（わが国ではアメリカや旧ソ連にならい1977年６月から実施），嗜好の多様化・グルメ志向，輸送・保管技術の進歩，企業のグローバリゼーションや長期的な円高などを背景に，供給地が年々遠隔化し，国際化しつつある。たとえば，わが国の漁業資源をみても，エビ，サケ，カニ，マグロ，タイ，カズノコなどの魚介類の獲得・供給は沿岸→近海→遠洋へ，さらに200カイリ宣言以来，輸入→海外での現地合弁などによる開発輸入へと移行し，獲る漁業から買う漁業（輸入）や育てる漁業（養殖）へと急速な変化をもたらし，場所的ギャップがいっそう拡大している。また，自動車は日本で製造し，アメリカに輸出しアメリカの消費者によって使用される，逆に大豆や小麦はアメリカで生産され，日本へ輸出され，日本で豆腐や醤油に加工し，日本の消費者が消費するという具合に，今日では国際的な生産物の移動が常態化しており，それだけに国際的な相互信頼と輸送・保管などの物流技術に依存するウェイトも高い。

⑶　時間的分離

生産する時期と消費する時期との間にタイムラグが存在することであり，生産の側での制約としては，生鮮食料品にみられるように，生産や収穫の時期が季節的に限定される場合である。それに対して需要側の制約としては，夏物や冬物といった，その季節にのみ必要となる需要の発生である。生産や収穫の時期の制約にもかかわらずに，消費サイドでは，１年中需要が発生しているものが少なくなく，米の場合や大量に水揚げされたイカの場合のように，品質を一定に維持しながら供給量を調整するための保管機能が時間的ギャップを克服するのに重要な役割を演じている。こうした消費の周年化は，消費者ニーズの多様化を反映してさまざまな消費財領域で発生しており，かつてはある時期にしか栽培・収穫されなかったスイカ，メロン，カボチャ，トマトなどは，ハウス栽培やバイオテクノロジーなどの技術進歩により，また収穫時期のズレた外国から空輸されてくるといった技術進歩によって生産の周年化を実現しようとする努力が続いている。その反面で，これまでは季節的に限定されていた需要を，企業側のマーケティング努力によって掘り起こし，ビールやアイスクリームを冬でも消費させるように消費者の嗜好やライフスタイルを変えさせる努力も続いている。また，ファッション商品のような場合にも，生産の時期と販売の時期をめぐって，タイミングのよい，きめの細かい仕入や在庫調整が求められる。

⑷　量的分離

生産と消費の量のギャップがしばしば発生する。これは，生産者と消費者との満足基準の違いに起因している。今日の代表的な生産体制は，機械化を基礎として規模の経済性を獲得するために大量生産を展開している。合成洗剤や家電製品を例にとると，一般に生産者は，少品種の製品を１カ所で大量に集中的に生産した方が効率的であるとみている。それに対して消費者は，年々消費量を拡大させているとはいっても，生産量の拡大ほどではなく，さまざまな場所に居住しており，消費の成熟とともに他の人とできるだけ違った個性的かつ多様な商品を，少量ずつ多頻度で購入・消費した方が満足できるとみることが多い。こうした商品は，一方は少品種の大量生産であるのに，他方は多品種少量消費という対照的な方向をとりやすい。近年では，ICT（Information & Communication Technology）の進歩によって，生産と消費のギャップを，マス・カスタマイゼーション（mass customization）という手法で解決する動きが普及してきた。生産のレベルでは共通の標準部品をベースに大量生産することで規模の経済性を実現し，他方では消費者が完成品を受け取る直前の組み立て工程では標準部品の組み合わせを消費者にオプションとして認めることで多様なニーズに応える方式が採用されている。部品の生産は画一的な大量生産（マスの部分）でありながら，部品の組み合わせは個々の消費者の好み（カスタマイズの部分）が反映しているので，生産の側も消費の側も双方が満足できる可能性が高い。

⑸ 質的分離

生産者と消費者との要求・認知のギャップが発生する。これには，まず生産者は，誰が，何を，どこで，いつ，どんな価格で必要としているかを知らない。消費者は，何を，誰から，どこで，いつ，いかなる価格で入手できるかを知らない。両者とも，お互いについて不確実性と無知の状態におかれている場合には，相互に満足のいく経済価値の実現は期待できない。また一般に，生産者は商品やサービスをコストと競争価格の点から評価しようとすることが多いが，消費者は商品とサービスを経済的効用と支払い能力の点から評価しようとすることが多い。こうした質的ギャップの克服には，供給情報・需要情報のすり合わせが不可欠となる。消費者側への情報の提供と消費者側からの情報の収集という方法が十分に行なわれなければならない。近年では，ICT 革命の進行を背景にこのための情報提供，収集・処理の手段が急速に発展しつつある。

第2節　流通機能

1　流通機能の主なタイプ

これまで述べてきた各種の社会経済的分離を調整し，結合する役割は流通機能（distribution functions／marketing functions）もしくはその具体的表現として流通活動と呼ばれる。ここでは，流通機能のタイプを大きく4つに分け，それぞれの具体的な構成と内容について考察を加える。

(1)　商的流通（商流もしくは取引流通）：主体から主体への権利の移転に着目したもの（人〔格〕的分離の克服）であり，所有権もしくは使用権（法的権利）の移転機能による需給適合（マッチング）機能を本質とするため，流通の実質的・本質的側面として位置づけられる。

(2)　物的流通（もしくは物流）：客体の時間的・空間的移転に着目したもの（場所的・時間的・数量的分離の克服）であり，具体的内容として輸送，保管，荷役，流通加工がある。

(3)　情報流通（もしくは情流）：前2者を円滑に進めるために要請されるもの（人〔格〕的分離や質的分離を中心にすべての分離状態に関連して要請される）であり，具体的には情報収集，処理，伝達機能がある。

(4)　補助（助成）的流通：生産物の社会的移転そのものに直接関与するものではないが，間接的な形で支援するもの（これまでの社会経済的分離の克服にあたって，関連して発生する資金とリスクの負担力について）であり，具体的には流通金融，危険負担がある。

こうした機能遂行によって，各種の社会経済的分離が克服されるが，その結果として，経済的な効用の創出が実現されるとみることができる。それは，狭義の生産機能が形態変化を行なうことで形態効用（form utility）を生み出すのに対して，流通独自の効用創出として，使用（占有）や所有上の効用（use or possession utility），時間的効用（time utility），場所的効用（place utility）を創出するとみられる。使用ないし所有効用の創出は．生産者と消費者（ユーザー）との間に使用権もしくは所有権の移転が行なわれることによって達成される。時間的効用の創出は，消費者やユーザーが欲する時期や時間にタイミングよく商品やサービスを移転させることによって達成される。さらに場所的効用の創出は，消費者や利用者の望む場所や地点に商品やサービスを移転させることで達成される。論者によっては，形態効用を含む4つの効用を密接不可分（inseparable）なものとして位置づけている[1)]。ただしこの効用創出は，概念的にはともかく，その実質的内容の評価の面ではきわめて主観的判断に依存せざるを得ないことも事実である。

2　商的（取引）流通—商流—機能

需給を結合するために，経済主体間での権利移転を推進する活動であり，権利には所有権の移転や使用権の移転がある。近年では，サービス経済化の流れを作り出す，商品のレンタルやリースの供給と需要が拡大しているが，これは使用権の移転問題である。商的流通機能（商流もしくは取引流通機能とも呼ばれる）は，あらゆる取引の前提となる機能であり，物の移動に先立つ活動であり，商品は倉庫の中に保管されたままでありながら権利者を変える場合や不動産取引にみられるように物理的な移動がともなわなくても権利の移転は行なわれる。そこで，商的流通機能は，流通の本質的機能とも呼ばれる。商的流通機能は，購買機能と販売機能に分かれるが，両者はコインの表と裏の関係にある。生産者の場合には，生産し販売するために購買や調達が必要になり，商業者・流通業者の場合は，販売のために仕入れるという対（つい）の関係がみられる。

⑴　購買と需給調整について——製品計画もしくはマーチャンダイジング

消費需要に応えられる適切な生産物を生産・販売するために購買や仕入が必要となる。生産者と流通業者では，使用される表現が若干異なっており，購買や調達という表現は一般に製造業者の原材料や部品の確保に用いられ，それに対して仕入は小売業者や卸売業者における再販売のための商品の確保に用いられる表現である。購買や仕入に際して重要な問題は，誰がどのような方法で行なうかということである。これらの活動は，主として，製品計画（生産者・製造業者にとって生産誘導）およびマーチャンダイジング（商業者・流通業者にとっての商品化計画）によって行なわれる。製品計画もマーチャンダイジングも，どちらかといえば，比較的ルーズに用いられてきた用語であるが，前者は製造業者の製品計画であるが，後者は商業者・流通業者にとっての製品計画ということができる。こうした製品計画にとって考慮すべき事柄としては，5つの right（適切な）が指摘される。適切な商品（right goods），適切な場所（right place），適切な時期（right time），適切な価格（right price），適切な数量（right quantity）を十分に考慮に入れておくことが求められる。ここで「適切な」とは，消費者のニーズに適合した状態を示唆している。

購買先・仕入先から商品やサービスを購入する場合，取引先の信用調査，取引条件の検討などが多角的に試みられなければならない。通常，製造業者の製品計画には，新製品開発，既存製品の改良，既存製品の新用途開拓，既存製品の廃棄などが含まれ，これらの活動は消費（ユーザー）サイドの意向（ニーズ）と企業サイドの技術的蓄積（シーズ）を効果的に反映させるために製品計画（製品企画）のセクションのみならず，研究開発部門，製造部門および営業部門などと密接な関係を維持し，適切な製品を効率的に開発・製造することが求められる。

商業者・流通業者のマーチャンダイジングは，消費者サイドの意向を仕入に反映させるという意味では，先の製品計画と同じねらいをもっているが，マーチャンダイジングは製造業者の生産した製品を受けて，商品を選定するための諸計画であり，仕入商品の種類，品質，数量，時期，価格，仕入先，仕入方法などを決定する仕入政策，さらにはその仕入を合理的に行なう在庫管理までを含むものである[2)]。

製品計画やマーチャンダイジングにとって問題となるのは，取扱い商品の範囲の選定であり，プロダクト（マーチャンダイズ）・ミックスやアソートメント計画といわれる。これには，商品のライン（幅：商品種類）とアイテム

（奥行：サイズ，色，形，ブランドなど）の点から，取扱い商品構成に一貫性を求める場合と無関連な形での拡張の２つの方向に分かれる。

また視点を変えて，流通業にとって問題となるのは，①仕入の主体によって，単独仕入と共同仕入に分かれる。個々の企業で独自に仕入れる方法が単独仕入であるが，仕入コストを引き下げるために共同して大量に仕入れ，仕入面で規模の経済性を発揮させようとする方法が共同仕入である。後者の例としては，多数の同業者と別組織で計画的に一括仕入を行なう小売業主宰のコーペラティブ・チェーンのケースや総合スーパーなどが共同出資によって仕入会社を設立して，国内外の商品を大量に仕入れるケースなどがある。②仕入量の点からは，小口当用仕入という必要に応じて仕入を少量ずつ行なう場合，最近の傾向としては多品種少量多（高）頻度の仕入がみられる。それに対して，チェーン・ストアにみられるような単位店舗に代わって本部が商品の選定と購入，仕入の権限と責任をもち，大量仕入力による仕入原価の引下げをはかるものがみられる。③さらに，誰が仕入のリスクを負担するかという点からは，ⓐ買取仕入：通常の仕入方法であり，商品の引渡しが行なわれた時点から所有権が仕入側に移り，在庫のリスクも同時に負担することになる。原則として，正当な理由（契約条件との違い，欠陥商品など）がない場合には，売れ残りを仕入先に戻すことは不当な返品となる。ⓑ委託仕入：委託制度として，商品が引渡された後も所有権は依然として納入側にあり，保管上の責任は仕入側で負うことになる。ⓒ売上（消化）仕入：売上げた分だけが仕入れた分とみなされ，保管の責任は仕入側にはない。ⓑとⓒは，納入側が仕入のリスクを負担することになり，食品業界，出版業界，アパレル業界，百貨店業界や大手総合スーパーなどで一般的にみられ，返品体質を温存する取引慣行としてしばしば議論されるところである。返品には，このように企業間で発生するもの以外に，消費者を起点としたクレームから生じるものもあるが，最近では効率的な情報処理や仕入政策を基礎に企業間の返品を削減し，消費者からの返品は積極的に受け入れ，消費者には信頼と満足を訴求する企業が増えてきた。

⑵　販売と需給調整

⒜　価格決定

商品やサービスの価値を表示するために価格が有効な役割を果たしている。流通過程で価格は，誰か（特定の経済主体）が決定するという傾向がますます強まっている。経済学の完全競争市場モデルでは，需要量と供給量の双方の圧力が均等に作用して，市場の均衡価格が形成されることを指摘している。しかし現実の市場経済では，農産物や水産物のようなものまで，最近では，ブランドが付与されたり，製品差別化がさまざまに試みられ，完全競争モデルのような理想的な価格形成の姿がみられなくなってきた。耐久消費財産業のような寡占的な市場構造を特徴とするところでは，価格は製造業者の管理（統制）可能手段のひとつとして，マーケティング・ミックスの構成要素になっている。

①　価格決定の主体と方法

ここでは価格を，主体・方法・流通段階の3つの視点に分けて考察する。まず主体とは，価格を誰が決定するかという問題であり，それには各流通段階に即して，生産者（製造業者），卸売業者，小売業者，消費者，政府などの可能な主体が考えられる。生産者が価格決定の主体となっているのは，自動車のような耐久消費財に多く，卸売業者では食料品に多く，生鮮食料品の卸売市場の価格形成もその代表例といえる。小売業者が価格決定の主体となるのは，PB商品やノーブランド商品の開発・販売においてであり，それに対して消費者が価格決定の主体になる場合とは，消費生活協同組合での安全性をテーマに自主的に開発された商品の場合や独自に決定された価格の場合がそれにあたる。政府が価格決定に関与するのは，公共料金（たとえば，電気，ガス，水道，鉄道，バスなど公共性のある商品やサービスに対して，監督官庁が料金申請の認可を行なう）の決定である。商品によって，また企業によって価格決定の主体が異なっている。価格決定の主体になるということは，それだけ，流通過程における，あるいは特定のチャネル・システム内で利益配分を有利に進められることを意味し，チャネルのリーダーとしての効果を期待できるからといえよう。

価格決定の方法としては，一般的には投入した費用を回収する目的で行なうフルコスト原理（コストプラス法）と市場で受け入れられることを優先目的に行なわれる市場受容原理（市場需要法・市場志向法）が考えられる。前者は，生産者であれば，製造原価プラス要求利潤であり，流通業者であれば仕入原価プラスマージンというボトムアップの方式となる。後者の市場需要原理では，まず市場で受け入れられる価格を設定し，それを基準にコストの限界を算出するトップダウンの方式である。現実には，これらの方式をさらに発展させ，競争業者への対抗を意識して決定する方式や業界の慣習にもとづく方式などが複合的に用いられている。

② 価格決定の範囲

さらに流通段階における価格決定の範囲について，流通段階のどこまでの価格（生産者出荷価格，卸売価格，小売価格，その全体の価格のいずれか）を決定するかという問題がある。これには，多段階をカバーする価格決定の方式と，それぞれの流通段階の価格はその段階の主体に価格決定を任せる方式とがある。前者は，建値制や法的に認められたものとしての再販売価格維持制度が存在しており，ここでの価格水準は同じ流通段階の企業間で価格差が生まれにくく，それに対し後者は自由価格制（フリープライシング）もしくはオープン価格と呼ばれるもので，同じ流通段階の各主体間に価格差が発生しやすくなる。建値制とは，市況性の激しい産業財につけられる建値上の価格を意味することもあるが，消費財の分野でも，メーカーが希望小売価格を基準として設定する流通各段階での標準的な取引価格を指す用語として利用される[3)]。希望小売価格やこれにもとづく建値は，メーカーからの消費者や流通業者への価格体系の提案や参考価格を意味するが，これはいつもメーカーのいい値が通るとは限らない。

メーカーは，建値制を中心にリベートなどのインセンティブを加味しながら，流通業者の価格政策に介入し，きめの細かい対応をはかっていることが知られている。しかし，商品によっては，こうしたメーカーの提案する希望小売価格と実際に小売段階で販売されている実売価格との間に乖離が目立つようになっており，メーカーは小売段階での値下がりを見込んであらかじめ高めに価格水準を設定するという形で対応している動きも考えられ，不当な二重価格としての不当表示問題や，拘束的な希望小売価格のような場合には再販規制上の問題などを提起している。

建値制を法律的に認めた制度が，再販売価格維持制度であり，「ある商品の供給者が，その商品の取引先である事業者に対して，転売する価格を指示してこれを遵守させる制度」である。再販維持行為は原則として，独占禁止法違反である。しかし，独占禁止法24条の２にもとづき，公正取引委員会は特定商品（公正取引委員会の指定を受けて認められるという意味で指定再販品と呼ばれる）と著作物の再販（法定再販品と呼ばれる）を適用除外として認めてきた。しかし，公正取引委員会が認めてきた指定再販品は，９品目あったが，段階的に廃止縮小され，最後まで残っていた一般家庭用医薬品と化粧品について97年４月から全廃された。法定再販品としての著作物には，書籍，雑誌，新聞，音楽用のレコード盤や音楽用テープそれに音楽用CDの６品目が含まれる。すでに，書籍では1980年から公正取引委員会の指導によって，発売後一定期間が経過したら定価をはずす「時限再販」や出版社が定価をはずして，一般の書籍とは別ルートで販売する「自由価格本」「バーゲンブック」などが導入されてきた。CDについては，レコード盤や音楽テープと同様に発売後２年経過した旧譜を対象に小売店が自由な価格で販売できること（時限再販）が92年11月から実施されてきた。しかしこうした著作物の定価販売以外の動きは全体からすると限られており，再販制度の存在が実質的に価格競争を阻止してきたことが問題視されるようになってきた。近年，著作物の再販に対する全体的な見直しを求める動きが活発化しており，99年７月からは新聞業に対する不公正な取引方法における特殊指定を改定・告示し，日刊新聞の発行業者は学校教育材料用や大量一括購買者など正当かつ合理的理由がある場合，定価割引制度を認めることにした。公正取引委員会は，2001年３月時点で，当面は著作物再販制度の廃止について国民的合意が形成されていないとしながらも，消費者利益の視点から著作物の取引実態の調査・検証に努めるという態度を示している。

再販制の特徴は，小売企業間で販売価格の差が発生しにくくなることである。これに対して，自由価格制もしくはオープン価格はそれぞれの小売企業の責任において，自店の販売価格を自主的に決定するものであり，企業の効率性や経営能力に応じた価格差が発生する。自由価格制の代表的な価格決定がオープン価格であり，メーカーは小売店に対して公に希望小売価格を提示することはせず，小売店が仕入原価を割らない範囲で自由に販売価格を設定できるように小売店の決定に任せる方式である。これは，家電製品やパソコン機器などに象徴されるように，メーカー希望小売価格は，しばしばディスカウント店にとっては，当店の販売価格との価格差，つまり販売店による割引の大きさを強調する手段として利用されること，また逆に，メーカーにとってはリベート体系やその支給方法が複雑化する割には販売店に希望小売価格がストレートに通らない理由から，オープン価格へ変わってきた。これには，メーカーの製品ブランド力の低下やライフサイクルの短縮化，ディスカウント販売による値崩れ，小売企業の情報処理能力やバイイングパワーの増大などを背景として，建値制の見直しとしてメーカー自身の価格政策の変更を生み出したといえる。しかし，オープン価格への移行は，消費者自身にとっては，これまでのようにメーカー希望小売価格を目安に，小売店の実売価格との価格差の比較を基準に購買決定をする安易な方法がとれなくなり，自主的に複数の販売店を回ったり，インターネット，クチコミや雑誌などから価格情報を収集し，比較することで，直接的に価格比較の基準を作り出す手間や時間それにコストを伴うようになった。また，メーカー希望小売価格からオープン価格に移行するからといって，小売店での不当な二重価格表示の問題がなくなるわけではない。不当表示は，メーカー希望小売価格のレベルだけでなく，小売店頭における当店通常価格や他店価格などの表示においても，実績のない虚偽・架空の値段が提示され，当日の割引価格との価格差（安さ）を演出するのにしばしば利用されるケースもある。この意味でも，消費者はますます商品やサービスの価格・品質などについて，主体的な情報収集・比較・判断を求められる割合が増えており，消費者の自己責任が問われるようになってきたといえる。

(b)　チャネル政策

①　チャネルの意義

生産物を生産者から消費者もしくはユーザーへ効率よく，スムースに提供するために必要となるのがチャネルである。チャネルとは，語源的にはキャナル（運河，海峡）に由来しているといわれ，ものの流れる道筋やルートのことになるが，チャネルを通して流される対象は，生産物の流れ，その権利移転の流れ（所有権・使用権），代金の流れおよび情報の流れである。

この場合，チャネルとは生産物の権利移転を円滑に進め，生産物（商品・サービス）を受容してもらうための価値実現の過程といえる。そのためには権利の流れを中心に，生産物の流れ，代金の流れおよび情報の流れが適切に組み合わさって，はじめて目的とする需要者の望む場所，望む時期に適切に手渡されることになる。権利移転のチャネル（商流チャネル）は，生産物の物的な移転のチャネル（物流チャネル）と必ずしも同じルートで進められるとは限らないが（商物分離の場合），企業にとってはどのようなルートで生産物を提供すべきか，さらに介在させるチャネル・メンバーの管理をどのように進めるべきかというチャネル政策上の問題がある。

チャネルのとらえ方には，企業の立場以外にも，生産物がどのようなチャネルを通って流れていくのかを社会経済的な視点でみようとする流通機構の分析視点がある。これは，ある特定の生産物の流通経路の解明や一国の流通機構の特徴の検討それに行政のマクロ的な流通政策の対象として問題になることが多く，企業にとっては一種の環境要因になる。これに対して，企業の立場からするチャネルのとらえ方は，企業のマーケティング政策や戦略的視点において，流通機構の中から自社にとって相応しいチャネル・メンバー（中間業者）を開発（選定）し，継続的な生産物の移動を支援してもらうようなチャネル・システムとして管理（維持）するための政策である。

② チャネル開発と管理

まず，チャネル開発にあたっては，生産物の権利移転を促進するチャネルの構成メンバーの選定が問題となる。供給企業にとって，チャネルに最もコントロール力が発揮できるのはダイレクト（直接）・チャネルである。これは，メーカーであれば，卸売段階や小売段階に直接自社の資本を投下した直営の販売店ということになり，その点では自社の商品やサービスの販売価格を維持でき，積極的な販売数量の確保の期待がもてる。その反面，全国的な販売店網を自社だけの資本投資で賄うとなると，膨大な資金負担が要求され，市場変動のリスクをすべて自社で負担するということになり，かなり慎重な検討が要求される。これに対して，垂直的な流通過程において，供給企業が他の主体に流通機能の一部もしくは全部を分担させる方向が考えられる。メーカーが中間業者である卸売業者や小売業者を介在させる方式である。これはインダイレクト（間接）・チャネルと呼ばれる。

中間業者を利用する場合のチャネル政策には，３つの方法が考えられる。

ⓐ 開放型チャネル：生産者の場合，できるだけ多数の卸売業者や小売業者を通して自社の生産物を市場提供しようとする方法である。一般に最寄品には，低い単価と高い購買頻度・利便性が強調されるためこの方式が採用される。広く市場浸透が期待できるというメリットがあるが，反面で取引が小口化・煩雑化し，中間業者に自社の商品を積極的に販売してもらえる保証がない。

ⓑ 選択型チャネル：取引しようとする卸売業者や小売業者に一定の基準を設け，その基準に合致する業者に自社の生産物を取り扱わせるという方法である。基準としては，中間業者の販売力，協力度，立地条件，財務体質，経営姿勢，商品イメージとの関係などから検討される。買回品や専門品，コンサルティングやアフターサービスの要求される産業財でこの方式が採用されている。この場合，中間業者に対する自社のコントロール力は開放型に比べて高くなり，選ばれたメンバー間での協調が期待できる。しかし競合企業の商品やサービスの取扱いを認めているの

で，完全ではない。

ⓒ　専売型チャネル：上記の条件を満たすだけでなく，さらに特定の指定地域において卸売業者や小売業者に販売独占権を与え，自社の完全なコントロールの下におこうとする方法である。特別の販売努力の要求される専門品（コンサルティングやアフターサービス）やフランチャイズ・システムの例にみられる。これは，販売地域の指定や販売商品の指定といった強い拘束をともなうことがある。一定地域において，自社の商品やサービスを扱う中間業者としてただ1社を認める一手販売代理店契約（中小都市に多い）と，2社以上（大都市に多い）認める共同専売代理店契約がある。自社のマーケティングの方針が中間業者に徹底でき，マーケティングを集中的に行なえる。その反面コスト負担が大きく，市場の急速な変化への弾力性を欠いたり，中間業者の自主性を損なうなど系列化の弊害や，競争制限上の問題を生みやすい。

チャネル・メンバーが選定されると，共通の目的をもったチャネル内でリーダーとメンバーの間で役割—期待の協調関係が形成され，生産物の権利移転に対する継続的な流れを支援するチャネル・システムが形成される。チャネル・リーダーは，このチャネル・システムを維持し，他の競争企業の率いるチャネルに対して競争優位を発揮し得るように，メンバーを刺激し，動機づけ，チャネル内の対立（衝突）を可能な限り回避し，結合利益が最大になるように努力する。このようにリーダーによって絶えずメンバーを動機づけ，計画的に調整していくチャネルを垂直的マーケティング・システム（VMS＝Vertical Marketing Systems）と呼ぶ。

(c)　プロモーション（広義の販売促進）

①　プロモーションの意義と広告

製品が生産され，価格が決定されても，消費者やユーザーがその製品の存在を知らなければ，またその製品の購買意欲を刺激されない限り，生産者と消費者あるいは供給者と需要者との社会経済的ギャップは依然として開いたままである。こうした取引主体間での認知や情報ギャップを克服するひとつの手段として，プロモーションの役割が重視される。プロモーションの本質は，売手から買手へのコミュニケーションであり，それによって売手の存在や理念，販売しようとする商品やサービスの価値を伝達し，需要の開拓・創造に結びつけようとするものである。プロモーションのねらいには，報知性，説得性，想起性といったいくつかのレベルが含まれているが，最終的なねらいは買手に好ましい態度や需要パターンの変化を生起させ，売買の締結や利益の創出にもち込む努力が含まれている[4)]。

プロモーションの手段には，広告，人的販売，販売促進（狭義のセールス・プロモーション），パブリシティが含まれている。それぞれのメディアの特性を指摘すると，まず広告では，スポンサーによって，商品，サービス，アイディア（もしくは意見），企業や組織などについて，有料で非人的な手段（メディア）を使用して伝達する方法である。これは，多数の人々に同時に，広範囲にわたってメッセージを伝達できるというメリットをもっており，記録されたコミュニケーション・メッセージであるという特徴を有する。広告は，テレビやラジオ媒体（電波媒体）で消費者に注意を喚起したり，良好な企業イメージを確立しておき，新聞や雑誌広告（印刷媒体）でより詳しい情報を提供することで，消費者の興味を刺激し，さらにダイレクトメールやパンフレット（セレクティブ・メディア）によって欲求を具体化させるという具合に，目的に応じてメディアを適切に組み合わせることが重要といえる[5)]。従来のマスメディアに対して，インターネット広告の利用が顕著になっている。これは情報提供の即時性に優れ，対象顧客を選択でき，かつ双方向での対応でも効果を発揮するため急速に既存の広告メディアを凌駕する勢いで普及してきた。テレビ広告で関心を引き付けて，詳細な情報はネット広告や企業のホームページでの連動が行なわれている。これはメディア・ミックスといわれ，プロモーション・ミックスやマーケティング・ミックスのそれぞれサブ・ミックスを構成する。

② 人的販売，販売促進およびパブリシティ

人的販売は，対人的な接触（face to face contact）によって企業や組織の提

供物にかかわるメッセージを口頭で伝達しようとする活動であり，販売員によって行なわれる。人的販売は，他のプロモーション手段と比較して柔軟性や弾力性に富み，見込み顧客の反応を察知しながら，双方向のコミュニケーションを展開できる。とくに，販売締結に至る説得の過程を担当するのに最も適した手段といえ，提供する情報量・質とも優れているが，難点は費用がかかることである。人的販売には，こうした直接的に販売したり，注文を獲得するタイプのほかに，新製品情報やユーザーへのコンサルティング等を担当するタイプも存在する。

狭義の販売促進は，広告や人的販売を側面から支援・補完し，企業の商品やサービスの提供に際して，一定の刺激を与え，全体の販売促進をより効果あるものにしようとする活動である。これには消費者に対するもの，流通業者・販売店に対するもの（ディーラーヘルプス），さらに社内に対するものがあり，それによって販売促進にはさまざまな手段が必要となる。消費者に対する代表的なものは，店頭での実演販売，見本配布，クーポン配布，プレミアムの提供，ノベルティの提供，消費者コンテスト，新製品のネーミング募集などであり，販売店にはリベートの提供や販売店コンテストなど，さらに社内に対しては広告部・製品開発部・営業部間の調整や助言，さらには全社的な機関誌の提供や販売促進スケジュールの説明などがある。

パブリシティは，本来は企業にとって完全に管理（統制）することのできないプロモーション手段であるが，この利用の重要性は次第に高まってきている。ニュース性広告ともいえるパブリシティは，公共性のある第三者の報道機関が，特定の企業や組織体あるいはそれらの商品やサービスに関する情報をニュースとして，テレビ，新聞，ミニコミ誌，インターネットなどのメディアで無料で報道してくれることである。いわゆる企業側の広告となると消費者にとっては，必ずしも熱心に受け入れられず，しばしば偏見をもって受け取られることが少なくないが，その点，パブリシティはテレビ局や新聞社のニュースという形で特定企業の新製品，企業の社会的な活動あるいはスポーツ・チームの活躍が報道されるだけに，事実として素直に注目してもらえ，企業や商品のイメージを構築するための良い機会ともなる。むしろ企業側から，積極的にこうしたニュース性のある情報を第三者の報道機関へ提供することによって，パブリシティの機会を高めようとする組織的な対応が行なわれるようになっており，その重要性が認められている。いずれにしても，こうしたプロモーションの各種手段を目的に応じて適切に組み合わせるプロモーション・ミックスの展開が考慮されなければならない。

(d) 取引契約の締結

商的流通の最終目標は，取引契約を締結し，所有権や使用権という権利を移転させることである。売手と買手間の商談（交渉）によって，最終的には取引契約が締結されるが，これには，双務契約が前提をなす。わが国の民法第555条では，「当事者の一方がある財産権を相手方に移転することを約束し，相手がこれにその代金を払うことを約束することによってその効力が生ずる」旨の規定があるが，これは一方の申し込みと他方の承諾によって，契約が成立する諾成契約でもある。取引の申し込みは売手と買手いずれの側からも口頭，書面，電話，ファックス，EDI（電子データ交換），電子メールやインターネットなどのコンピュータ・ネットワークなどで行なわれる。その際，後日の紛争を回避する意味でもできるだけ書面にしておくことが望ましい。買手は注文書を，売手は注文請書をそれぞれ発行する。さらに大口の取引の場合には，より正確性を期すために，より詳細な取引条件を明記した取引契約書もしくは売買契約書を取り交わすことになる。

取引契約は，当事者間の信義誠実の原則にもとづき，業界の取引慣行の下で行なわれる。取引契約で取り決めるべき条件には，商品やサービスの価格（単価），品質，数量，商品の受渡し時期（納期），受渡しの場所，代金決済方法，運賃・保険料の負担方法などが検討される。取引契約に関する双方の合意にもとづいて，売手から買手への商品やサービスの提供と逆に買手から売手への支払いが行なわれる。しかし，こうした取引条件いかんでは，商談が決裂したり，契約成立後でも，条件の不履行などによって契約の解除が発生し，場合によっては損害賠償問題に発展することもありうる。そのために，先の書面での契約書などの取り交わしが法的な効力をもつことになる。一度限りの取引や大口の取引の場合には，契約条件を明記した取引契約書もしくは売買契約書が利用されることが多いが，継続性のある定型的な取引の場合は，個々の取引に共通の条件を盛り込んだ基本契約書を作成しておき，そのうえで個別取引には注文書と注文請書を利用するという方法がとられることがある[6]。わが国の現実の取引では，業界の取引慣行によっては取引契約書を交わしていないケースがままみられる。むしろ取引が開始されるまではかなり慎重で，人間関係を重視して時間や接触を多くもつ傾向があるが，一旦取引が行なわれると，その後の個別の注文は口頭や電話で処理され，契約書が交わされることが少ない。取引当事者間の力関係を反映して，こうした書面による契約条件の取り決めが有名無実化するため，あえて契約書を作成したくてもできないとか，あるいはわずらわしいという不満も聞かれるが，国際化の進展する状況の下で，海外企業との取引を含めたグローバルな戦略展開をはかる際，こうしたあいまいさや不透明さを残した現状は改善されていく必要がある。

注

1)　C. G. Walters, *Marketing Channels*, Ronald Press, 1974, pp. 6-7.

2)　出牛正芳・徳永豊著『新版　商品の仕入れと管理』同文舘出版，1986年，p. 5。

3)　本来，建値制における建とは取引価格の基準となる商品の一定数量（個数や計量単位で表示）を意味し，その価格を建値（建値段）といい，業界によっては慣習的に取引単位が決まっている場合が多い。建値制は，メーカーによって小売段階での希望価格や参考価格を基準として流通各段階の取引価格の目安となる値段を設定することをさす。

4)　出牛正芳著『現代マーケティング管理論』白桃書房，1996年，p. 189。

5)　江尻弘著『これからのマーケティング50の常識』こう書房，1985年，pp. 164-165。

6)　雲英道夫著『新講　商学総論』多賀出版，1995年，pp. 235-236。

第4章 物流機能

第1節　物流への接近視点と範囲

1　物流概念

物流という言葉が，わが国で使用されるようになったのは，それほど古いことではなく，1950年代半ば頃からのことである。これは，1955年に設立された日本生産性本部が1956年に「流通技術専門視察団」を米国に派遣した際，米国でのPhysical Distribution（PD）を物的流通と訳して，流通技術はこのPDのことであるとして紹介していた1)。物的流通やその略称としての物流という用語が本格的に使用されるようになったのは，1950年代半ば頃から1960年代半ばにかけて定着したものといわれる。なかでも注目できることは，政府がはじめて公式の用語として採用したのは，1965年1月に閣議決定された「中期経済計画」においてであり，物流の近代化を政府が重要施策として取り上げたのもこれがはじめてであった2)。

かつては物的流通と呼ばれていたが，今日では単に物流と表現されることが多くなった。物流は今日でも，多くの論者によってさまざまな定義が与えられ，時代の要請や人々の関心のおきどころによって，その概念，範囲，手段もいろいろであるが，ここでは次のようなとらえ方をしていく。物流＝物的流通とは，生産の段階から消費もしくは利用の段階への生産物の物理的な移動を推進し，時間的・空間的ギャップを克服する一連の活動であり，輸送，保管，荷役，流通加工などをその内容としている。

2　2つの視点

そもそも，わが国における物流への社会的・企業的関心の高まりは，1950年代半ばの高度成長と密接な関係があり，経済成長にともなう物流量の増大，物流コストの上昇，物流施設の不足や立ち遅れという問題の下で取り上げられるようになった。これに対して，個別企業の側からは，物流を第三の利潤源と位置づけ，低コスト・オペレーションのための効率追求に向かわせることになった。つまり，これまでは企業組織の中で生産部門や販売部門などの付随的な作業として，生産活動や販売活動の中で，多くの人手に依存しながら，輸送，保管，荷役，流通加工などをそれぞれ個別に，バラバラな状態で処理していたものを，ひとつのトータルなシステムとしてとらえ，マーケティングやマネジメントの対象として改善を加え，効率的に運用しようとしてきた。それまで散らばっていた活動を物流コンセプトの下に集約し，物流のトータルなシステム化を通して，物流活動を最適化しようとしてきた。

さらに，物流は，個別企業の視点を超えて，国民経済全体の視点からも効率化や社会全体の最適化が要請されてきた。とくに，社会公共資本（インフラストラクチャー）の未整備，物流施設の不足や立ち遅れ，都市部での交通・道路事情の悪化，地価上昇や適地の不足，環境問題などによって，円滑な物流活動の遂行をむずかしくしてきたからである。これらは，個別企業の利害を超えて，社会全体の視点から物流への最適解を求めようとするものである。こうした問題に対しては，政府や自治体などのさまざまな政策努力が行なわれてきたとはいえ，今日でもその解決は十分ではなく，多数の課題が山積している。物流への接近法には，このようにマクロ（国民経済・社会全体的視点）とミクロ（企業的視点）の2つが存在し，実態面でもこの両者の相互関係の下で，物流が発展してきていることになる。

そのうえ，近年では，経済の安定成長や成熟型消費社会の定着によって，経済の体質が変化し，物流への期待がより高度できめ細かいものを求めるようになってきている。つまり，産業構造の変化・サービス経済化にともなう重厚長大型商品の物流量の鈍化傾向，消費者ニーズの個性化・多様化・短サ

表 4-1　物流の対象範囲

①調達物流（倉庫・保管庫）	②生産物流（工場倉庫）	③販売物流（配送センター）
原材料・部品 エネルギー資源	企業内物流　部品加工 組立・アセンブリー	完成品 卸売業者 小売業者
＊製造業者（原材料・部品に関する物流活動） ＊卸売業者・小売業者（仕入商品に関する物流活動）	＊社内物流（製品の完成工程と輸送包装を施す時点から顧客への販売が確定するまで）	＊顧客への商品引渡しのための物流活動
④回収物流 返品 有価資源 （リサイクリング）	⑤消費者物流（一般消費者対象の事業） 宅配便 引越しの各サービス トランクルーム	
＊資源回収，再利用，廃棄物減量化のための物流活動	＊大都市での狭い住宅事情と高地価を反映して，家財・衣類・書類等の非商品を一定期間保管するサービス	

イクル化にともなう軽薄短小型商品の増加傾向や多品種少量多（高）頻度物流への高まりなどの動きを示すようになってきている。

3　物流の範囲とビジネス・ロジスティクス

通常，物流は，生産物の生産の段階から消費もしくは利用の段階に至る過程で発生するとみられているが，これにはどこまでの範囲を対象とするかをめぐって，いくつかの見解が存在する。物流を広義にとらえると，以下の4つの局面がすべて包含される（表4-1参照）。

①調達物流と呼ばれるもので，生産者・製造業者では，原材料・部品・エネルギー資源を生産過程の始点へ移動させる局面であり，卸売や小売業者にとっては，仕入商品に関する物流活動の局面である。②生産物流や企業内（社内・工場内）物流と呼ばれるもので，工場内や倉庫の間で原材料，中間財（半製品）ならびに完成品を移動させる局面である。③販売物流といわれるもので，必要に応じて卸売業者や小売業者を介在させて，完成品を最終的な買手に移動させる局面である。さらに，④回収物流といわれるものであり，通常の商品の生産から消費への流れとは逆の流れとして，返品や一度廃棄さ

れたものの中から，有価資源として還流させるリサイクリング（recycling）の局面である。とくに，環境問題や資源問題が社会的関心を集めるようになってからは，この④の局面までを物流の範囲とすべきという主張がみられるようになり，生産―販売―消費―廃棄―還元のトータルな循環の構築まで含めた物流概念も生まれてきた[3)]。さらに，一般の消費者を対象にした引越し，宅配便，トランクルームなどの物流サービスを⑤消費者物流と呼ぶ場合もある。ただし，宅配便などのこうした消費者物流の主たる利用者の実態は個人の消費者以上に，法人であることにも注目すべきである。

このように近年では，物流をよりトータルなものの流れとしてとらえる動きがみられ，さらに物流のコストやサービスを企業の戦略的な視点からとらえ，ものを流す仕組みを開発することで効率的な物流管理を推進しようとする必要性が高まってきた。そのため，物流というこれまでのコンセプトに対して，より戦略的で，しかも広がりのあるコンセプトとして，1980年代半ばからはビジネス・ロジスティクス（business logistics）という用語が企業においてよく使用されるようになった[4)]。このコンセプトの対象は，①②③をカバーし，かつ時にはリサイクルをねらいとしたグリーン・ロジスティクスという表現で④までを対象にすることもある。本来，ロジスティクスは，兵站（へいたん）と訳され，戦場の後方支援として，食糧，弾薬，武器などの軍需品を補給するための軍事用語からきている。ロジスティクスは，ビジネスの分野で，売上の低迷した状況のなかでも，利益を確実に取得する有効な手段として位置づけられ，物流コストの削減を中心に後方支援にとどまらない，むしろ企業の長期的な財務体質の改善と顧客満足の向上に向けた競争優位性の確立のための戦略として展開される。しかも，ビジネス・ロジスティクスの課題は一企業だけで解決できない問題を含んでいる。つまり物流コストの削減やサービス水準の向上には，物流部門や一企業内の努力では限界がある。これらの課題の解決には，一企業の努力はもちろんだが，企業間にまたがった連携によって取り組むべきであるとの認識が強められ，企業間のトータルなアプローチが注目されてきた。最近は，ロジスティクスの中で，そうした複数企業間でのビジネス・プロセスの統合や改善に焦点をあてたサプライチェーン・マネジメント（Supply Chain Management : SCM）というコンセプトが注目されるようになってきた。

4　商物分離と情報流通

生産物の流通には，権利移転の商流チャネルの形成に加えて，物的流通のためのチャネルが形成される。商流と物流は密接な関係を保ちながら，相互に独自のチャネル発展のパターンを示し，商物分離の形態をとることがある。生産物は，生産者から小売業者や消費者へ直送されながら，権利移転は卸売業者をも介在させるタイプや注文は都心の本社で処理され，現物商品は郊外の配送センターから出荷されるというタイプなど，いくつかの種類がみられるが，それぞれのレベルで，両チャネルの最適化が追求される。商流と物流の両チャネルが分離できるためには，両チャネルを統合する情報機能の発展が前提になる。

商流にとっては，コンピュータによってどの物流拠点に，どの商品が，どれだけ存在しているか，あるいは在庫の受け払い状況など物流の動きがオンライン・リアルタイムで把握できなければならない。物流にとっては，これまでの取引データをベースに，発注点，安全在庫量，発注量の決定，配車（ディスパッチ）計画などの準備が進められる[5)]。情報処理技術の高度化は，生産情報，販売情報，物流情報などの統合を促進するようにも発展しており，製品の受注，設計開発，製造，出荷，配送，販売などについてコンピュータ，EDIそれにインターネットなどを活用してそれぞれの動きを有機的に結合しようとする発展の広がりをみせている。

第2節　物流の諸手段とサプライチェーン・マネジメント

1　輸　送（transportation）

物流は，取引主体間に発生する時間と空間のギャップを克服することを課題としており，こうしたギャップはまず輸送によって解決される。どのような流通の局面で輸送が必要とされるかによって，４つの輸送活動のタイプが認識できる。

(a) 購買（仕入・調達）のための輸送：収集・集荷

(b) 企業内（工場）移動：生産ラインへの原材料・部品などの供給・補充

(c) 販売のための輸送：分散・分荷（厳密な区分ではないが，距離や取り扱い量によって，拠点間以外の生産物移動では配送・配達という表現が使われる）

(d) 回収のための輸送：有価資源の回収

(1) トランスポーテーション・ミックス

ここで，輸送手段（機関：リンク＝linkともいわれる）の選択が重要な問題をなす。考慮すべき要素としては，輸送の客体である生産物について，その価格，品質・鮮度，数量，移動距離，到着日時，輸送先などの条件をベースに，各輸送手段のもつ特性を比較検討することで，どのような輸送手段で行なうか，さらには自社（インソーシング）でか，専門業者に委託（アウトソーシング）するかなどの決定を行なう。輸送機能の負担をめぐっては，消費者も関与する（たとえば，ディスカウント・ストアでは，配達の代わりに消費者が自分でもち帰るときの割引価格を設定していることがある)。生産物の扱い条件いかんでは，輸送機能を専門的に担当する運送業者に委託することによって，経済的にも，技術的にも分業の利益を享受することができる。各輸送手段の特性を検討する場合には，スピード（輸・配送の時間)，コスト（目的地までのトータルな費用)，信頼性（指定された日時に確実に，安全な荷姿で輸・配送されること)，利便性（いつでも，どこからでも，あらゆるタイプの生産物の輸・配送が可能か）が比較検討される。生産物の目的地への到達にあたっては，状況に応じて，複数の異なった輸送手段を組み合わせるトランスポーテーション・ミックス（transportation mix）が行なわれ，トータルな輸送や物流のパフォーマンスを追求するようになってきている。

各輸送手段の特性を比較すると，①陸上輸送では，鉄道と自動車があるが，鉄道はメリットとして，輸送において規則的で安全性が高く，重量物やバルキーな生産物の輸送に向いている。デメリットとしては，近距離輸送では運賃が割高になり，緊急性やきめの細かい集荷および分荷のための輸送には応じにくい。自動車はメリットとして柔軟性・機動性に富み，戸口から戸口への一貫輸送に適しているが，デメリットとして大量・バルク輸送には向かない，都心部では交通渋滞の発生のために輸送効率が低下しやすい。近年では，高速道路網の拡充にともないこの分野で大型トレーラーの利用や後に述べるユニットロード・システムの発展によって，遠距離でも戸口直結の迅速性が評価されたり，宅配便の普及が注目されている。

②水上輸送では，船舶はメリットとして低コストであり，大量・バルク・長距離輸送に適しているが，デメリットとして迅速性・安全性・分散輸送には向かない。近年では，定期船の分野で，コンテナによる海上輸送や貨物を積載したトラックごと輸送するカーフェリーの運航も盛んになってきた。

③空路輸送では，航空機があり，メリットとしては貨物を遠距離から短時間で輸送できるが，デメリットとしてはコストが高すぎることと，空港の所在地から離れたところでは利用が制限されることなどである。この輸送方法は高価で，かさばらない，あるいは鮮度が要求される生産物に多く利用されており，近年では航空機の大型化や貨物専用機の就航によってこの輸送手段がいっそう重要視されてきている。

⑵　複合一貫輸送（intermodal／multimodal transportation）

これは，貨物の輸送を自動車，鉄道，航空機，船舶など異なった２種以上の輸送手段の組み合わせによって輸送しようとする方法である。荷送人から荷受人までに至る過程で，同一の貨物に対して多数の輸送手段が関与するが，各輸送手段の中継のために荷物が開封されることなく，それぞれの輸送手段の特性を最大限に活かす形で，輸送の迅速化・効率化を実現できる。複合一貫輸送にはその手段の組み合わせによって，ピギーバック（piggy-back：鉄道―自動車＝貨物列車の台車にトラックやトレーラーを乗せて拠点間輸送を行なうのでTOFC＝Trailer On Flat Carsとも呼ばれる），フィッシーバック（fishyback：船舶―自動車），バードバック（birdback：航空機―自動車）が米国を中心に発展している[6)]。

複合一貫輸送が円滑に発展するためには，ユニットロード・システム（unit load system）が整備されかつ発展していなければならない。ユニットロードとは，貨物を取り扱いやすいひとつの単位にまとめたもののことであり，単位ごとの一貫した扱いによって輸送，保管や荷役作業が迅速かつ合理的に処理できる。

ユニットロード・システムの代表例は，コンテナリゼーションとパレッチゼーションである。コンテナやパレットの利用は，それ自体を輸送の単位とするため，貨物の積み替えの省力化が実現され，破損や紛失の防止にもなり，輸送作業のスピードを高める。問題点としては，貨物の量が少ない場合に高コストになること，コンテナやパレットの回収のための手間とコストがかかることであり，1カ所に集中プールし管理する形がとられてきている。

⑶　多品種少量多（高）頻度配送

この他にも輸送をめぐる動きとしては，都市内配送上の効率低下，配送コストの上昇に対処するため，企業間で車や配送センターを共同して利用し，共同集配・一括出荷・納品代行・車両積載効率の向上などを行なう共同配送が発展している。また生産におけるカンバン方式の定着や消費者の小ロット・短サイクル化の傾向は，納入業者にそれだけ多品種少量多頻度配送を求めるようになっており，1日複数配送・配送時間の指定・リードタイムの短縮化といった厳しい要求を輸送・配送システムの中に組み込んでいかなければならない。その反面，こうした要求を実現するために，定時・定ルート（ダイヤグラム）配送を設定しても，都市での交通渋滞や少量輸送ということで，厳密な意味での定時・定ルート配送を困難にする問題も発生している。

2　保　管（warehousing／storage）

⑴　保管の役割と在庫管理の充実

保管は，需給間に発生する主として時間的ギャップを調整し，それによって生産物の時間的効用を創出する。生産物によっては，生産の時期と消費の時期が季節的にあるいはそれぞれの事情で変動し，一時的な収穫や周年的な消費欲求，それに大量生産と少量消費など，同時にコンスタントな需給量が発生するわけではない。こうしたズレを調整するために生産物を一定場所で，数量，品質などを含め適切に管理することが必要となる。保管には次のような役割が含まれている。

① 保存：生産物の品質を一定に維持し，品質の変化を防止すること（これは家庭の冷蔵庫や倉庫でも行なわれている）。

② 貯蔵による加工：保管がそれ自体加工の機能を果たすこともある（チーズ，バナナ，ワイン，ウイスキー，木材などのように熟成や乾燥などによる形態効用の創出とみなすことができる）。

③ 価格調整：市場の需要動向，市況をみながら供給量をコントロールすることで価格を安定させる。

④ 備蓄：将来予想される生産物の値上がり・品不足に備えるために事前に購入しておくこと，大量仕入にみられる数量割引などの恩典を活用すること。

⑤ 在庫管理：需要と供給の数量調節によってタイミングよく需給を結合すること，つまり生産者が生産活動をする際，原材料や部品をタイミングよく確保できるようにするための仕事，さらに消費者や利用者が必要とする商品を購入しようとするとき，それにみあう供給量の確保や一定量の商品をストックしておくという仕事。これによって過剰在庫，在庫の偏在や欠品を防ぐことができる。

こうした役割の中でも，近年では商品の長期保管から短期保管，保存から仕分けを重視する物流の拠点機能（ノード：node）の充実が求められるようになり，輸送など他の物流機能とリンクした流通センター・配送センター・デポ（集配の中継所・配送所）における在庫管理が重視されるようになってきた。荷主企業におけるカンバン方式（ジャスト・イン・タイム）は，生産のみならず流通の世界にも浸透しており，入出庫の多品種少量多頻度化とリードタイムの短縮化傾向はますます強まってきた。また消費の個性化や多様化はこの傾向にいっそう拍車をかけている。流通過程での在庫管理の役割が高まっている。

一般に，在庫管理は，顧客志向的なサービス水準の確保とそれを提供するためのコストの最小化を特徴とする。しかしこの両者はしばしばトレードオフの関係にある。品切れを回避するため多くの在庫を抱えることは，在庫投資を大きくしコストアップとなる。在庫投資の最小化と品切れによる機会損失の最小化を両立させることが適正な在庫管理の課題である。

⑵ 保管機能と営業倉庫の発展方向

輸送機能と同様に，保管機能も保管専門の業者によって担当させられる。倉庫業者による営業倉庫がそれである。生産者，卸売業者，小売業者それに消費者も，常に部分的には保管機能を果たしているが，そこでは倉庫業者を含め，保管機能を最も効率的に遂行するための競争が行なわれ，保管機能の担い手が形成されている。とくに生産者や商業者でも，以前から保管施設を有する場合や技術的，資金的に適応力がある場合には自家用の倉庫や流通センターや配送センターを通して保管機能を遂行している。自家用の倉庫は，建設費や運営コストが固定費となるが，営業倉庫の利用は主に賃貸スペースへの支払いで済み，変動費にとどまる。

保管機能は輸送機能と相互に密接に影響しあっている。当用仕入は保管スペースを節約できる反面，輸送の頻度を高めることにもなる。保管活動がタイミングよく行なわれるためには，輸・配送が適切にリンクしていなければならない。倉庫業がいっそうの競争力をもつには，倉庫業にのみとらわれた活動だけではなく，商品の全フローを推進する他の物流活動にも関心を払わなければならない。

近年，企業の新製品開発競争の活発化や在庫圧縮の傾向，消費者の利便性や快適性へのニーズの傾斜など，荷主や荷受人の物流ニーズに対する多様化を背景に，倉庫業を取り巻く環境は大きく変質している。倉庫業は，これまで主軸としてきた保管や荷役業務の充実だけにとどまらず，後で述べる流通加工，輸・配送，貨物の追跡管理・在庫管理などの情報提供，集配回数の増加や休日営業のサービス，低温流通あるいはトランクルームや引越しサービスの消費者物流，さらには国際物流への進出などを対象とした，より積極的な総合物流業への変身と飛躍が求められている[7]。

3　荷役と流通加工

近年のネット通販の成長には，物流の効率的な施設の建設と運営にますます依存するようになっており，最新鋭の自動化設備を有する物流施設への投資が競争優位性を実現する手段にもなっている。荷役は，物流において，輸送と保管の両方の活動を円滑に結びつける役割を担当しており，商品の流れを継続的に推進する重要な機能であり，さらにいくつかの活動から構成されている。これには，①入・出庫（商品を保管場所や倉庫に入れたり出したりすること），②ピッキング（選品作業：注文に応じて商品を保管場所から取り出す：オーダーピッキングともいわれる），③仕分け（商品を品種別，送り先別，顧客別などに分けること：最近は，多品種少量商品の分別効率を向上させるための機械化が自動仕分け機・ピッキング装置への投資を高めている），④積み上げ・積みおろしなどが含まれている。通常，荷役作業は，輸送や保管の活動に即して同時に展開される。この分野は，かつては労働力依存の高いところであったが，コンベア，フォークリフト，スタッカークレーン，無人搬送車，パレタイザーなどによる機械化が積極的に導入されており，最近では，コンピュータによる入・出庫のコントロールやロケーション（保管場所）管理，立体自動倉庫のオペレーションが進められてきている。

流通加工機能は，荷主のニーズの多様化とともに，その役割がいっそう重視されている。これは，流通過程で商品価値を高めるために行なわれ，商品に付加される加工機能といえる。特に，最近では，消費者ニーズの多様化やリードタイムの短縮を求める動きから，顧客に近い倉庫や配送センターで，顧客の個々のオーダーに基づく（パソコンでいえばメモリーを増やすなど）組み立てや加工を行なうようなケースがみられる。それだけメーカーの工場ですべてを標準的に決定してきた投機的方式ではなく，顧客の多様なニーズが発生する時点できめ細かに，しかもスピーディーに対応できる延期的方式が採用されるようになってきており，川下に近い段階での流通加工の役割が重視されてきた。流通加工には，以下のような活動が含まれている。①検品・検査・補修によって納入商品に対する適切な処置を図るために，具体的には納入商品の品質，数量，形態などのチェックを行ない，必要な場合には商品に補修を施す。②組立，配合，カッティング（切断・裁断），詰め合わせなどの数量・サイズの調整，③標準化（standardization），等級付け（grading）などの品質やサイズの調整，④包装・箱詰め・荷造り：商品の物的な保護のほかに，消費財では販売促進としての役割も無視できないし，近年では包装資材の多様化・軽量化・リサイクル可能性が重視されている。さらに，ダンボールやケースなどの集合包装に物流用統一バーコード（JIS 標準物流シンボル）をつけて，国・メーカー・商品種類などを表示したバーコードによって入出荷検品・仕分け・棚卸などの企業間取引における物流作業の迅速化・省力化を実現しようとしている，⑤値札付け・ラベル・シール貼り・バーコード作成付与：この作業を誰が担当するかという問題がしばしば発生し，大手小売業では納入側に負担させる場合がある。バーコードを流通のどの段階で作成付与するかによってマーキングの名称が異なる。商品メーカーや発売元の生産や出荷段階ではソースマーキングと呼ばれ，商品容器や包装に商業印刷と同時に印刷することになり，大量生産される商品に向いている。卸売業者段階（小売業者からの委託のケースもある）ではベンダーマーキング，小売店舗内ではインストアマーキングと呼ばれ，とくに一部の生鮮食料品や日配品などのように計量販売，商品の鮮度や数量に応じて弾力的に販売が求められる性格の商品にはインストアマーキングが不可欠となる。

4　サプライチェーン・マネジメントと３ＰＬ

ビジネス・ロジスティクスの推進は，物流機能が相互依存的であり，一方の効率化は他方のコスト・トレードオフを生み，一企業内の効率化では十分ではなく，よりトータルなシステムとして開発していく必要性を提起してきた。そのため，物流コストの引き下げや物流サービス水準の向上には，物流部門内での物流機能の統合や一企業内での他の機能との統合だけでは限界があり，むしろ企業間にまたがって解決すべき課題であることを強調することにもなった。つまりビジネス・ロジスティクスの展開は，物流の仕事がそれ自体，企業内の価値連鎖のプロセスにおいて生産管理や原材料の調達に密接に関連しているだけでなく，さらには企業間の価値連鎖のプロセスとも密接に関連している。

買手にとって，物流の最適なコスト削減や物流サービスの改善は，しばしば売手の配送回数の増加や在庫負担などの費用上昇によって成り立っているようなケースがみられる。むしろ，一方のみの最適なコストの削減やサービスの向上ではなく，売手と買手の双方にとってのトータルな最適化を求める必要性が高まってきており，そのためにも企業間のトータルなアプローチが注目されてきた。最近では，米国を中心に，企業間の物流の効率的な管理をより強調した概念として，サプライチェーン・マネジメント（SCM）というコンセプトが使用されるようになってきた。SCM のねらいは，流通の川下に位置する顧客の動向に関する情報を，素材・部品供給業者，生産者，物流業者，卸売業者，小売業者がそれぞれ共有し，それにあわせて調達・製造・販売・配送・在庫の計画を調整することで，複数の企業間にまたがるビジネス・プロセスを統合し，品切れ，過剰在庫，業務の重複を排除し，経営の効率と顧客の求める商品のスピーディーな開発を実現しようとするものである。SCM は，当初，米国において発展し，1985年に輸入品の増加に危機感をもったアパレル業界で QR（Quick Response：顧客のニーズに迅速に応える）による対応，それに1992年には成長率の鈍化と低価格志向の業態の成長に危機感をもった食品業界で ECR（Efficient Consumer Response：効率的な消費者対応）による取り組みが図られた。とくに，企業間のパートナーシップ（協調）を通して，消費者のニーズに迅速に応えながら，しかもリードタイムの短縮や過剰在庫の排除など効率的な取り組みを実現してきたことで，系列取引とは違い，機能的に結びついた対等な取引企業同士にとって相互にWIN—WINの成果を生み出そうとする動きとなっている点が注目され，日本の企業もそうした影響のもとでSCMの手法を導入してきた。

最近は，ネットと有店舗にとっても，またその融合をはかるオムニチャネルの推進でも重要な役割を演じるのがいずれも物流という認識が経営者に浸透してきている。さまざまな商品を大量に扱い，即日配送のニーズに応えるには需要が高密度に存在する首都圏や関西圏に大型の物流施設を展開する傾向が高まってきた。その際，荷主企業の経営者にとって重要なことは物流業務をどこまで自前で担当（インソーシング）できるか，物流専門企業に委託（アウトソーシング）するか，それもどの範囲まで任せるかの選択が求められている。一企業の枠を超えたSCMのレベルでの物流業務は自社の処理能力を超えた全体最適が必要である。物流の仕事を誰がどのように遂行するかについて総合的な視点から，「荷主に対して物流改革を提案し，包括物流業務を受託する」３PL（Third Party Logistics）という考え方やそれを担当する企業が出現してきた。自社で物流のすべてをマネジメントできない場合，あるいはそれぞれ保管や輸送など物流分野ごとにアウトソーシングしていては全体最適なマネジメントにならない場合，包括物流で全体最適を提案できる３PL企業は荷主企業にとっても物流での競争優位性と顧客満足を実現できる強力なパートナーとして評価された。３PL企業には，従来の輸送業者や保管業者などの物流資産（アセット）をベースに受託する企業以外にコンサルタント系，不動産系，情報系の異業種企業からも，荷主企業の顧客サービスを支援する目的で物流サービスの最適な問題解決を提案する動きが活発化してきた。ラストワンマイルといわれる家庭への宅配の多くは自社物流よりも宅配企業にアウトソースする傾向が高まっており，宅配企業では配送だけでなく，それをきっかけにそれ以前の受注管理，商品の集荷・発送などバックの物流業務や修理などの取り込みから３PLへの拡張をはかろうとする戦略対応もみられる。しかし，小売業の中には，ユニクロのファーストリテイリングや無印の良品計画のようにこれまで外部の３PL企業に委託していた物流業務をインソースするという逆のケースも発生しており，物流業務は取引の規模，多様性，迅速性，コスト，それに専門ノウハウなどによって常に変化しており，物流品質の向上目指して，企業ごとに戦略的な取り組みが重要となっている[8)]。

注

1)　中田信哉著『物流のはなし』中央経済社，1983年，第 1 章，pp. 2-4。
2)　林周二他著『現代の物的流通』(第 2 版）日本経済新聞社，1976年，p. 12。
3)　同上書，第 1 章。
4)　米国では，ビジネス・ロジスティクスを原材料・部品の調達から最終消費者への完成品の販売に至るこうした広がりの中でとらえるだけでなく，より戦略的視点を強調して，費用を低下させながら顧客満足を最大にするという費用対効果（cost-effective）を重視した方法として発展し，このコンセプトは90年代には小売業や卸売業などの非製造業分野でも積極的に適用されていく。この点の詳細は，E. N. Berkowitz, R. A. Kerin, S. W. Hartley and W. Rudelius, *Marketing*, Irwin, 1997, pp. 448-455. を参照されたい。
5)　中田信哉著『戦略的物流の構図』(日通総研選書)，白桃書房，1987年，pp. 48-60。
6)　T. C. Kinnear and K. L. Bernhardt, *Principles of Marketing*, Scott, Foresman and Company, 1983, pp. 425-426.
7)　運輸省貨物流通局『倉庫　'97』フジ企画，1997年，pp. 84-85。
8)　田口冬樹著『流通イノベーションへの挑戦』白桃書房，2016年，第 5 章参照。

第5章 情報流通機能

第1節　流通と情報機能

1　流通過程における情報の役割と位置

流通過程において，情報の果たす役割はますます重要性を高めている。これまでも，売手と買手との間で取引契約が成立するまで，さらに生産物の受渡しと支払いがなされるまでにも，情報は両者の間に存在する不確実性や不安定要素を取り除き，リスクを回避するためになくてはならない働きをしてきた。情報は，取引の事前・途中・事後のあらゆる局面にわたって必要とされる。

売手は，買手の求めているものを発見するために，買手のニーズや行動の特徴を事前に知らなければならない。それにもとづいて，生産物を作りもしくは仕入を行ない，購入を刺激したり説得に努めることになる。さらに生産物自体に対しても，何を，いつ，どれだけ，どこに輸送し，保管するかについても手配しなければならない。買手への提供が完了した後でも，その提供物に対する買手の満足状況を知る必要がある。

買手にしても，自らの必要とする生産物を誰から，どこで，いつ，いくらで入手できるか，いかなる利用の効用が期待できるかを知ろうとするであろう。売手と買手の出会いから，取引後の満足・不満足に関する情報のフィードバックまでを含めると，情報の役割はさまざまな形で認識できる。しかも取引当事者に関する情報に限らず，そこに関連して競争，技術，法律あるいは政治などのさまざまな情報が重要性をおびている。情報の主な流れには，売手から買手へ流れる情報と，逆に買手から売手へ流れる情報という２つのタイプが存在する。前者はプロモーションであり，後者はマーケティング・リサーチ（市場調査），POSシステムそれにカードからの情報がその代表的な方法といえる。

2　マーケティング・リサーチと情報システム

(1)　マーケティング・リサーチ（市場調査）の役割

流通過程での情報の流れには，生産物の買手である消費者や市場の動向を解明するための情報の収集がある。これは，マーケティング・リサーチ（市場調査）によって行なわれ，その調査対象としては，需要者に関する調査のほかに，生産物，価格，チャネル，プロモーションによるマーケティング・ミックス要素，さらには環境要素としての経済状況，競争，技術，政治・法律，流行など流通活動全般に及ぶ。調査の主な対象としては，表５-１に示されているようなものがある。

したがって，マーケティング・リサーチは，「供給者より需要者の掌中に商品ならびにサービスが流れ，使用・消費されるまでの全過程を調査の対象とし，その質的側面ならびに量的側面に関しての調査研究であり，さらにその変化を研究するものである」[1)]ととらえられる。情報の収集には，継続的・日常的に情報が収集されるものと，問題の発生に応じて特定目的のために情報が収集される２つのタイプに分けられる。これらは，いずれも情報源として意思決定の際に活用される。情報収集の方法としては，既存資料による調

表 5-1　マーケティング・リサーチの活用例

売上高の予測	製品やパッケージの設計
マーケット・シェアの測定	倉庫や店舗の立地
市場動向の明確化	注文処理
組織イメージの測定	在庫管理
ブランド・イメージの測定	視聴者特性の分析
標的顧客の特質の明確化	広告のスケジューリング

（出所）　W. F. Schoell and J. P. Guiltinan, *Marketing,* 5th ed., Allyn and Bacon, 1992, p. 114.

査（2次データの収集）であり，これには，①経営内部の既存資料：売上高・仕入の記録など，②経営外部の既存資料：調査研究所，業界団体，政府刊行物など，による場合がある。必要とする情報がここで得られない場合は，さらに新規資料による調査（1次データの収集）として，実態調査が必要となる。調査の手順としては，調査すべき問題をより明確にし，調査の見通しを立てることからはじめるべきである。大規模な実態調査に入る前に，略式調査を行ない，問題の背景や状況を把握しておくことが望ましい。これは，企業内部の関係者，取引先や少数の消費者からの意見を求め，問題の焦点を絞り込むやり方である。これにもとづいて，正式調査が展開されることになり，調査目的の明確化，調査対象の選定（全数調査か，標本調査＝サンプリングか），調査方法の決定，調査の時期や予算の決定，さらに結果の報告と評価という手続きが必要となろう。調査にあたって考慮すべき点は多数あるが，なかでも調査対象と調査員の選定はより慎重に行なう必要がある。

⑵　マーケティング・リサーチの主な方法

情報収集のための代表的な調査方法には次のようなものがある。しかも最近では，インターネットの普及に伴い情報の収集と発信の両面を対象に新たな調査手法も生み出されている。

(a)　質問法：最もよく利用されている，フレキシブルな情報収集の方法で，回答者に直接質問する（質問票を用いる）ことで必要な情報（事実・意見・動機）を収集する。これには，次の3つの方法がある。

①　郵送法：郵送により質問票を送付し，回答を記入し返送してもらう方法であり，調査員が不要であり，回答者が質問に熟慮のうえで記入することができ，広い地域の調査にも比較的低い費用で行なえる。しかし回収率が低く，回収にも時間がかかり，不完全な状態の回答で返送され，被調査対象者本人の回答かどうか不明なことがある。

②　電話法：今放送中の広告について質問できるように，同時測定が可能であり，スピーディーに回答が得られるが，短時間での質問項目に限定され，質問を拒否されることもある。最近では，コンピュータ支

援による電話インタビューが利用され，事前に質問が音声で録音されており，回答者は質問に応じて，電話のタッチボタンを押すことで，回答は直ちにコンピュータで記録され，データ分析が行なわれる。

③ 面接法：個人やグループを対象に調査対象者を訪問したり，店内での買物中，路上，あるいは1カ所に集めて直接面接する方法で，確実な回収が期待できるが，費用と時間がかかり，調査員もかなり訓練された人でないと面接や分析がむずかしい。

④ 新しい調査法：最近では，ファックス，電子メールもしくはインターネットによる新しい調査技術が利用されており，とくに電子メールとインターネットを中心としたインターネット・リサーチ（調査）の手法が注目されている。これには，電子メールなどによる質問表の場合は，電子メールアドレスのリストから調査サンプルを抽出し，質問票を送付し回答をメールで返送してもらう。ウェブページに掲載した調査票形式の場合は，回答者が該当するボタンをクリックする自動回答方式や文書形式の回答を入力する空欄などが用意されている。ウェブサイトによる調査では調査の目的が単にサイトへのアクセス件数の集計（あるいは登録件数）程度のものから，ウェブサイトに調査票を掲載し，後に電子メールと組み合わせて回答を送付させる場合などがある。インターネット・リサーチのメリットには，調査が迅速かつ低コストであり，グローバルな範囲での大規模な調査が可能であり，データの入力や集計ミスも従来より少ない。その反面，サンプルの代表性や回答の信頼性などの点で問題を有する。インターネット・リサーチは，定量調査のためだけでなく，後で述べる定性調査をねらいとした観察法でも利用可能性が高まっている[2)]。

(b) 観察法：ありのままの事実を観察することから情報を収集しようとするものである。たとえば，顧客については商店街での通行・交通量，商業施設・店内での入退出・移動方向・客動線の人数識別，年齢・性別の把握，買回・滞留時間，店内での商品への関心度，それに販売員については接客態度や勤務状態，競争企業については価格や商品比較など直接・間接の監視によって1次データを収集する方法である。近年では監視カメラ，自動カウンター装置，物体形状認識センサーによる追跡技術など電子機器類の手段が採用されている。インターネット上で交わされるSNSや電子コミュニティを通して発せられる膨大な会話，POSデータ，電車の乗降客の行先別のデータ，ポイントカード，さらにはIoT（Internet of Things：あらゆるものがネットと接続している状態）などを総合し，ビッグデータとして分析活用（データマイニング）する動きもみられるようになってきた。

さらには，「生活者」さえも気づいていない，生活者のニーズを把握するための観察調査としてエスノグラフィー【エスノ（民族）という言葉とグラフィー（記述）という言葉の合体語】あるいは参与観察という方法が注目されている。真に顧客が求めているモノやコトを顧客に聞いてもわからない状況を打破するために，生活者の生活様式や行動，発言などを包括的に観察する手法であり，生活者の日常行動を地道に知ることで，潜在的な価値や欲求を見出す仮説探索・発見型の手法として利用されている。

(c)　実験法：実際に，試験的な方法で調査対象に何らかの働きかけを試み，その結果から必要な情報を入手しようとする方法。従属変数（通常，売上高）に対し独立変数（広告や価格など）をさまざまに操作することによって，その効果を調べようとする。たとえば，他の条件を一定として価格の変化が売上高にどのような影響を及ぼすかを知ろうとするような場合である。実験法の代表的な利用は，広告の効果を調べるスプリット・ラン・テスト（分割掲載テスト）であり，同じ条件で，同一の商品に対して，異なった広告を掲載することで，それぞれの広告効果を調べる方法である。あるいは消費者使用テストとして，実際に新製品を使用してもらい，その商品の使用中・使用後の意見や感想などを知らせてもらう方法である。

(d) 消費者パネル調査：ある特定の消費者グループを継続的な調査対象者として固定し，一定期間にわたり，一定の調査項目に関して購買や使用の動向を調べる方法である。

(e) 動機調査：Whyリサーチとも呼ばれ，ある商品をなぜ購入したのか，どうしてAブランドを選んだのかといった，行動や態度を生み出す深層心理に迫ろうとするものであり，深層面接法，集団面接法，それに投影技法がその具体的解明の方法として利用される。この方法から得られる反応は解釈や一般化が非常にむずかしく，数量化しにくい面もあるが，質的市場調査としては重要な位置を占めている[3)]。

3 流通インフラストラクチャーとPOSシステムの展開

近年では，流通過程における情報の役割をより重視し，独自の位置づけを与えようとする動きもみられ，「情報流通」，「流通情報」，「流通情報化」あるいは「情流」などさまざまな表現で流通と情報のインターフェースが論じられるようになった。とりわけ情報が重視される背景には，現代が「情報社会」として特徴づけられるように，ICT（Information & Communication Technology）の高度な発展を受けて，流通を取り巻く環境が大きく変化しているからである。以下のような要因が迅速・正確・かつ低コストな条件での情報を必要としている点が注目できる。具体的には，①需要側の変化：消費者のライフスタイルの多様化，ニーズの個性化・単サイクル化の進行，消費のインバウンド・アウトバウンドの活発化，②供給側の変化：フレキシブルな生産システムと過剰・過少な生産と在庫の回避，ミスマッチのない迅速・正確かつ指定日時での提供を目指す動き，③グローバルな取引の拡大と競争の活発化：規制緩和と国際的資本・商品移動の自由化（TPP），グローバルなSCMの展開，国際進出における標準化と現地適合化の同時進行，④情報技術の進歩：情報処理技術の進化，通信技術の発展，流通情報インフラの整備（POS，バーコード，OCR，ICタグ，EDI，インターネット，スマートフォン，WiFi，ビッグデータ，IoT〔Internet of Things：あらゆるものがネットにつながっている〕などの活用）の普及，などが指摘できる。とくに，情報をビジネスにおいて重視する理由には，(a)情報の利用によって，不確実性と危険を解消・削減しようとする経営の取り組み，(b)消費者やユーザーニーズを的確にくみ取ろうとする買手重視の経営の取り組み，(c)為替の変動，国際政治・社会の不安定性，人件費や原材料・商品の上昇圧力などコストアップ要因に対処するローコストオペレーションへの経営の取り組み，さらに(d)ソーシャルメディアなど（Consumer Generated Media：CGM）から発信される，あるいはビッグデータなどさまざまな情報を顧客対応と競争対応の面で活用しようとする経営の取り組みなどがその推進力となっている。

とくに，商品や顧客情報を迅速・正確に収集できるPOSの普及や大量の情報を瞬時に収集できるインターネットの発展は，流通機能の遂行やマーケティング・リサーチの活用にもさまざまなインパクトを与えている。

今日，わが国でのPOSシステムは高度な発展を遂げている。POSシステムが発展する前提には，一つひとつの商品にバーコードが付いている必要がある。1978年4月に，わが国はEAN（European Article Number）のコードセンターに加盟し，JAN（Japanese Article Number）のJISコードを制定し，ソースマーキングを開始した。EANはもともと，米国において1970年に食品業界から始まり，1973年に他業界を巻き込んで制定された統一コードであったUPC（Universal Product Code）にもとづいて発展させられたものであった。2005年には国際EAN協会と北米のUCC協会（Uniform Code Council）が技術仕様を統合し組織も合体して国際的な流通標準化機関としてGS1（Global Standard One）を立ち上げた。現在は国際機関GS1のもとで，国際標準の各種商品コードを包括して表現するGTINを制定し運用するようになっている。GTINはGlobal Trade Item Numberの略語で，ジーティンと発音される。日本では流通システム開発センターがGS1の日本代表としてJAN企業コードを付番管理しており，商品供給業者（発売元，ブランド所有者，製造元，輸入元）が同センターに申請しJAN企業コード番号が貸与される。

図 5-1 JAN コードの体系

① JAN 企業コード：9桁もしくは7桁のうち最初の二ケタは国を識別するためのコード，日本は「49」と「45」。次に7桁もしくは5桁は商品メーカーもしくは発売元を識別するためのコード。流通システム開発センターが企業コードを原則に付番管理している。
② 商品アイテムコード：各メーカーが独自に設定。
③ チェックデジット：機械の読み誤りを防ぐ数値。
（出所） 流通システム開発センター『流通情報システム化の動向』，2015年， p. 10。

日本は，国コードとして1978年から「49」を取得し使用してきたが，急速な普及によりすでに10万コードに達し満杯になったことで1995年からは「45」の番号も使用するようになった。日本では，JAN コードという呼び方がされているが，これは日本固有の呼称で，国際的には GTIN－13，GTIN－8と呼ばれる。13や8はコードの桁を意味している。アメリカ・カナダにおける GTIN－12（UPC）とも互換性がある国際的な共通商品コードとなっている。JAN コードには，標準タイプ13桁，短縮タイプ8桁があり，さらに標準タイプには最初の7桁が JAN 企業コードである体系と，9桁が JAN 企業コードであるコード体系の2つのタイプが利用されている（図5-1参照）。

POS システムは，商品メーカーサイドからのさまざまな商品への JAN コードの適用と，流通企業によるそのコードを各店舗で読み取りのための POS レジの採用の両輪で普及が進んできたことがわかる。どちらが欠けてもうまくいかなかったといえる。日本では，1979年から1981年にかけて，当時通産省（現・経済産業省）が支援する POS 実験店の導入が試みられ，1982年9月には，セブン-イレブン・ジャパンが当時1350店のコンビニ店舗のすべてに，また1985年12月にはイトーヨーカ堂の全店舗を対象に POS レジを導入するなど，POS システムへの導入が活発化し，普及の足掛かりを作った。こうした動きをきっかけに，ソースマーキングを行なう商品メーカーが急速に増加し，このソースマーキング率の向上が JAN－POS の普及に拍車をかけることになった。大量生産される商品の場合，メーカーや発売元の段階でソースマーキングされることによって，レジでのチェックアウト作業の省力化や効率化が実現できるようになった。現在のJANコードは，従来型の消費財への適用にとどまらずに，インターネット通販や楽曲のネット配信，公共料金などの振り込みや医療関係のインフラとしても利用されており，その活動分野が拡大しつつある[4)]。

それと並行して，コードのタイプも多様に発展してきている。集合包装用品コードまたはITFシンボルと呼ばれるもので，物流の分野で多く利用されているタイプである。集合包装用品とは，企業間の取引単位である集合包装（ケース，ボール，パレットなど）を対象に設定される商品識別コードである。ITFシンボルとも呼ばれるが，Inter－Leaved（差し挟んだ）Two of Five（5本のバーうちの2本のバーが太いという意味）の略称で，以前は国内限定用として16ケタのタイプも使われていたが，GTINに移行してからは，現在は14ケタのタイプのみを国際標準として使用している。集合包装用品コードは，ダンボールなどにソースマーキングし，主に受発注，納品，入出荷検品，仕分け，棚卸管理，在庫管理などに利用されている。

二次元コードまたは二次元シンボル，あるいはQRコードと呼ばれるタイプも普及している。JANやITFは情報が横（水平）方向にのみ表示されているが，二次元タイプは水平にも垂直にも情報をもっている。これまでの一次元のタイプは線の組み合わせで情報を記録表示していたのに対して，バーコードを細かく積み重ねたタイプ（スタック式）もしくは白と黒の斑（まだら）模様に表示したタイプ（マトリックス式）により従来のバーコードと同じほどの面積で50倍から100倍ほどの情報を盛り込むことができ，食品の賞味期限，部品の加工履歴，衣料品の色や柄ごとの種類など商品の移動にともなうトレーサビリティの管理に活用されている。利用者は携帯電話などのスキャナーで，QRコードとも呼ばれるこのコードを読み取ることで，企業から商品・サービス・価格などの有益な情報を入手する手段としても活用されている。

また，最近では，ICタグやRFID（Radio Frequency Identification）と呼

ばれる電子タグの利用が注目されるようになってきた。ICタグは，データを格納する微小なICチップであるタグ（荷札）とリーダーとしての小型のアンテナをセットしており，数千桁以上の情報を保存し書き換えができる。無線を使っているので，離れたところからも読み取れ（非接触），一度書き込んだ情報に新たに加えたり書き換えができるのも特徴である。さらに，注目できる点はスーパーの買物カゴに入っている複数の商品を取り出さずに，レジでカゴに入れたままの状態でそれぞれの商品に付けられているタグの情報を瞬時にして同時に読み取ることができるため，一個一個取り出して検品する必要がないなど処理のスピード，正確性，省力化の面でも期待されている。

かつては人間による手作業で情報を入力していたが，現在ではJANコード，ITF，二次元コード（QRコード）それにICタグなどをレーザーやCCD・イメージセンサー（charge-coupled device : image sensor イメージャーとも呼ぶ＝光の明暗を電気信号に変換する半導体素子で，信号を画像処理して読み取る）などのスキャナーによって情報を自動的に認識することができる自動認識技術（Automatic Identification & Data Capture : AIDC）が進歩しており，流通分野にも急速に浸透してきている。

第2節　情報処理の技術とネットワークの発展

1　POS（販売時点情報管理：Point Of Sales）システム

(1)　POSシステムの特徴と活用

これまでのマーケティング・リサーチの方法に加えて，エレクトロニクス技術を中心とした新たな情報処理手段の発展がみられる。従来のマーケティング・リサーチでは，調査票を用いて消費者に面接し，購買意識や購買行動の実態を調べ，仕入や製品開発などに活用しようとするものであったが，これらは一般に消費者の過去の記憶や将来の予定に対する不確かな意識であり，またデータの収集・分析にもかなり日時を要するものが多く，調査結果の有用性を損なう原因ともなってきた5)。しかし，最近の新しい情報処理手段の発展は，特定の調査目的のための情報収集という性格のものではなく，日常的に発生する取引処理のための情報収集やオンラインでのデータ交換にもとづくものであり，そうした情報の継続的収集や速報性がこれまでのマーケティング・リサーチのあり方にも大きなインパクトを与えている。ここでは，POSシステム，EOS，EDI，流通BMS，カードそれにECの順で検討していこう。

近年，小売業界でのPOSシステムの普及にはめざましいものがある。POSシステムとは，Point of Sales Systemの略語で，欧米ではピーオーエス，日本語ではポスと呼ばれ，販売時点情報管理システムと表現されることもある。そのシステムは，店内にあるバーコードリーダーの付いたPOSレジと，店舗のバックエンドに置かれたストアコントローラー（オフィスサーバー）によって構成されており，さらにコントローラーはチェーン店のような大規模な企業の場合では本部のホストコンピュータと通信回線で接続されている。店内で顧客が買物した商品は，POSレジのリーダー（スキャナー：光学式読み取り装置）で一個一個の単品単位で商品のバーコードを読み取り，瞬時にストアコントローラーに登録されているそれぞれの商品の価格を表示し，合計金額を精算しレシートを発行し，同時に販売データが記録収集される（図5-2参照)。

JANコードには価格は印字されておらず，ストアコントローラーの中の商品マスターファイルには商品名とその対応価格を登録しておく必要があり，レジでのスキャニングの際に該当する商品の価格が引き出されるようになっている。この機能をPLU（Price Lookup）という。POSレジでは，販売された商品について，「何が，いつ，何個，いくらで売れたのか」を単品単位で情報収集している。POSシステムが注目される最大の理由は，レジでの迅速で正確な顧客対応から，各店舗で集められた販売情報についてさまざまな目的での活用の可能性が期待されているからである。販売時点情報管理システムとは，POSレジや周辺機器の集まりの意味よりも，商品の販売情報の把握を通して仕入れや在庫など各部門に有効に利用できるようにする小売業の総合情報システムを意味している。

そもそも米国で1970年代にPOSが開発されるようになった背景には，それまでレジ担当者が商品の価格について手作業で入力するキーイン方式で，習熟の程度によってばらつきが生じ打ち間違いが発生しやすかったこと，また従業員の不正が横行しそれを防止するねらいもあった。さらに支払方法が日本のように現金払いよりも，顧客がチェックノートから小切手のシートに金額や名前をサインして支払う方法が一般的で，顧客のレジでの待ち時間が長くなる傾向もあった。さらに売上伝票の作成，帳簿への記載，それに集計作業なども従業員の手で行なわれていた[6)]。POSシステムは，こうしたレジ周りの作業の時間や手間を短縮し正確化した。POSシステム導入に際して，とくにPOS機器の導入によって得られる直接的な効果をハードメリット，POSデータの活用から実現されるマーチャンダイジングや売場の改善，さらには小売業での経営改革やメーカーとの商品開発効果をソフトメリットと呼ぶことがある。

POSシステムの利用は以下のことを可能とした。

(a) 売場管理：レジでの打ち間違いや顧客の待ち時間を短縮でき，精算事務作業を正確かつスピーディーに処理でき，レジにおける作業の省力化・生産性の向上にも貢献する。パートやアルバイトの従業員でも，短期間での教育訓練で対応できるようになった。

(b) 商品管理：バーコードやタグのスキャニング（読み取り）によって，単品ごとの商品について，いつ，どこで，どれだけの数量が売れたのかの動きを把握できる。それによってどの商品がよく売れ，逆に売れない商品はどれか，また在庫数の素早い照会が可能となる。POSデータそのものは，売れたという結果のデータであるが，これを気象条件，購入者の性別や年齢，地域のイベント，競合店の動きなどのコーザルデータと組み合わせて，仮説を立て検証することで，どのような条件で売れているか，逆に売れないのかを判別することも必要である。こうした検証

図 5-2　POS システムの構成とネットワークについて

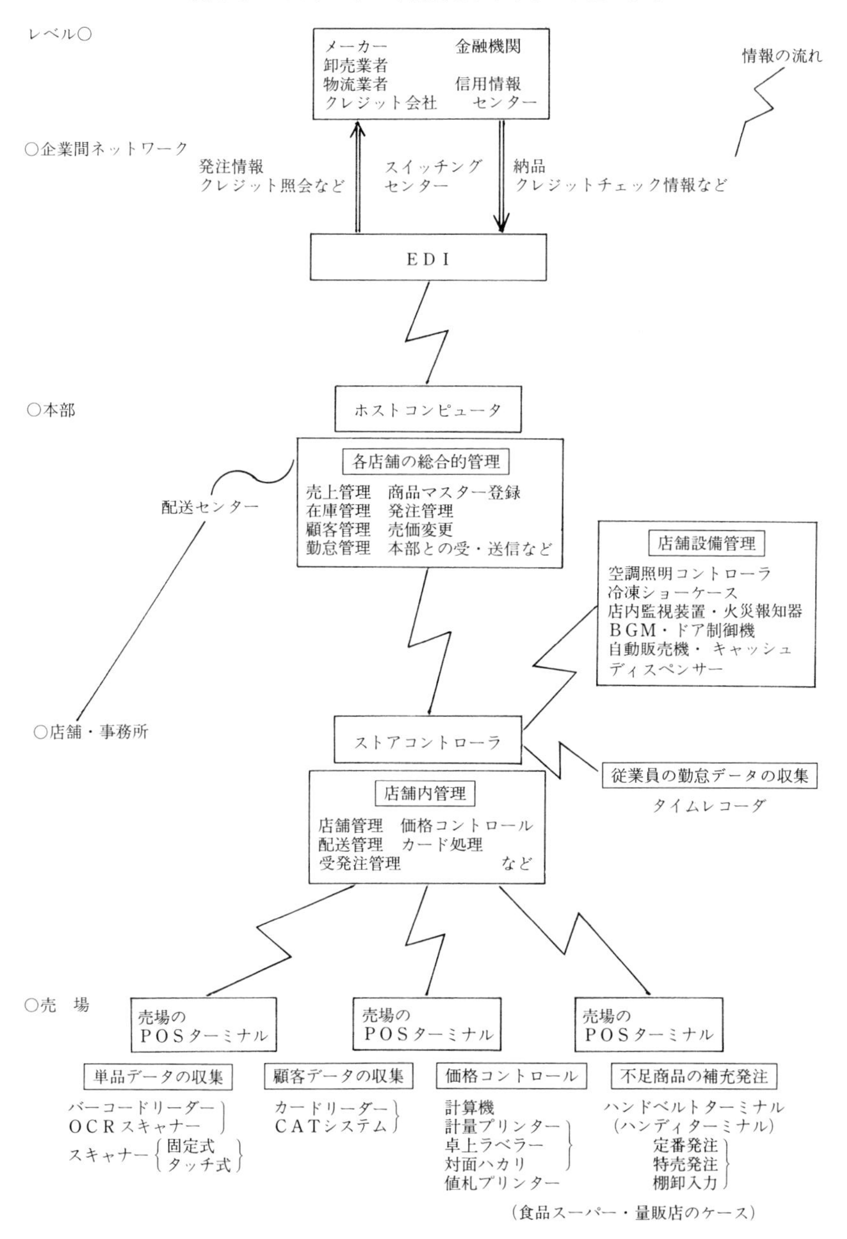

（食品スーパー・量販店のケース）

を通して，売れ筋商品の識別による欠品の防止，死に筋商品の排除による在庫回転率の向上，タイミングの良い店頭プロモーションにも役立ち，利益率の引き上げにも貢献する。

(c) 顧客管理：ID カード，ポイントカード，クレジットカード，電子マネーなどの発行を通して，顧客の行動を直接・間接に把握することで，顧客の会員化をはかることが可能である。誰が，いつ，何を，いくらで，どれくらい，どのような方法で購入したのかについて，それぞれの顧客の買物記録を蓄積し，顧客データベースの構築をはかる。それによって，ターゲットを明確にしたマーケティング活動や効果的なダイレクトメールや電子メールなどの送付を実現し，顧客サービスの向上にも活用できる。とくに，最近は単なる POS ではなく，ID－POS の利用が活発化している。

(d) 従業員管理：POS レジやストアコントローラーに内蔵されたタイマーによって，従業員一人一人の勤務状況，営業成績などを把握でき，給与計算の自動化もはかれる。すでに売場管理のところでもふれたように，レジ教育時間の短縮や登録ミスの防止にも役立っている。

(e) 情報の集中管理：それぞれの POS レジから収集された情報は，店内や本部のコンピュータに送られ，分析され，各種のデータに加工され，データベースとして必要な部門や店舗に活用される。しかも POS データの活用は，一小売企業の範囲にとどまらず，取引先（サプライヤー）との協調関係をベースとした情報公開によって，商品調達，売場編集，共同による販売促進企画，新商品開発，PB 商品開発のための意思決定支援として重要な役割を果たすようになっており，POS システムなしには今日の小売企業も取引先（サプライヤー）も回らなくなっているといっても過言ではない。

ただし，POS システムが経営に有益な情報をもたらすものであるとはいっても，限界をもっていることにも注意すべきであろう。それは，POS データはそのままでは自動的に有益な情報となるわけではない。先にも指摘したように，いかなる条件で発生したPOSデータであるのかを一定の仮説と突き合わせて検証することで有益な情報に変換される。いかなる条件で売れた商品であるのか，条件が違っても売れるのかを明確にする必要がマーチャンダイジングにとっては重要である。しかもPOSに本来不向きな商品も存在する。ロングテール商品といわれ，恐竜の姿に例えて，売れ筋の山を描く恐竜のヘッドに当たる部分に対して，1年に数個というめったに売れない恐竜の細長い尻尾に該当するところで，もともと商品回転率の低い商品の扱いである（図5－3参照）。死に筋商品の扱いをどうするのか，そのポジショニングが問われている。それでも店の商品構成に不可欠な商品や在庫コストがほとんどかからないデジタル商品について，独自の経営判断が求められる。

また，POSデータとして収集されていない商品の動向は当然ながらわからない。売れたという結果で表現されたデータでも消費者の生活ニーズのすべてを代表しているわけではない。消費者にとって購入の意味することは，「他に欲しいものがなかったので」，あるいは「いつもの欲しいものが欠品していたので」その商品を止むを得ず代替的に購入したり，その商品に不満をもちながらも購入せざるを得ない状況も考慮すると，POSデータで消費者

図 5-3　ロングテール現象

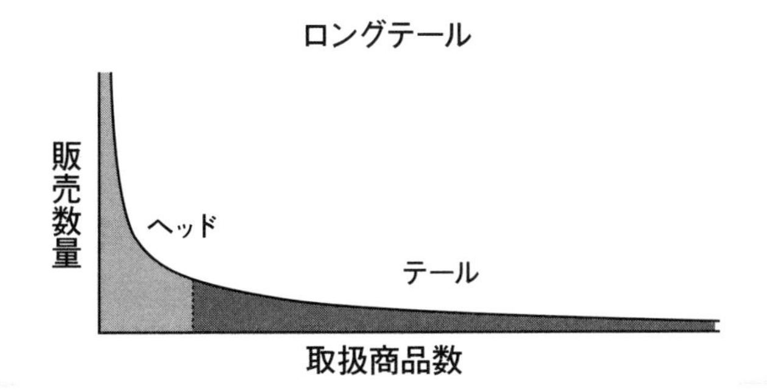

のニーズや生活内容がすべてわかるということにならない[7]。この点では，アンケート調査による情報収集をはじめ，売場の販売員が消費者を直接観察して得られる情報，売場での消費者への声掛けや消費者からの質問，アンケートへの回答，感謝や苦情などは無視してはならない。電話，手紙・はがき，インターネットや電子メール，SNSなどを経由して発信された情報とPOSデータとを擦り合わせた統合的な情報にもとづく判断が重要となっている。

(2) 顧客ID－POSシステムの可能性

POSシステムは，単品ごとの商品の販売について，売れた日時，店舗，商品，数量，売価，金額などを売上データとして記録されており，販売実績としてとらえていた。しかし，これまでのPOSシステムでは，先にPOSシステムの限界としても述べたように顧客データを正確に把握することができなかった。何が売れたのかにもっぱら焦点が当てられ，その商品は本当に欲しくて買ってくれたのか，どのような顧客が買っているのか，いつから買わなくなったのかなどについて，個人を特定するIDが付けられていないため曖昧な状態でしか把握できないという問題を内在させていた。確かにコンビニのレジでは，パートやアルバイトの従業員がPOSレジで，外見上での性別や年代を入力しているが，決して正確に入力されているわけではない。同じ性別の同年代の人が複数回同じ商品を購入したとしても，それが同一人物なのか，違う人物なのかは識別ができない[8]。

またクレジットカードの使用もコンビニの店頭では限られている。誰が買ったかのクレジットカードの支払いデータを販売店がクレジットカード会社から利用できるまでには煩雑な手続きが必要となる。商品の売れ行きは把握できても，誰が買ってくれているのかの顧客情報をより幅広く正確に収集する方法が求められてきた。これに対して，顧客ID－POSシステムと呼ばれる方法は，販売情報にポイントカードの顧客IDをヒモ付けすることで得られるデータであり，誰がいつ何を買ったかが把握できるようになっている。POSとID－POSの違いを比較すると，以下の表のように整理できる

表 5-2　POS と ID－POS との違いの比較

＊POSでわかること	＊ID－POSでわかること
いつ売れたか	誰が買ったか
どこで売れたか	繰り返し買われているか
何が売れたか	初めて買ったか
いくつ売れたか	誰が買わないか
いくらで売れたか	いつから買わなくなったか
何と一緒に売れたか（同時購買・併買）	いつ買ったか
⇩	どこで買ったか
⇩	いくつ買ったか
金額や数量がわかる	いくらで買ったか
	他に何を買っているか（同時購買・併買）
	⇩
	⇩
	誰が，何人買っているかがわかる

（出所）　本藤貴康・奥島晶子著『ID－POSマーケティング』英治出版，2015年，p. 23を加筆修正して作成。

(表5－2参照)。

IDを認識しないPOSでは，同一店舗で特定期間内で一人の顧客がさまざまな商品を購入した場合，それぞれ別人の顧客が買物をした記録になるが，ID－POSでは同じ人がさまざまな商品を購入した場合でも，同一の顧客の購買行動として特徴をつかまえることが可能となる。その顧客の購買履歴データから購買特性が見えてくれば，レシートでのクーポンやサンプルの発行などタイミングの良い働きかけでリピート率の向上をはかることもできる。さらに特定期間内でのこの顧客の併買した商品を，類似した購買傾向を示す他の顧客にも，同じような価値観やニーズをもつ顧客セグメントと仮説設定して，レコメンドするアプローチも行なわれる。このように単なるPOSではむずかしかったリピート率の向上や併買行動の分析が行なえることもID－POSのメリットといえる。

さらには，特定の商品からスイッチしてきた人が今度は何を買っているかを明らかにしたり（流出分析），逆に特定の商品にスイッチしてきた人がそれまで何を買っていたのか（流入分析）を明らかにすることもできる。このように特定商品や特定ブランドからの離脱や新規購入の動向を把握することで，顧客の変化や新たな動きに対応してきめ細かいマーチャンダイジングやプロモーションの展開を工夫することが可能となる[9]。

(3) ID－POS の課題と今後の展開方向

もちろん，ID－POS も万能ではない。まず，ポイントカードの問題から検討してみよう。多くの場合，店の会員として登録してもらい，会員カードにポイントを付けて，購入金額や購入する商品に応じてポイントが発行される仕組みで，購入金額が大きいほど，また直近で多く使うほどポイントが蓄積され，特定の割引やサービスが受けられる仕組みとなっている。

顧客にポイントカードを発行する前提には，個人情報がシステムに適切に登録されている必要がある。氏名，性別，年齢，生年月日，住所，電話番号，メールアドレスなど，それ以外にも家族構成，世帯収入あるいは持ち家か借家かなど顧客の属性情報がより詳細なほど企業にとっては目的に応じた顧客ターゲットを切り出しやすい。しかし，ポイントカードの運用は正確な顧客情報を前提として成立していることが条件となっているが，近年では，顧客がこうした個人情報の記入をためらうようになっている。これがたとえば，ポイントカード登録時の情報に欠損があったり，家族や友人間でカードを使い回したりすると，ID－POS といえども収集されたデータは正確性を欠くことになる。ID－POS データでは，個人を特定する ID が付けられているので，誰がというデータが存在しているが，個人情報の保護の面からはオープンにはできない。そこで氏名について ID として認識しているだけで，個人を特定しないかたちで，むしろ正確な性別や年齢情報をベースにさまざまな分析を行ない，セグメンテーションやターゲティングを展開する取り組みも多い。性別や年齢は基本的に不変の属性情報であり，住所や職業は変わり得る情報であり，定期的に更新する必要がある。情報の正確性や鮮度を保つには，メンテナンスやフィードバックが不可欠である。ID－POS の利用の形態としては，顧客が個人情報を記入するのをためらうこともあって，氏名以外には，性別や年齢，住所など一切，情報収集しない形で，もっぱら来店時に会員カードを情報端末に差し込ませて，その顧客用の購買履歴データを収集しかつプロモーションなどをその顧客用に提供する仕組みで運用しているID－POSの事例もあり，実態はかなり多様な運用スタイルが存在している。ちなみに顧客の入会時に，性別・年齢，生年月日といったデモグラフィックな情報をあえて収集しない方法で，前日や以前に購入した商品や顧客がよく好んで購入する商品の購買履歴データを活用して，来店時に端末にカードを差し込むだけで，その顧客のためにカスタマイズした商品提案やお買い得クーポンを発行する取り組みもみられる[10)]。しかしその場合でも，顧客が会員カードを常に買物時に携帯し，カードを頻繁に利用してくれないと，データを分析するうえで精度が向上しない。つまり会員カードやポイントカードの利用率が低いと，それだけその顧客や顧客全体の動きが正確に把握できないことになる。そのためには会員カードやポイントカードをいかに利用させPOSレジを通過させるかという点で，その顧客向けのさまざまな経済的なインセンティブや会員特典のような刺激策も必要となってくる。そしてここで配慮しなければならいことは，その顧客向けとはいっても，ややもすると競合の激しい近隣の店舗との間で，ID－POSの利用が単にポイントによる値引きに終始し，収益を圧迫するツールになっていく問題を避けなければならない。このことはあらためて，ID－POSのもつ強みが再考されるべき点であり，行動ターゲティングという視点から，それぞれの顧客の購買行動履歴をベースに，顧客の変化や行動を観察するツールとして，さらに興味・関心を推測し，その顧客に相応しいレコメンデーションや有益な情報提供という顧客価値の創造に結び付くためのID－POS活用の工夫が求められている。

さらに，今後はID－POSデータの活用の進化という課題に対して，ID－POSデータ単体の利用にとどまらずに，他の外部データとの関連付けや融合が模索されるようになってきた。とくにこのところ，ビッグデータという用語がよく使用されるようになっており，ＩｏＴから発信されるデータ，TwitterやBlogなどでの消費者のつぶやきなど消費者のソーシャルメディアからの情報発信，TV 放送，広告投下量，気象データ，交通データ，医療データなどと，ID－POS データを融合させ，その顧客の消費者行動を支援するために活用していく方向が検討されるようになっていくであろう[11)]。

2　EOS，EDI，BMSおよびカードの普及と活用

⑴　EOS（電子発注システム，オンライン発注システム：Electronic Ordering System）

EOS とは，電子発注システムのことで，コンピュータと通信回線を組み合わせ，発注情報を伝達する仕組みである。このメリットは，コンピュータで発注データを読み込み，人手を介さずに取引先に伝達できるため，入力ミスや転記ミスを防ぐことができ，多品種少量発注への対応やリードタイムの短縮にもなる。当初はチェーンベースの量販店やコンビニエンスストアでの店舗から本部への定番商品（商品番号「品番」が常に一定している商品で，流行の影響を受けない安定した需要をもつ商品のこと）の補充発注業務の合理化・効率化のためのシステムとして導入されたために，企業内における補充発注システムとしてとらえられていた。つまり，売場や店舗ごとに商品の補充のために採用してきた。

本来，補充発注のための仕事は，高度に熟練した経験とノウハウを要求される。過剰在庫を排除する一方で，品切れを防止するというトレードオフを調整するには，ベテランの担当者を当てなければならない。しかし現実には，こうした経験者は慢性的に不足している。それとは逆に，店舗数，取引量，アイテム数の増加とともに，電話・伝票・ファックスでの補充発注にミスや限界を生むようになり，1970年頃から店舗内でハンディターミナルを利用して在庫を調べ，発注データを入力し，通信回線を介して本部のコンピュータに送信できるシステムが導入されるようになった。

消費者ニーズの個性化・多様化・短サイクル化は，企業間の取引に多品種少量多頻度配送を常態化させ，商品によっては配送時間の指定，１日複数配送，欠品率ゼロ，リードタイムの短縮などを要請し，それだけ伝達すべき情

報の正確な処理，発注・起票作業の迅速化が求められているからである。このことは，EOSの利用によって，大量の受発注処理を正確に，短時間で行なうことで，販売のチャンスロス（機会損失）を減らすことができる。

したがって，近年では，小売業における店舗と本部間に限定されず，取引先ともオンラインでつなぐようになっており，小売企業・卸売企業・商品メーカーを含めた企業間オンライン受発注のシステムが普及してきている。

(2)　EDI（電子データ交換：Electronic Data Interchange）

EDIは，企業間での商品の発注から納品，支払いにいたるまでの取引データを電子的にコンピュータで処理できるようにするものであり，多くの企業間でのオンラインデータ交換を円滑に行なえるように標準の規約を通して実現するところに特徴がある。

すでに，1970年代後半からはPOSシステムの導入とそれにともなって店舗から仕入先への発注データの送信システムはすでに述べたEOSによって推進されてきており，80年代の後半には，地域流通VAN[12)]などの支援を受けて，多数の卸売業者や中小小売業者間でもオンライン受発注が普及するが，こうした取引データの交換をより標準的な規約にもとづき多数の企業間のネットワークを通して電子的に取引データを交換し，取引活動全体を効率化しようとする動きがEDIとなって発展する。既述のEOSは受発注EDIであり，企業間EDIの一部といえる。

こうしたEDIの必要性や発展の背景には，近年の系列・非系列を問わず活発化する企業間提携や取引の量的増加と迅速化が引き金となっている。そこでJCA手順にもとづく標準的な通信プロトコルを利用して，商品情報，販売条件，受発注・在庫，仕入・入庫，支払・請求，販売実績などに関するデータを電子化し，オンラインでやり取りすることで，取引全体を効率化しようと目指してきた。EDIのねらいは，単に受発注データの交換に限らず，物流や決済を含め取引データすべてを電子化し，生産・販売・配送の各企業の情報共有を進めやすくすることで，店頭でのPOSデータなど販売情報をメーカーへすばやく伝え，メーカーの開発すべき製品や流通段階での無駄な在庫をもたない仕組みを作り出し，QR や ECR を実現する SCM の展開のためのインフラともなっている。しかし，EDI の発展条件として，広く企業間で合意された取引データの表現方法（フォーマット形式）の規約であるビジネス・プロトコルを共通化することが前提となる。

⑶ BMS（ビジネスメッセージ標準：Business Message Standards）

通称，流通 BMS と呼ばれ，流通企業（メーカー，卸売企業，小売企業）間で統一的に利用するための EDI の標準仕様のことである。これまでの EDI の展開は，特定企業を中心とした独自の方式での標準の形成が行なわれてきた。またこれまでの EDI の主流は JCA 手順という旧式のデータ交換にもとづいている。NTT による公衆回線を利用した流通業の EDI 発注手順の主流である JCA 手順は，2020年度後半をめどに，標準電子データ交換仕様の「流通 BMS」に切り替わるように進められている[13]。これまでの JCA 手順による EDI では，電話回線の利用が主流であるため通信や処理のスピードが遅く，しかも各社独自の仕様にもとづいており，取引先はそれぞれの企業に対応することを余儀なくされてきた。その結果，企業間取引が煩雑になり，仕様の違う EDI の負担，通信速度が遅く，文字以外は送ることができず，漢字や画像が送信できない，海外では受け入れられないなど弱点が多かった。JCA 手順のデメリットを解消するために通信回線にインターネットを導入した WEB−EDI の場合には，通信のスピードは速くなったが手動によるファイル転送や各社個別の画面での運用などでそれぞれ取引先企業ごとの対応が求められ煩雑さが減ることがなかった。こうした従来の EDI の問題を改善するために，2007年４月から，経済産業省の「流通システム標準化事業」が制定され，共通の取引業務プロセスとデータ形式を採用し，通信基盤としてインターネットを利用している。この特徴は，流通システムの国際標準化機関である GS１が策定した「ビジネスメッセージ標準」をベースに流通 BMS として立ち上げられている[14]。

流通 BMS には，第一にインターネット利用による通信速度の迅速性，グローバル展開の可能性，それに取引先対応の柔軟性が指摘できる。それは従来の電話回線からインターネットへの切り替えによって，通信速度の飛躍的向上，発注締め時間の延長や発注精度の向上，さまざまな流通企業間への対応などが実現しつつある。第二には，データ書式の標準化を指摘することができる。これまでは，小売企業ごとに取引の手順やデータ書式が異なっており，納入業者にとっては個別に調整する手間，時間，コストが避けられなかった。データ書式を統一的に標準化することで，双方の負担が少なくなり，取引業務の効率化や低コスト化はもちろん，マーチャンダイジング，SCM などの戦略的な展開にも活用できるようになってきている。流通業界以外にも，家電や住宅メーカーなど他の業界では，設計や加工指図などの毎回異なった情報を流す必要や，複数の業界との取引など標準化がまだ進んでいないケースもある。流通業界の標準化も中小規模の企業も含めて業界全体で取り組んでいくことが取引での効率性と有効性を向上させるうえで不可欠になっている。

(4)　カード（card）

(a)　カードのタイプと発行のねらい

情報機能との関連でカードが注目されてきたが，一口にカードといっても，その発行の主体，対象，用途も多様である。カードは，一般の消費者を対象にしたカードから，外商カードや法人（ビジネスメンバー）カードなども存在する。種類としては，ID カード，クレジットカード，プリペイドカード，ポイントカード，デビットカード（銀行 POS カード），電子マネーなどがあるが，それぞれが単独のカードとして機能するだけでなく，ポイントやクレジットの機能が付加され一枚のカードに複合化している。近年では，こうしたカードの種類と機能は一つのスマートフォンの端末の中にアプリとして組み込まれるケースが増えてきた。カードやアプリ発行のねらいも，販売促進，買上げ金額の増加，顧客固定化・組織化，店舗のイメージアップ，それに顧客情報の収集の手段などがあげられる。ここでは情報機能との関連で，一般消費者を対象にしたカードを問題にしている。

クレジットカードは，購入するとカード会社が利用者の代わりに代金を払い，利用者は購入後に支払い請求がくる方式である。代金の支払いを一括払いする方式と分割払いする方式などに分けられる。後払いのために不払いのリスクがつきまといカード利用者の支払い能力が問われるので，カードを作るには事前に審査が必要となる。発行主体としては，信販系，銀行系，流通系，交通系，携帯キャリア系などさまざまに存在しており，ポイント付与をめぐっても，消費者金融をめぐっても異業種間の境界も低くなっており，カード発行に拍車をかけてきた。しかし，カード発行枚数の増加とは逆に，消費者にとって実質的に利用されるメインなカードは限定されており，スリーピングカードの増大を生んでいる。カードの利用を促進するために，カード発行企業同士の提携によって，流通企業などが自社のハウスカードに銀行系や信販系のカードをジョイントさせ，汎用性を高めるためにダブルカードを発行するケースが増えている。近年では，さらに国際的に使用可能なカード企業（VISA，マスター）との提携が進められてきており，さらには国内での各カード発行主体同士のポイント相互交換を軸に激しい合従連衡が繰り広げられるようになっており，消費者にとっては逆に１枚のカードに複数のポイントをためるための知恵が求められるようになってきた。また，カード情報を不正に読み取るスキミング犯罪を防ぐためにICカードへの転換が推進されている。

プリペイドカードは，事前にカードを入手し，一定金額を入金することで，その金額の範囲内で支払いに利用できるので，不払いを起こすことがない。利用者が代金を前払いしている意味で，現金を持ち歩くことや釣銭が不要であり，支払額以上の買物ができるプレミアム得点，カードデザインの価値が認められるケースもあり普及してきた。しかし，本人確認機能がないため他人に使用される危険は避けられない。デビットカードは，現在利用している銀行やゆうちょ銀行のキャッシュカードがそのまま買物時に支払い手段として活用されるもので，新たにカードを発行する手間が省ける。ここでデビット（debit）とは，カードでの支払いが本人の預金口座から即時決済されることを意味し，クレジットカードと違って預金残高以上の買物ができないので，債務不履行になることが避けられる。加盟店は銀行やゆうちょ銀行とオンライン決済に加盟すること，消費者も銀行やゆうちょ銀行に口座を持っていることが必要となる。銀行やゆうちょ銀行が発行するキャッシュカードの利用はJ－Debit加盟の店舗に限定されるため，近年ではVISAデビットやJCBデビットとして，国内外での加盟店の多いクレジットカード系企業などがデビットカードを発行してその利用の利便性を訴求するようになっている。1枚のカードでクレジットとしても，デビットとしても使い分けて利用できるようにしている。

ポイントカードは，それ自体単体では決済の手段というよりも，消費者にとっては買物の経済的な刺激を得る手段である。購買金額に応じたポイントの蓄積は，値引きやさまざまな特典が期待できることで，持ち運びの不便な紙ベースのスタンプ式にとって代わってきた。企業にとっては顧客囲い込みや固定化の手段として，同時に顧客の購買履歴を蓄積し，すでにID－POSのところでも指摘したようにその顧客に向けたタイミングの良いプロモーションに活用しようと積極的に採用してきた。そこでのポイントカードはお店の会員カードと一体になって，あるいはクレジットカードやこれから述べる電子マネーと組み合わせて発行される。

電子マネーは，カード型とスマートフォンの端末にアプリとして組み込まれたデバイス型に分けられる。近年では後者の利用増加が期待されている。これまでのクレジットカードと違い，サインや本人確認などの手間がかからず，瞬時に決済が行われるので，消費者も店員も決済にともなう負担が少なくて済む。

電子マネーによる決済方法には，接触型と非接触型に分けられる。接触型とは，読取端末にカードを差し込むことで通信を行うタイプである。これにはネット上でのみ利用可能なキャッシュとしての仮想マネーが知られており，クレジットカードでの購入やコンビニでの購入が考えられる。ネット上の決済やギフトの手段として，BitCash，WebMoney，マイクロソフトポイント，iTunesカードなどがある。非接触型とは，ICカードやスマートフォンなどを端末にタッチもしくはかざすだけで無線電波で通信を行うタイプである。

電子マネーには，事前に支払金額をチャージしておくか，後払いにするか，即時払いにするかによって大きく3つのタイプに分けられる。1つは，「プリペイドタイプ」と呼ばれる方式で，専用のカードやスマートフォンのアプリに事前にお金をチャージして，代金の支払いを行う前払い方式の決済手段である。プリペイド方式の場合は，チャージした金額以上使用できない。プリペイド式でオートチャージに設定することもできる。コンビニやスーパー，鉄道やバスなどでレジや改札機にタッチして支払う。流通系，交通系，携帯キャリア系など企業ごとに発行している。2つ目は，「ポストペイタイプ」と呼ばれる後払い方式で，利用した分だけ請求されるもので，これにはクレジットカード会社から後日請求される。これらはクレジットカード決済と似ているが，暗証番号の入力などの必要がなく，タッチだけで決済が完了する。docomo の iD，QUICPay，PiTaPa などがある。さらに3つ目は，「デビットタイプ」と呼ばれる即時引落し方式で，決済した瞬間に紐付けた銀行口座から金額が引き落とされる。ゆうちょ銀行の「ゆうちょPay」や，銀行のデビットカードを紐づけることで決済時に銀行口座から引き落としを行うこともできる。

電子マネーがスマートフォンベースで利用される割合が増加しつつある。利用者がスマホ上で Apple Pay もしくは Google Pay でさまざまな買物をする場合，これらのアプリは一見そこで決済が行われているように思われるが，あくまで決済サービスをひとまとめに管理しているのであって，例えばそこで Suica を利用した場合，これらのスマホのアプリ機能を使って Suica で支払うための仕組みをサポートしていることになる。

スマホ決済で利用される方式には，非接触型以外に，QR コード決済が注目されている。スマホにインストールした QR コード決済アプリにお金をチャージしたり，クレジットカードや銀行口座を登録して利用できる。決済方法は，利用者がスマホ画面に QR コードやバーコードを表示して店側が読み取る方式と，店側が提示したQRコードを利用者がスマホで読み取る方式の2通りが活用されている。「PayPay」や「LINE Pay」や「au PAY」などもこれにあたる。利用者にQRコードを読み取らせる方式は，店側にICチップを読み取る専用端末がなくても対応でき，設備投資も抑えられるメリットもある。

電子マネーはカード型であれ，スマートフォンなどのデバイス型であれ，決済に便利な機能やアプリが次々に追加されており，今後ますます利用の拡大が予想される。クレジットカード，ID－POS，電子マネーから発信される顧客情報は，企業にとって顧客の行動がより可視化できるようになっており，特定の顧客を対象にパーソナライゼーションを行うことができる。とくにスマートフォンでの決済を利用する顧客には，その顧客のいる場所に必要な店舗情報や関心のありそうな商品情報あるいはクーポンなどを配信し，店舗や購買に誘導することも可能になるなど，顧客データをベースにしたCRM（顧客関係管理：Customer Relationship Management）の活用や新たな市場創造のチャンスを提起している。キャッシュレス化の問題点としては，決済方法が多様化し，店側ではレジ周りに複数の端末を準備する必要があり，設置場所や処理手続きの煩雑さが増えており，一つの端末で複数の決済を行えるなどのイノベーションが求められている。同時に，わが国政府も，デジタル技術の発展，人手不足，インバウンドや消費税対応を背景に，キャッシュレス化の推進に力を入れるようになっており，今後は電子決済の普及とその安全性の確保が課題となっている。

(b)　カードの果たす役割

カードの機能としては，次のようなことがあげられる。

①　本人の確認：ID（identification）機能としての所有者本人の特定や身元確認を可能とするもの（現金客用のIDカードがそれに該当する，NTTのテレホンカードや全国共通図書カードには本人確認の機能はない）。

②　決済機能：商品やサービスを購入した際に，購入代金を現金や小切手の代わりに使用して決済できることで，クレジットカードには決済機能

がついている。

③　販売信用機能：代金後払いで商品やサービスの提供を受けることができる。販売信用の方法には，分割払い，リボルビング払い（revolving loan：クレジットカードやキャッシング・サービスの利用に対して，一定の月間利用枠を設け，返済方法として毎月一定額を支払うこと，あるいは残高に対し一定比率を支払うことを主旨としたクレジットの支払い方法）および一括後払いがある。

④　消費者金融機能：銀行のキャッシュカードや金融機関・小売業者のクレジットカードによるキャッシング・サービスやカードローンは，無担保・無保証で小口融資が受けられる。

⑤　販売促進機能：カード会員に対しての各種特典や情報の提供を行なうことでカード利用の促進や来店の頻度を高める。たとえば，カード使用による販売価格の割引，利用額・点数に応じた景品やマイレージサービスの提供，各種の催事などの情報提供などにより顧客固定化をはかろうとする。

⑥　情報収集機能：顧客本人や家族の属性データ，顧客の購買実績などがより正確に収集できる。カードが企業と消費者をある程度継続的に結びつける役割を演じ，情報ネットワークの重要な焦点を形成している。

(c)　顧客データベースと情報のタイプ

カードが注目されている大きな理由は，カードを通じて顧客とのコミュニケーションがはかれ，重要な情報を収集できる点を重視しているからである。自社カードか代行カード（発行，代金回収，顧客に対する債権管理などを一部ないしすべて信販会社に委託している）かによっては，情報のソースを管理できるかいなかという問題が発生する。顧客データベースの構築は，自社カードを発行している企業に集中している。顧客データベースには，それをどのように活用するのかという目的によって収集する情報の範囲や内容が異なってこよう。カードによってどのような情報が収集され，どのように活用されるのかを示してみよう。

① 顧客属性：氏名，現住所，電話番号，誕生日，職業，家族構成，結婚記念日，住居区分，購読誌など本人，必要な場合には家族の属性を含めた個人単位の情報。

② 顧客クレジット情報：取引銀行，口座番号，決済方法，与信限度額など支払い状況・支払い能力を示す情報。

③ 購買履歴情報：顧客データベースで最も重要な情報の収集といえるが，買上げの年月日，商品種類，数量，金額，利用店舗・売場など，いつ，何を，どのくらい，いくらで，どこで購入したのかという情報。

ここで重要となるのが，CRMの取り組みである。それには4つのステップが求められる。まず，顧客情報を収集することで，①顧客の購買履歴のデータベースを構築する。②顧客の動向やニーズを踏まえ，顧客を階層化し，自社にとって重要な顧客の選別やランク付けを行なう。③ターゲット顧客に焦点を合わせたレコメンデーション，商品開発・提案，各種催事情報などを発信する。④生涯顧客として，ターゲット顧客一人ひとりの購買特性の変化に合わせた長期的なマーケティング対応とロイヤルティの維持をはかる。そこで優良顧客を選別育成する方法として，RFMポイントが利用される。Recency（最終購入日：一番最近の購入日），Frequency（購入回数：一定期間に購入した頻度），Monetary Value（購入金額：一定期間内や1回当たりの購入金額）の3つの変数に優先順位をつけて得点化し，優良顧客を選出することになる[15)]。

3　EC（電子商取引：Electronic Commerce）の発展

ECは電子的に処理される取引形態の総称的な意味をもち，広くは専用回線やエクストラネットによるEDIおよび電子マネーによる支払いなども含めて理解されることもある[16)]。しかし，一般的には，インターネットと電子メールによって確立されたコンピュータ・ネットワークを手段としている。この情報通信ネットワークをどのように活用するかが大きな社会的関心となってきている。これまでのコンピュータ・ネットワークは特定の組織が構築・管理し，その組織に参加したものだけが情報利用を認められた閉鎖型のネットワークを中心としてきた。しかし，コンピュータの進歩や通信技術の発展は高速回線を通してネットワーク同士を結びつけ，世界中の人々や企業などの組織を瞬時にして接続する開放型のネットワークを生み出してきた。インターネットは特定の国や組織によって管理できるものではなく，世界のコンピュータ・ネットワークが対等の立場で接続された集合体であり，通信ネットワークのインフラであり，それが日々増殖・進化を遂げるアメーバのような存在となっている。また，組織や個人が誰でも容易に参加でき，情報発信や受信ができる電子コミュニティを形成している[17)]。

(1) B to B 取引

EC には，企業と企業の間での商取引（B to B : Business to Business），企業と消費者との商取引（B to C : Business to Consumer），消費者と消費者との取引（C to C : Consumer to Consumer），さらには企業と政府（B to G : Business to Government）との商取引などいくつかのタイプが存在する。ここでは，企業間の電子商取引（B to B）および企業と消費者間の電子商取引（B to C）の２つのタイプを検討しておこう。まずインターネットは，VAN や EDI のように専用回線を必要としない。ただし，インターネットでも，複数のネットワーク同士を接続するための通信規約として，TCP/IP という接続に関する手順（プロトコル）を定めた決まりはあるが，これさえ守れば別々の OS で動くコンピュータであれ，家庭用のゲーム機であれ，携帯電話であれ機械の仕様を気にせずにインターネットに簡単に接続できる。これまではメーカー系列ごとに異なった専用のシステムを用意して取引するため，導入や運用のコストが高く使い勝手がまちまちであったが，インターネットは資金力の乏しい中小企業であれ，個人であれ誰もが使えるプラットフォームを提供しているので急速に普及している。しかも，インターネットの通信手段がこれまでの既存の電話回線や ADSL から，電力線，CATV，光ファイバー，Wifi などブロードバンド化が進行し，多様な手段が選択できるようになってきた。

インターネットや電子メールを通しての企業間データ交換は，専用回線を設ける場合に比べ，信頼性がそれほど高くはないが，低コスト，ネットワークの広がりおよび処理の容易性の点で優れた効果を発揮し，B to Bの大きな発展要因となっている。B to Bのタイプには，2つの発展方向がある。その1つは個別取引型と他に多数の売り手と買い手が集まるマーケット・スペース（オープン・マーケット／eマーケットプレイス）型がある。前者は1対1の取引が基本であり，どちらかというと取引の継続的関係を意図したところで発展しやすい。これに対して後者は多対多の取引で，多数の売手と多数の買手がネット上のウェブサイトで接触することで条件が合致すれば取引が成立するタイプで，オークションや業界のオープンな資材・部品の調達市場のようにこれまでの取引関係に制約されず，必要に応じてその都度，条件に合う取引先を幅広く求めるような場合に向いており，一回限りの場合もあれば，そこからさらに継続的取引に発展する可能性も考えられる。個別取引型には，設計や開発段階から相互協力が必要となる特注品や市場規模がまだ十分大きくなっていない製品や部品が比較的ふさわしいとみられ，マーケット・スペース型では製品や部品の仕様が標準化されており，企業間で提供する品質に差がなく，市場規模が比較的大きい汎用性のある製品，部品あるいは資材がふさわしいと考えられている[18)]。しかし，このような区分は絶対的なものではなく，マーケット・スペース型から個別取引型への発展が起こったり，その逆が起こったりというように相互に浸透しあいながら進化していくものであり，発展の方向を整理する目安として考えるべきである。

(2) B to C取引

IT革命の効果は，情報入手と発信が従来とは比較にならないほど，容易になったということ，それに情報の迅速な流通は距離の制約を克服していることである。大量の情報を迅速に低コストで処理できるようになったのはインターネットの発展によっている。消費者がある商品について，その特徴，カラーやサイズなどの種類，価格に関する情報，扱っている店などを，インターネットを使って集めようとすれば，世界のサイトから瞬時にしてしかも低コストで収集できる。実際には無限といってよいほどの情報が手に入る時代になった。こうしたことはインターネットがなかった時代には想像もできなかった。消費者サイドで手軽に情報を収集でき発信できるようになったことは，買物の方法にも大きな影響を与えずにはおかない。企業サイドにとっても，消費者との情報の発信や受信にとって，従来にないほどの大きな変化を生み出し，流通の仕組みを変質させている。とくに，インターネットの利用により，現実の店舗を通さないバーチャルなショップの成長，消費者への新しい広告（バナー広告やオプトイン・メールなど）や顧客情報の収集（チャットや電子掲示板などから）の実現，顧客への個別的対応の可能性が従来以上に高くなり，個々の顧客をさまざまな角度から把握でき，同時に顧客からの提案をネットを通して活用することが新たなビジネス・チャンスを創造するようになってきた。こうした発展の半面で，インターネットによる取引をめぐって，売手と買手それぞれの信頼性，プライバシーやセキュリティーの確保などで課題を残している。

B to C の電子商取引では，インターネットのもつ特性である，距離や時間に制約されないアクセスの容易性や売手と買手のやり取りが可能な双方向性を通して，これまでには想像もつかなかったようなビジネス・チャンスを創造している[19]。ここではインターネットが消費者取引に与える恩恵は以下のようなタイプに分けてとらえることができる。それぞれは相互に独立して利用されるよりも，複数が組み合わさって利用されていることが多い。

① ダウンロード：インターネットの販売方法で最も効果の高い方法として注目されてきた。音楽，新聞・雑誌，電子書籍，ゲームなどのアプリ，パソコンのソフトなどのコンテンツの配信などがその代表であり，店舗を訪ねる手間や物流コストを大幅に削減した。

② 価格選択：特定の商品やサービスの価格を比較するサイトの存在に象徴されるように，消費者にとって店に出向かなくても，最も安い値段を知ることができる。供給サイド側も顧客の反応を見ながらタイミングよく価格を調整できる。顧客の購買条件を先に提示し，複数の供給業者か

ら販売価格を提示する逆オークションも行なわれている。

③　タイムセービング：インターネット通販に代表されるように，24時間，年中無休でいつでもどこでも，好きな時に多くの情報を手に入れて，欲しい商品やサービスを発見でき気軽に注文できる。ネットと物流の進化をバックに，夜中に注文し，翌日の午前や午後に商品を手にすることができるようになってきた。

④　グローカル：全国に流通網をもたない地方の無名な中小メーカー，特定の地域でユニークな商品を扱う卸売店や小売店が，インターネットを利用して，自社の取扱商品を全国や世界（この場合，ホームページで使用する言語は英語や多言語にする必要がある）に販売することの不可能ではない。グローカルとは，ローカル（地方）な企業が，グローバル（地球規模）の市場を獲得することの可能性を意味する合成語である。

⑤　検索：インターネットで必要な情報を入手しようとするときに，検索エンジンを利用し，関心のあるさまざまな情報にアクセスすることが行なわれている。ハイパーリンク（単にリンクと呼ばれる）の機能を使うことで，他社のバーチャルショップでの商品に飛んだり，グーグルアドセンスのようにグーグルが提供している検索連動型広告やコンテンツ連動型広告の広告配信サービスなどによって，関連情報を素早く検索し収集することができる。

⑥　カスタマイズ：アマゾンに象徴されるように，顧客の購買履歴情報からその顧客の購買特性を把握し，プロファイルが似ている顧客の購入パターンを分析し，嗜好やニーズを予測し，個人に合わせたコンテンツを用意することで，関連購買や次に購入すべき商品を推奨するレコメンデーションで顧客の支持を集めてきた。リアルな店舗での接客とは異なって，ヒューマンタッチではないが，リアル店舗での接客以上に正確な購買履歴データをベースに精度の高い提案が行なえる可能性を秘めている。

⑦　消費者生成メディア（CGM：Consumer Generated Media）：マスメ

ディアと違って，消費者によるソーシャルメディアの活用は，消費者自身の経験や意見を積極的に書き込み，消費者が能動的に情報を発信し，共有し，活用し，共感する形で市場にかかわる機会を生み出している。消費者の実体験にもとづく商品の評価によって商品が選ばれる消費者の情報発信の時代になっており，ユーザーイノベーション，クラウドイノベーション，オープンイノベーションなど需要サイドの視点からの需給のマッチングが重視されている。

注

1）出牛正芳著『現代マーケティング管理論』白桃書房，1996年，p. 62。

2）R. Frost and J. Strauss, *Marketing on the Internet: Principles of Outline Marketing,* Prentic-Hall, 1999（麻田孝治訳『インターネット・マーケティング概論』ピアソン・エデュケーション，2000年，第3章）. 日本マーケティング協会監修『インターネット・マーケティング』日経 BP 社，2000年，第3章。

3）この点についての詳細は，出牛正芳著『市場調査入門』同文舘出版，1972年，第5章を参照のこと。

4）流通システム開発センター『流通情報システム化の動向2015～2016』2015年，pp. 1-62。流通システム開発センター『流通とシステム』No. 161, 2015年，pp. 2-3。

5）柏木重秋著『現代商業総論』同文舘出版，1989年，p. 193。

6）伊藤匡美「流通情報の基礎」住谷宏編著『流通論の基礎』中央経済社，2013年，pp. 174-175。

7）上原征彦著『マーケティング戦略論』有斐閣，1999年，pp. 137。およびpp. 239-240。

8）本藤貴康・奥島晶子著『ID－POSマーケティング』英治出版，2015年，p. 36。

9）この点の説明は，同上書，pp. 61－62。およびpp. 101-108にもとづいている。

10）氏名以外には，デモグラフィックな情報を収集せずに，その顧客用にポイント発行，プロモーション展開，レシートアンケートの実施などを試みているID－POSの事例については，三坂昇司「小売業におけるデータを活用した新しい価値創造」『流通とシステム』No. 162，2015年，pp. 14-19。

11）三坂昇司，同上論文，pp. 17－19。
12）VAN（付加価値通信網：Value Added Network）は，共同利用型のデータ通信システムで，コモンキャリア（第1種電気通信事業者）から回線を借りて，電話回線を使って他社の異なったコンピュータとのオンライン・データ交換の仲介を行なうものである。VAN事業が全面的に自由化されたのは1985年の電気通信事業法の制定にもとづいている。これによって，地域の小売業と卸売業の受発注を仲介する地域VANなどが発展した。中小企業の多い流通業界にEOSが普及した背景にはこうした地域VANの普及が貢献したといわれる。しかし現在は，ユーザーである小売業と卸売業の合併や廃業などの影響でかつてほどの利用はなくなっている。
13）『流通BMS――せまる発注不全のリスクと流通BMS導入のメリット』第50回スーパーマーケットトレードショー2016，パネルディスカッション資料，2016年2月10日。
14）流通システム開発センター『流通情報システム化の動向 2015～2016』2015年，pp. 101－115。
15）なお，ここで重要となる配慮は，顧客を選別することは必ずしも下位顧客を切り捨てようという意味ではない。セグメントごとに顧客との関係の深さが異なるので，それぞれ違ったアプローチで働きかける必要がある。下位顧客⇒購入機会を増やすための施策，中位顧客⇒購入頻度や購入金額を増やす施策，上位顧客⇒顧客内シェアやロイヤルティを維持するための施策をそれぞれ状況に応じて発見し，優良顧客へと育成するためのマーケティングが必要なる。データベース・マーケティングとワン・トゥ・ワン・マーケティングについての詳細は，D. Peppers and M. Rogers, *The One To One Future*, Doubleday，1993（井関利明監訳『One To One マーケティング』ダイヤモンド社，1995年）．江尻弘著『最新データベース・マーケティング』中央経済社，1996年。D. Peppers and M. Rogers, *Enterprise One To One*, Doubleday，1997（井関利明＆ワン・トゥ・ワン・マーケティング協議会監訳『ワン・トゥ・ワン企業戦略』ダイヤモンド社，1997年）．江尻弘著『小売業データベース・マーケティング』中央経済社，1998年。および田口冬樹著『マーケティング・マインドとイノベーション』白桃書房 2017年pp. 103－107．が参考になる。
16）小宮路雅博「エレクトロニック・コマース」宮澤永光監修『基本流通用語辞典』白桃書房，1999年，pp. 26-27。
17）インターネット（http://www.kdd.cojp/yougo/internet/internet.html）を参照。
18）富士総合研究所著『IT革命が面白いほどわかる本』中経出版，2000年，

pp. 122-140。および日本興業銀行調査部「日本企業における情報通信ネットワーク活用の方向性」日本興業銀行『興銀調査』Vol. 295, No. 4, 2000年, pp. 5-35。

19) 田口冬樹「エレクトロニック・マーケティングの特性とビジネス・カテゴリー」専修大学経営研究所『専修経営研究年報』第24号, 2000年, pp. 51-64。田坂広志著『日本型エレクトロニック・コマース』生産性出版, 1996年, 第7章。および, P. Butler and J. Peppard, “Consumer Purchasing on the Internet : Process and Prospects”, *European Management Journal*, Vol. 16, No. 5, 1998, pp. 597-605.

第6章
補助的流通機能

第1節　流通危険負担

流通の基本的役割は，生産物の社会的な流れを調整し，需給を結合することにある。補助的流通機能は，こうした役割を達成するために，これまで述べてきた商的流通（商流）機能，物流機能および情報流通（情流）機能の遂行を側面から援助する役割をもっている。この機能は，必ずしも流通過程にのみ限定して必要とされる機能というものではなく，経済社会のさまざまな局面で必要とされるという意味で，権利移転を促進する流通活動にとっては，補助的な位置を占める。これには，流通過程で発生する危険負担機能と金融機能の2つがある。

1　危険の種類

危険の発生は将来を正確に予測できない不確実性による損害・費用の発生である[1)]。流通活動を遂行するうえで，危険は絶えずつきまとうものである。近年の流通活動のグローバル化や事業多角化は危険発生の機会とスケールを拡大している。流通過程に存在する不確実性やそれによる危険にはさまざまなものがあり，危険負担の方法にもいくつかの手段が考えられる。具体的には，顧客が自社の商品を確実に買ってくれるかどうかということ，輸送途中の商品が破損するかもしれないこと，店頭の商品が盗難にあうかもしれないこと，あるいは取引先の販売店が購入代金を支払ってくれない恐れがあることなどは，企業にとって事前には知ることのできない不確実性である。

これらを総合して危険の種類を分類してみよう。

⑴ 自然発生的危険：風水害，台風，地震，落雷，火山噴火などの自然現象による人力の及ばない危険

⑵ 物理的危険：輸送・保管上の破損，腐敗，変質，失火，害虫発生など不適切な管理による危険

⑶ 社会的・政治的危険：万引き，盗難，ストライキ，暴動，国有化，戦争など人々のモラルや国の政治的不安定性，体制への不満それに国際紛争（カントリーリスク問題）から発生する危険

⑷ 信用危険：従業員の使い込み，経営の中枢にある人の病気・死亡による経営危機，貸倒れ，不渡手形など債権の回収が不可能になった場合による危険

⑸ 市場危険：売れ残り，返品，価格変動，金利・為替レートの変動による危険，流行の変化，競争企業の参入など市場条件の変化にともなう危険

2 危険削減法

危険負担の方法には2つの方向が考えられる。第1は，リスク・マネジメントを適切に行なうことによって，危険の発生の機会そのものを抑える方法である。第2の方法は，危険を合理的に負担できる他の主体に転嫁する方法である[2)]。

⑴ 危険の負担

予防的措置としては，地震や火災の発生に備えて，耐震・免震構造，耐火建築，スプリンクラー，警備の強化，防火設備の点検などの安全対策を徹底すること。商品の保管においても，害虫の発生や品質の変化に事前に対処するために，燻蒸や温度管理の設備を備えるなどが考えられる。店内に監視カメラや防犯装置を設置したり，夜間の警備を強化するなどもその予防措置といえる。

信用取引においては，取引先企業に対する十分な信用調査，担保・保証や

連帯保証人を要求することが考えられるし，貸倒れ引当てのための準備や十分な信用管理が求められる。取引実績や担保力の弱い中小企業が銀行などの金融機関から融資を受ける場合には，各都道府県や市に設置されている信用保証協会に保証料を支払って保証人となってもらい，融資を受けることができる。金融機関はその回収が不可能になった場合でも，協会が代わって融資額を弁済する保証制度である。しかし近年では国の内外で有担保原則が薄れてきているだけにいっそう信用管理が重要になっている。なかでも，消費者信用，消費者金融，リース契約の場合，担保による保証がないなど，個人の信用能力に対する情報システムの確立・整備が不可欠となる。

市場条件の変化への対応には，日頃から，継続的に顧客や市場情報の収集を徹底し，経営やマーケティングの意思決定を支援できる体制を整えておくことが求められる。とりわけ，将来の需要予測の精度を高める努力をし，リスクの発生に対する適切な処置が講じられるようにリスク・マネジメントのノウハウを蓄積しておくことである。企業によっては，積極的にリスクを負担することで，高い利益機会やときには投機的利益を得ることもあり，リスク負担力が流通過程での取引交渉力を生み出すことにもなる。リスクを的確にコントロールする手段として情報処理能力が注目されている。この点はすでに前章において述べた情報流通機能の強化と密接に関連している。

⑵　危険の転嫁（分散）

⒜　保険制度・商品取引所の利用

適切なマネジメント努力によって多くの危険は解決されるが，十分に管理された企業といえども，自社だけでは負担し切れないほどの危険に直面することがある。リスクの大きさが企業の財務能力を超え，倒産を発生させるほど大きな場合は，企業自身の管理だけではなく，相応なコストを払っても，他の主体にそうしたリスクを転嫁させることが必要となる。企業が被る不確実な危険は一定の集団の中で分散されることがある。ある種のリスクは，社会的・制度的な手段である保険によってカバーされる。保険制度は，相互扶助の制度であり，多数の経済主体の参加により共同で損害を補填し，相対的には少額の保険料の支払いによって，巨額の損失の発生に対処できる。

自然発生的，物理的危険に保険が多く適用されている。社会的・政治的危険にも，盗難保険などの損害保険が一部適用されている。信用危険や市場危険の多くは，企業自身の管理努力によらざるをえないが，信用危険の中でも経営者の事故，病気や死亡には，生命保険や傷害保険が適用される。

しかし，リスクのすべてを保険でカバーできるわけではなく，危険の発生率ないしは損失の割合がある程度の確定率で予想できるものに限定されている。このような危険発生の確定率をもとに，危険発生による損失額を算定して保険料を徴収し，実際に危険発生によって被った損失額に対して保険金の支払いをもって補塡する専門の業者として保険業者が発展してきた。とくに物理的危険を補塡する損害保険としては，火災保険，自動車保険，盗難保険，運送保険，海上保険，航空保険などが発達しており，これらの保険料は，最終的には商品やサービスの価格の一部を構成する。

さらに，商品の売買活動にともなう価格変動の市場危険を補塡する方法としては，社会的な制度として商品取引所が発展してきた。商品取引所では，先物取引を対象とした掛けつなぎ取引（ヘッジング：hedging）という方法によって危険を分散・転嫁しようとする。先物取引は，将来の一定期間に商品の引き渡し，あるいは反対売買によって決済（差金決済）することにして，あらかじめ商品の銘柄・値段・数量を決めて，売買の契約を行なう取引である。

たとえば，上場商品の買付けをする場合，同時に取引所においてこれに見合う分の売りつなぎをしておく。これによって，その後の販売時点で商品の価格が下落して，実際の取引で損失を発生させたとしても，取引所で売りつないでおいたものから安く買い戻すことができ，損失は相殺される。この売りつなぎとは逆に，買いつなぎの例でいうと，現在手持ちではない上場商品の販売を契約した場合，同時に取引所において，これに見合う分の買いつなぎをしておく。これによって，実際に仕入れる頃になって相場が高騰しても，取引所において買いつないでおいたものを高い値段で販売できるので，結果的に損失は回避される。このように，商品取引所での掛けつなぎ取引は，実際の取引とは，反対の取引を組み合わせておくことで，市場危険の損得を相殺するところにねらいがある[3)]。

(b)　流通機構の利用

信用取引や市場条件の変化で発生する危険は，その損失が正確に予測できないために，保険制度が適用されない場合がほとんどである。あるいは，ある程度予測できるにしても，保険のコストが膨大になり，経済的に引き合わない。そのために，信用取引においては，流通過程で危険のすべてもしくはその一部を他の企業に分散させる方法が利用されてきた。企業間でリスクを分散しあうために，流通機構が多段階に形成され，複雑化する理由の一因ともなっている。

とくにわが国の製造企業は，これまで海外から多くの原材料・エネルギー資源を輸入し，国内でそれらに製造・加工を施し，完成品として海外に輸出するという加工貿易形態を発展させてきた。こうした原材料・エネルギー資源の確保から完成品の販売に至る過程で発生する価格変動などのリスクを中間段階に流通業者を多数活用することで分散・転嫁し，流通機構を肥大させてきた歴史をもっている。また，戦後の耐久消費財産業でみられたように，リスク管理に対するノウハウを蓄積し，マネジメント能力のある企業が，チャネルのリーダーとなって，流通過程で需給調整に一定の役割を果たすことも少なくない。ときには，政府が農業者に対して購入価格や購入数量を保証し，差額を政府が負担するといった形で介入するケースもみられる。

企業間関係の形成の中でリスクを分散・転嫁する代表的な例としては，百貨店とアパレル商品供給企業との関係があげられる。アパレル商品供給企業は百貨店からの返品を認め，また店員の派遣を行ないながら，需要予測の失敗という，本来であれば，百貨店が負担すべき売れ残りのリスクやマーチャンダイジング機能を負担することによって日本の百貨店を成り立たせてきた面がある[4)]。

このことは，小売企業が自ら情報処理能力とマーチャンダイジング力を強化し，店頭での顧客情報を的確に把握することで，メーカー，卸売企業それに物流企業との相互に緊密な情報共有と提携関係（SCM）を構築し，製品の開発・製造・在庫保管を適切に進めることで，過剰な生産や在庫負担を減らすことが可能であり，同時に従来多く見られたような中間在庫を調整弁とするための錯綜した多段階のチャネルを減らすことが可能であることを示唆している。

企業間での危険の分散には，既述の返品受け入れ以外にも，買取り（注文生産）方式，購入・販売価格の保証（しばしば独占禁止法上の問題を発生させる），代金授受の期間延長（企業間信用），下請け契約，流通系列化などを通して危険の分散・転嫁を行なっている。

第2節　流通金融

1　企業における資金需要の発生と調達方法

流通金融は，生産物の需給結合を円滑に推進するうえで，必要となる資金の調達や融通のための活動である。生産物を生産から消費もしくは利用の段階へ移転させるうえで，生産物の購買や仕入，在庫維持，広告，チャネル構築，あるいは店舗施設や保管施設の設置などに多額の資金を必要とする。しかも流通過程において，生産物の受渡し日と代金の支払い日が常に一致して発生するわけではなく，むしろ期間的にズレることが少なくない。取引の相手に対して，後払いを認める，代金回収までの一定期間を猶予することにより，相手の購買を促進させる。しかしその間の資金ギャップは，誰かが負担する必要があり，今日では，流通過程の各段階におかれた取引主体の側からの金融活動以外に，社会的制度として銀行などの各種の金融機関が流通金融を担当するために発展している。

⑴　資金需要の主な発生ルート（期間別・用途別）

企業にとって，資金需要は２つの方向から発生する。

⒜　長期資金：企業が拡大成長するのに要求される資金であり，回収は通常１年以上にわたって行なわれ，戦略資金の位置をもつ。設備資金がそれで

あり，土地，建物，機械，什器備品，車両など固定資本の購入のために必要となる。設備投資は巨額になるので，建物や機械などの価値の減耗に応じ，長期にわたる販売からの収益を積立し，減価償却を必要とする。土地建物の賃貸の場合でも，保証金という資金ニーズが発生する。金融機関からの融資のほかに，自己資本として株式市場からの調達や，リース制の利用がある。流通業でも，このリース制の利用が増加してきた。

(b)　短期資金：企業の日常的な運営の中で必要とされる資金であり，通常1年未満で回収される資金であり，戦術資金の位置をもつ。運転資金がそれであり，商品の仕入，在庫・配送コスト，広告・販売促進費，人件費などの出費に向けられる資金である。通常，運転資金は，これらを運用して得た売上から一度に回収される。商品の仕入代金などには，企業間信用が多く利用されてきたが，長期に固定的な運転資金になるほど金融機関からの調達が主になる。

(2)　資金調達のルート（方法別）

現実に，流通活動を行なううえで常に資金が潤沢に用意されている企業ばかりではない。企業は必要資金をどのような方法で調達するのであろうか。

(a)　自己資本：企業内部から調達する資金であり，これには出資者の出資資本と経営活動の結果として獲得される付加資本からなり，株式の増資（国内・海外のいずれでも発行される）と内部留保の手段に分かれる。後者の内部留保は，さらに引当金（貸倒れ引当金・賞与引当金・退職給与引当金などがあり，それぞれ法律の規定にもとづき，一定率の金額を計上するが，引当金の増額が行なわれることによって，この資金部分を長期の資金ニーズに充当できる）・利益金（税金や配当金の支払い後の最終利益）・減価償却費（固定資産の取得額に法で定められた一定率の金額を計上し，その分を収益の中から積み立てていき，固定資産の買換えに充当する）・手許資金（財務上発生する資金ではなく，実際上，売上入金と決済条件によって生じる回転差資金）から構成されている[5)]。

(b)　他人資本：企業外部の銀行や取引先から調達された資金であり，一定期間内での返済の義務や金利コストが不可避的にともなう。しかし企業活動が多角的に拡大し，資金需要がより巨額化するにつれて，他人資本への依存は有効な手段となる。他人資本による資金調達の種類には，広義にとらえて，借入金，社債発行，リース制，企業間信用がある。

① 借入金：金融機関からの借入によって資金調達をはかろうとするもので，当然のこととはいえ，借入に対する利子は利益の中から支払われる。一般に，金融機関としては以下のような種類に分類される。まず，金融機関としては，ⓐ民間金融機関（普通銀行〈都市銀行・地方銀行・第二地方銀行【かつての相互銀行】，外国銀行，新しいタイプの銀行【インターネット系銀行（ジャパンネット銀行・ソニー銀行），流通系銀行（セブン銀行・イオン銀行）など】，ゆうちょ銀行〉，長期金融機関〈信託銀行〉，中小企業金融機関〈信用金庫・信用組合〉，その他の金融機関〈農林中央金庫・生命保険会社・証券会社・労働金庫〉など），ⓑ政府系金融機関（銀行〈国際協力銀行・日本政策投資銀行〉，公庫〈中小企業金融公庫・国民生活金融公庫・農林漁業金融金庫〉など），ⓒ制度融資（政府系資金《公庫・事業団》および自治体系資金《都道府県区市町村》による制度融資のタイプがあり，事業活動・商店街活性化・流通近代化など）に対し，長期・低利での融資が行なわれる[6)]。

② 社債発行：企業が設備資金などの必要から，証券市場で長期資金を多くの投資家から調達するために発行する債権であり，民間企業が発行する場合を事業債という。自己資本としての株式と違って，企業の最高意思決定についての議決権をもたず，一定の利子を付け，一定の期間後に償還しなければならない。戦後に登場したスーパーチェーンでは，外債（社債を外国で発行する）あるいは転換社債の発行なども含め，きわめて活発に資金調達ルートの多様化を進め，総合スーパー・GMS への拡大路線を作り出した。

③ リース制：購入により設備や機械などの所有権を取得して使用するのではなく，物品の長期的な賃貸借契約によって使用（占有）権を取得し，一定のリース料を払って設備や機械自体を借りることで設備資金の

節約をはかろうとする制度である。これも広い意味でいう流通金融である。リース制が注目されるのには，流通業界におけるイノベーションの活発化が反映しており，企業は店舗施設，物流システム，各種の情報処理機器などの絶えざる更新に直面し，資金負担のプレッシャーを抱えているからである。とくに急速な成長拡大を実現しようとしている企業にとっては，自己資金や金融機関からの融資ではなく，リースによって資金負担を軽くしようとする。

リースは，事業者であるユーザーが設備投資に際し，自社にとって必要な設備機器類を選択し，その物件をリース会社がメーカーやディーラーなどのサプライヤーから購入し，その企業に長期（3年から6年が多い）にわたって賃貸し，リース料を徴収する方法である。リースは，特定ユーザー企業のためにユーザーの希望する物件をリース会社が購入し調達するため，特定企業に対し資金的支援を与える効果があり，リース会社としてはこの期間にリース物件の取得価格と諸費用を回収（フルペイアウト）するためリース料を得る必要があり，ファイナンス・リースと呼ばれる[7)]。したがって，リースを受けている契約期間中，ユーザー企業は中途解約ができない。

リースと類似した方法に，レンタルがある。レンタルの場合は，特定の企業に対する特定物件の賃貸というより，不特定多数の個人を含めたユーザーに短期間（日，週，月単位，通常は1年未満），レンタル企業のすでに在庫されている汎用性の高い自動車，パソコン，映画ビデオ，音楽CDなどの物件を貸与する方式であり，途中解約も可能である。

リースのメリットは，最新の設備が最初から全額支払わなくとも月々のリース料で利用でき，法定耐用年数よりも短いリース期間の設定が認められているため，イノベーションの激しい機器の陳腐化によりいっそうすばやく対処でき，損金扱いとなるリース料の税制面での節税効果，リース資産の減価償却費の計上や保険契約の事務処理をリース会社が行なうので自社購入に比べより資金の効率的運用ができる。

④ 企業間信用：企業間信用は，流通過程で生産物の取引をめぐって，ある企業が他の企業に対して，代金の前払いあるいは後払いを認めることから生じる資金の融通である[8]。商品の受渡し日と代金の支払い日の時期的ズレを認めることによって，相手に信用を提供する方法は，一般に手形払い，掛売りおよび割賦払いの方法の採用によって行なわれてきた。とくに手形による信用供与には，約束手形が一般に利用されている。これは，振出人が受取人に対して一定期間後に一定の金額を支払うことを約束した有価証券であり，商品の買手が振出人，売手が受取人となる。自己資金の乏しい売手の場合は，この約束手形を満期日まで待たずに，銀行から割り引いてもらうことができる。その場合は，銀行は支払い期日までの金利と手数料を差し引き融資することになる。また売手は銀行から手形貸付けという形で直接融資を受けることもできる。さらに売手は，この手形に裏書きして他の取引の支払いのために別の業者に譲渡し，その支払いに当てることもできる[9]。約束手形は，買手が一定期間後にその代金を売手に支払うという信頼関係を基礎にしており，いわば信用が前提になって成立している。このように信用の供与は，これを受けた買手側の企業にとっては，現在の資金保有に依存せずに，将来の収入を期待して購買や仕入に着手でき，信用供与が購買の刺激剤として流通活動を活発にするものとなっている。

2 消費者信用

(1) 販売信用

企業が流通過程において信用を供与するのは，他の企業に対してだけでなく，最終の消費者に対しても信用を供与する。消費者に対する信用供与の方法には，商品やサービスの販売業者が消費者からの代金の支払いを一定期間猶予する販売信用と，金融機関などが消費者を対象に融資する消費者金融に分けられる。販売信用は，商品やサービスを信用供与の対象としており，消費者にとっては，現在の保有資金ではなく，将来所得を当て込んで高額商品やサービスを購入できること，またキャッシュレスの買物の便利さが評価されて，積極的に受け入れられてきた。これには，月の支払いをまとめて後払いする掛売りの方法，代金を何回かに分割して支払う割賦販売や信販会社によるチケット販売などが伝統的に受け入れられてきた。近年では，クレジットカードを利用して，カードの加盟店で商品やサービスを購入し，銀行系・信販系などのカード発行会社に対して，その代金を分割払い・リボルビング払い・一括後払いする方法が積極的に利用されている。このように近年では，販売店が直接，消費者に信用を与え，消費者が直接販売店に代金を分割払いもしくは一括後払いする方式ではなく，すでに伝統的には高額な住宅や土地などの不動産の分割払いで金融機関を介在させてきた事例のように，最近のクレジットカードの利用による支払いの増加によって，次第に信販などのカード発行会社や他の金融機関が販売店に代金を一括立替払いし，消費者には販売店に代わって信用供与し，分割払いなどによって回収する方式が普及してきた。

(2)　消費者金融

これに対して，消費者金融は金融機関が資金を融資する方式であり，一般には住宅ローンを除く個人や家庭向けローンの総称であり，原則として無担保・無保証である。しかし消費者金融に住宅ローンやリフォームを含めてとらえる場合もあり，さらには不動産担保ローンの場合にはその原則は当てはまらない。特定の目的（たとえば，自動車，旅行，入学など）のためのローンや使用目的の自由なローン，カードローンなど多様なローンサービスが発展している。

とくに，このカードローンは，あらかじめ契約した貸付限度内であればCD（現金支払機）やATM（現金自動預け払い機）から融資を受けることができるため，利用率が高くなっている。さらに近年は，無人自動契約受付機の普及によりノンバンク（サラリーマン金融）の利用が人気を得ている。こうした金融機関による，消費者への不足資金の供与はそれだけ消費者の購買のチャンスを創造するが，同時に消費者にとっては負債・借金となる。消費者の支払能力を無視した無謀な借入れによって，過払い，多重債務や自己破産に陥る例が多く，社会問題化している。

業界の健全な発展のためにも，消費者への計画的なローンの利用を促進することが課題となっている。消費者金融の提供主体には，普通銀行，信販会社，ノンバンク（サラリーマン金融），不動産取引を含める場合には，住宅関連の金融機関などがあげられる。最近では，都市銀行による消費者金融への参入（無担保ローン）の例や外資系やカード会社の参入に加えて，小売流通企業からの銀行業への参入が話題になっているように，規制緩和の流れを受けて，いっそう競争的な環境へ移行している。

注

1） 北島忠男・小林一共著『新訂　流通総論』白桃書房，1999年，pp. 134-135。および久保村隆祐・荒川祐吉著『商業学』有斐閣大学双書，1974年，p. 171。

2） T. N. Beckman, W. R. Davidson and W. W. Talarzyk, *Marketing*, 9th ed., Ronald Press, 1973, pp. 537-541.

3） 商品取引所で取引される上場商品の要件としては，①均質性があること，②大量取引に適すること，③かなりの期間貯蔵に耐えられること（商品取引所法第２条第２項），さらにこのほかにも④売手と買手の多数性，⑤政府の価格統制がないことである。この点詳細は，雲英道夫著『新講　商学総論』多賀出版，1995年，p. 169。

4） 江尻弘著『お客が見える流通システム』講談社，1988年，第１章および第５章。

5） 見崎好昭「流通金融」山崎吉雄編著『商学総論』税務経理協会，1982年，pp. 166-170。

6） ちなみに，中小企業の結合体である組合等が商店街の整備・再開発や事業の共同化など共同して行なう経営体質の改善や環境変化への対応のために，公的に認定を受けた高度化事業に対して金融上の助成措置として，中小企業総合事業団の高度化資金融資制度を利用できる。

7） 日本のリース企業がユーザーに提供してきたサービスは90％以上がファイナンス・リースである。この点の詳細については，森住祐治著『新版　リース取引の実際』日本経済新聞社，2000年，pp. 12-19。日本興業銀行産業調査部編『日本産業読本』（第７版），1997年，pp. 206-214。および社団法人リース事業協会「リースの定義・仕組み」webページ（http://www.leasing.or jp/qa/teigi.html）を参照されたい。

8)　久保村隆祐・荒川祐吉著，前掲書，p. 164。

9)　川嶋行彦「流通危険負担」伊藤文雄・江田三喜男・川島行彦他著『テキストブック現代商業学』有斐閣ブックス，1980年，pp. 173-181。

第7章 流通機構の形成とそのタイプ

第1節　流通機構の概念と内部構成要素

1　流通機構とチャネル概念

生産者から消費者もしくはユーザーとの間には，すでにふれたようにさまざまな社会経済的分離状態が存在するが，流通機能はこの種の分離を克服し，需給を調整することに本質がある。流通機能は，供給と需要の必要性が存在するところでは，国や体制を越えて不可欠となる。このような流通機能は，流通過程において，誰かによって遂行されなければならないが，その遂行のための社会的組織を流通機構と呼ぶことができる。

流通機構（distribution structure or distribution mechanism）とは，生産過程から消費過程への生産物流通の社会的仕組みであり，主として流通の対象となる生産物，流通機能の遂行方法，流通機能を担当する構成員および構成員同士の結びつきによって編成される取引連鎖の総体としてとらえることができる。流通機構の概念は，個々の企業や個人にとって操作できないという点で社会的存在であり，分析する場合の視点も社会経済（マクロ）的立場から生産物流通をとらえることが要請される。したがって流通機構は，包括的な概念であり，一国の経済にかかわって日本の流通機構とか，地域別流通機構といったいい方がされたり，特定の産業や商品に関連した消費財の流通機構や産業財（ビジネス財）の流通機構といったとらえ方がされる。

これに類似した言葉として，流通チャネルもしくは流通経路（channel of

distribution／distribution channel）やマーケティング・チャネル（marketing channel）がある。流通チャネルは，取引連鎖を特定の個別商品の取引フローとしてみる場合にとらえられ，マーケティング・チャネルはマーケティング主体が流通機構から自らの商品に適合する流通チャネルを選定し，構築するものをいう[1)]。流通チャネルはミクロ（もしくはマイクロという呼び方もされる）とマクロの双方からとらえられるが，マーケティング・チャネルは個別企業視点からとらえられるもので，それぞれ異なった分析レベルをもった概念である。しかし，流通機構，流通チャネルあるいはマーケティング・チャネルの３つのとらえ方は実際にはかなり不明確に使用されてきていることも否定できない。

2　流通機構の３つの内部要素

流通機構には，誰が，何を，どのような方法で流通させるのかという，主体—対象（客体）—方法の問題が含まれている。

⑴　流通の主体

流通機構を構成する構成員は，流通機能の担当にかかわってさまざまなタイプの主体が存在する。そこでは，流通機能の遂行をめぐって経済主体に分化（分業）と統合が繰り広げられている。流通機能は，商的流通機能，すなわち生産物の権利移転を中心に担当する生産者（製造業者・メーカー），卸売業者，小売業者そして消費者によって果たされる。流通の本質的機能という点からすれば，生産物の権利移転の機構が流通機構の原点である。物流，情報流通，それに補助的流通の各機能を専門に担当する企業や機関の場合，自己のサービスの取引は別にして，直接，生産物の商的流通機能までを担当することはまれである。これに対して，生産者，卸売業者，小売業者そして消費者は，物流，情報流通，それに補助的流通の各機能を部分的に他の専門企業や機関に任せることはあっても，商的流通機能の権利の移転には必ず関与している。

この場合，消費者も流通機能の担当者とみることができる。消費者は，事業目的ではないし，企業や機関に比べて担当の継続性は弱いが，セルフサービス小売業態での買物において，商品選択，配達，保管，流通金融といった機能を自ら担当する。通常の小売業での買物では，消費者はこの部分の多くを小売業に任せる。消費生活協同組合および消費者団体の共同購入や産直はより継続的な形で生産機能の一部や流通機能を組織的に担当している例である。狭義には，生産者，卸売業者，代理・仲立業者（この場合は，生産物の権利を自らもたず，媒介行為のみを行なう），小売業者，消費者が流通機構の構成メンバーとして登場するが，最広義には，流通過程での規制・調整機関としての政府，地方自治体それに物流業者，市場調査や広告代理店，情報処理業者，インターネット上のサーチエンジンの代理業者（エージェント）さらに保険会社，各種の金融機関などの補助的な組織も対象となる。

以下に示した流通機能担当の一覧は，生産物の権利移転を原点として形成される流通機能の担当者の概要である。これは，特定の主体がとくに重視して担当する流通機能ということを想定している。しかし，生産者がときには，物流機能や金融機能も遂行するように，特定の主体が一部の機能遂行に限定されるものではなく，主体の目的や状況によってはかなり広範囲な機能領域をカバーすることになるわけで，この構成は必ずしも各主体の担当領域のすべてを示すものではない。②—④については，とくに流通過程での専門化によって出現する主体である。しかし最近では，この分野からも，物流業者が商的流通機能を担当する形（通信販売事業の展開）で参入してくる例がみられるようになり，流通機能の担当主体の多様化が観察される。このような流通機能の分化と統合の展開は，流通過程にさまざまな専門的組織や個人を介在させたり，あるいは排除を繰り広げるが，ある生産物流通に必要な機能はたとえ組織や個人を排除（流通機構や流通チャネルの簡素化・合理化）できたとしても，必要な機能を排除することはできない。誰かが流通機能を担当するという問題は残されるのである。

①　商的流通機能：生産者（製造業者＝メーカー），卸売業者，代理・仲立業者，小売業者，消費者（消費者団体，消費生活協同組合）

② 物流機能：輸送業者，倉庫業者

③ 情報流通機能：市場調査機関，広告代理店，情報処理業者，流通データ・サービス機関，バーチャル・モールの開設・運営者

④ 補助的流通機能：保険会社，金融機関

⑤ 調整機関：政府，地方自治体，業界団体

⑵ 流通の対象（客体）

流通の対象（客体）は生産物である。生産物とは，有形の商品および無形のサービスの両者を内容としている。これまでは，流通機構や流通チャネルの編成に商品の特性が大きな影響をもっていたことが指摘できる。商品の用途による分類として，消費財であるか産業財（industrial goods：ビジネス財）であるかによって，あるいは消費者の購買習慣による分類として，最寄品，買回品，専門品のいずれかによって流通に一定のパターンが観察できた面がある。

⒜ 消費財の分類

消費財を消費者の購買習慣から3つに分類したのはM. T. Copelandである[2)]。最寄品（convenience goods）は，消費者の購買探索努力の最も少ない商品であり，習慣的に反復して購買され，標準化された低価格の商品に多く，価格・品質の比較に時間や努力をあまりかけない，最寄りの，便利な場所で購買されるという特徴がある。買回品（shopping goods）は，消費者の好みや個性に適合するように価格・品質・デザイン・スタイル・カラー・サイズなどについて，店舗間や売場での比較を通して購買に結びつくような商品である。価格が最寄品に対して，比較的高い水準にあるので慎重な比較購買が行なわれやすい。専門品（specialty goods）は，事前の購買計画がともない，あらかじめかなり入念な選択が行なわれ，価格以外の要素に魅力を感じて，遠距離の店舗立地にもかかわらず買物に出掛けるなどの特別の努力がみられる。商品の購買には，かなりの専門的知識や技術的操作性が要求され，購買頻度はそれほど高くはないが，商品の単価はかなり高額である。このような3つの区分は，今日でもしばしば用いられるが，この区分を明確に

行なうことはかなりむずかしく，技術進歩や時代のニーズによってかなり不明確になってきている。たとえば，かつては専門品の代表であった時計，カメラあるいは電気シェーバー（ヒゲソリ）を考えてみると，今日では最寄品（あるいは使い切り）タイプのものが出回ってそのチャネルは多様化している。また，最寄品でも，サービス・デザイン・ネーミングなどの差別化を導入することで買回りの傾向を生み出しており，買回品でもクチコミ，広告，購買経験の増加（学習効果）によって事前の情報収集が徹底すると，消費者の買回りが減少するようになる。

(b)　サービスの流通チャネル

これまで流通やマーケティングでは，商品およびサービスを対象にするといいながら，もっぱら商品のみを取り上げがちであった。一般に商品としての要件には，消費者や利用者にとってその商品が有益であるという有用性（使用価値）の側面と，事業者にとってその商品の取引を通じて十分に採算がとれるという収益性（交換価値）の側面の２つをあわせもっていることが必要である。とくに前者の商品の有用性は，消費者にとっては単に物理的な素材や形態の使用・消費を期待しているのではなく，使用や消費を通してその商品の機能や性能から得られる効用を期待している。化粧品でいえば美しさという効用，本では教養や知的満足，薬は健康や体力の回復・増強の効用を期待していることになろう。この意味では，サービスに対しても同じようなことがいえる。

サービスは，これまで有形の商品に対して，無形性，生産と消費の同時性・分割不可能性（非貯蔵性，一過性）さらには対面性などが強調され，流通の対象にはなじみにくいと考えられてきた。しかしそうした認識にもかかわらずに，さまざまなサービス代理店やチャネルが発展してきたことも事実である。サービスが生産者から人格的に分離し得る場合あるいは客観化できる場合は，保険サービス，旅行サービス，情報処理サービス，各種レンタルサービスにみられるように，フランチャイズ方式の代理店や中間業者の介在によってチャネルの展開が積極化している。今後わが国においてサービスの果たす役割がますます重要になるとみられるが，有形の商品に対比してサービスの流通方法には独自の配慮が必要であると同時に，サービスをめぐる流通にチャネルが重要な役割を演じることも考慮しなければならない[3)]。

(3) 流通機能

流通機能は，それを担当する主体の目標や戦略の下で発展することはもちろんであるが，流通の性格として生産と消費の条件によって流通機能の遂行のあり方が大きく影響を受けることも事実である。流通自身の変化が経済全体に影響を与える面ばかりではなく，生産と消費の変化が流通を大きく変える面をもっている。戦後の日本の流通機構の変化は，生産と消費の構造的な変化によって引き起こされ，流通機能の革新や近代化を実現してきた。流通機能については，すでに述べてきたので，ここでは流通機能を生産と消費の条件において検討し，あわせて流通機構のタイプを特徴づけてみよう。

流通機能は，生産と消費の条件がどのようなものであるかによって，収集機能，中継機能および分散機能の３つが要請される。これらは流通機能がどのような流通段階に位置づけられるかを示すものでもある（表７－１参照）。

(a) 収集機能：個々の生産者から生産物を集荷することを内容とする。生産が地方や海外に分散して行なわれる場合，中小工業製品や農水産物の場合のように生産の規模が小規模である場合，さらには各産地の生産物を適宜組合せ品揃えを完成させる場合（陶磁器，呉服，文具など）は，各生産物を買い集める機能やそのための機関が必要とされる。これは産地仲買人，産地問屋や協同組合がその役割を果たしている。

(b) 中継機能：収集と分散の中間にあって両者の流れを調整することを内容とする。消費財分野では，大量生産とその分散卸との間の取引の場合，分散的・小規模生産の農水産物などの収集卸と分散卸との間の取引の場合，さらには時として，いずれかに海外立地条件が関与するような大量生産者と大量消費者（ユーザー）との取引の場合には，中継の機能とそのための機関が必要になる。輸出入を通して，国内の流通機構を海外の流通機構と連結する貿易業者はこの位置に属する。また生鮮食料品

表 7-1　生産・消費の条件と流通機能の必要性

生　　産	収集機能	中継機能	分散機能	消　　費	代表商品
小規模分散生産	**	**	**	小規模分散消費	生鮮食料品
	細くて長いチャネル {特徴}				
小規模分散生産	**	**		大規模集中消費	PB商品
	細くて短いチャネル				
大規模集中生産		**	**	小規模分散消費	家電製品
	太くて長いチャネル				
大規模集中生産		*		大規模集中消費	鉄・セメント
	太くて短いチャネル				

（注）　**　各機能の必要性の高い程度を示す。
　　　*　大規模集中生産と大規模集中消費との結合は，生産者と消費者（ユーザー）との直接取引になるが，海外取引が介在するような場合は取引事務を専門に担当する代理店や総合商社が中継商として介在することもある。

の中央卸売市場の卸売会社も，この位置のものである。中継は，取引方法としては，買取り販売よりも，仲立・代理・取次などの仲介による方法が多くみられる。

(c)　分散機能：集積された生産物を個々の消費者やユーザーに配分することを内容とする。消費地での需要条件にあわせて生産物を小口・多品種の品揃えに形成する機能である。分散立地で，多品種少量多頻度購買のニーズの高い消費者への対応のためには，この機能が不可欠である。主として卸売業者や小売業者がその役割を担当する。

第2節　流通機構の把握法と流通チャネルのパターン

1　流通機構への接近法

流通機構は，さまざまな形で発展しており，そのため実際には分析者の目的によってかなり多様なとらえ方がなされ，さまざまな角度から接近できるのも事実である。ここでは，そのいくつかの代表的な接近のレベルを示しておこう（図7－1参照）。

(1)　垂直的接近法：生産物流通を垂直的・縦断的に把握する方法であり，

図 7-1　流通機構への 3 つの接近法

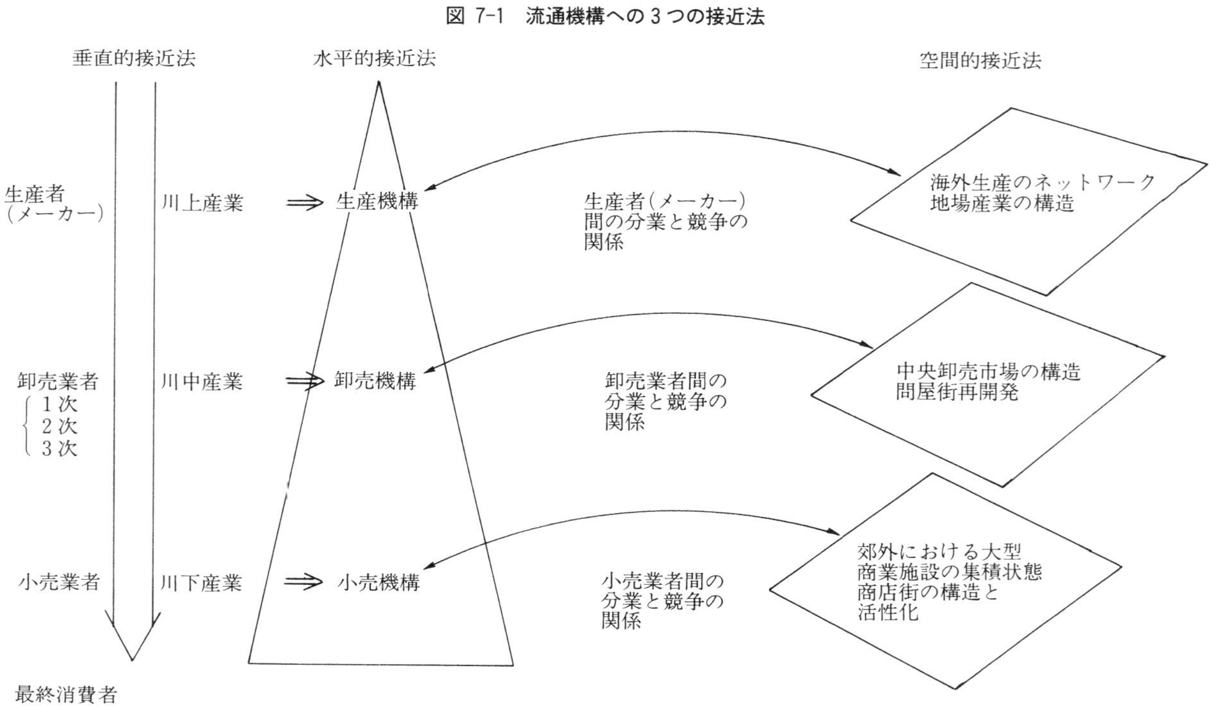

特定の商品・業種の生産段階から流通段階を経由して消費段階に至る一連の流れに即して流通機構をとらえる見方であり，生鮮食料品の流通機構や洋紙の流通機構といった形で示すことができる。

⑵　水平的接近法：流通の各段階を，水平的・横断的に把握することで，特定の流通機構内部での流通機能担当者の取引特性や相互関係（分業と競争の関係）の特徴を解明するものである。これは卸売機構や小売機構といった横の分業を把握する方法である。

⑶　空間的接近法：具体的市場（中央卸売市場など）あるいは抽象的市場（国際市場など）という一定の市場空間での，流通機能の担当者の取引特性や相互関係を把握する方法であり，地域別流通機構や商店街などがその対象となる[4)]。

2　流通チャネルの認識とタイプ

流通機構の中の特定の生産物に注目し，その生産者から消費者（ユーザー）に至る垂直的な権利移転の道筋を流通チャネルとしてとらえることができる。流通チャネルの始点と終点は，分析者の目的や企業の戦略的な視点からみて，多様なとらえ方が可能である。流通チャネルには，大きく分けると2つのとらえ方ができる。たとえば，家電製品や自動車の流通を，その主原料である鉄鋼やプラスチックといった原材料の段階から検討することもできる。オルダーソン（W. Alderson）は，トランスベクション（transvection：交変換単位系列＝取引〔transaction〕＋変換操作〔transformation〕＋方向性〔vector〕の結合された連鎖）という概念を用いて，消費者が使用・消費する生産物を，自然の状態にある原材料の段階から中間製品（半製品）の段階，さらには最終的な完成品の段階に至る全過程を検討することで，単一の所有権の下で発生する取引の場合と比較して，多数の形態変化や一連の流通チャネルの性格を解明するのに役立つとみている。原材料の段階から最終の完成品に至る過程をトータルに把握する方法は，流通機能のあり方やコストの構造を検討するうえで有益な方向を示している[5)]。

図 7-2 新聞・

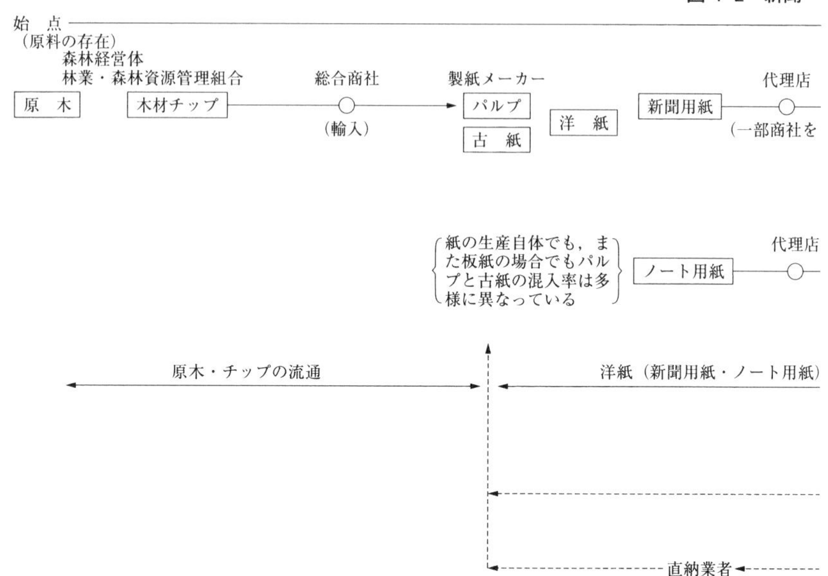

ここでは，新聞とノートについての流通過程を示している（図 7 - 2 参照）。この流通過程には，上記の対象よりもさらに広く，原料から完成品の最終消費，それに加えて再資源化（recycling）の過程を含めて図示してある。原料から古紙に至る長い過程において，それぞれの製造（生産）加工の段階の間にはさまざまな流通活動や流通業者の介在する状況が認識できる。再資源化の過程まで含めると，原料は一度製品となり，使用・消費された後に，その一部が回収業者の手を経て，紙の原料に再循環することになる。従来は，このような長い過程までを考察の対象にすることは，あまり試みられなかったが，流通による経済循環の重要性や資源の有限性および環境問題を理解し，流通活動，流通業者それにコストの関係を考察するうえでは有効な洞察力を提供してくれる。とくに，これまでは，真剣に検討されることもなく，部分的で断続的な展開にとどまってきた回収システムもその問題点を克服し，さまざまな主体によって有限な森林資源の保全とゴミの減量化に貢献する方法

ノートの流通課程

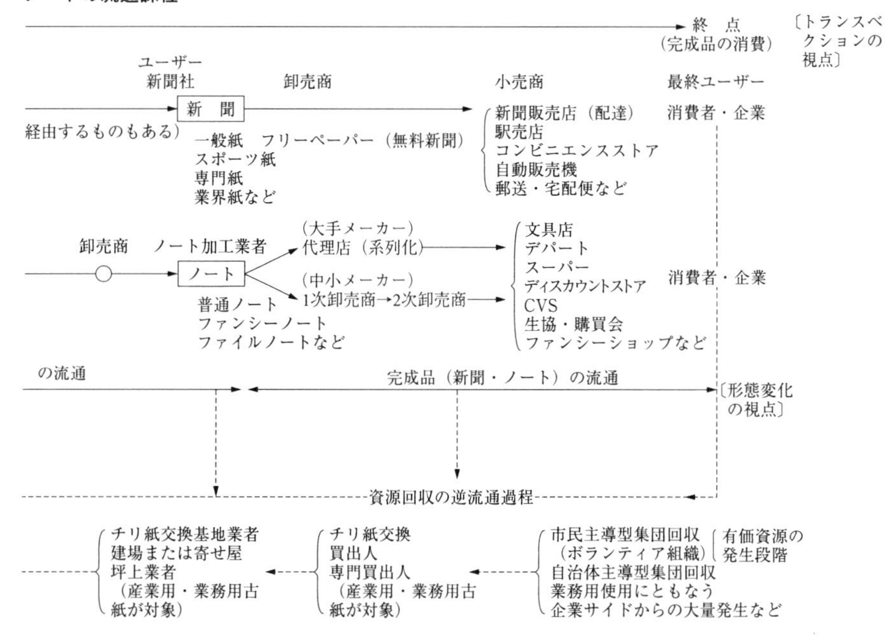

を考案し実行する必要が求められている。それには２次資源の回収・利用のコストが原木を使った１次資源のコストと対等に競争できる方法を考案すること，さらに品質面でも，すでにかなり進んできているが脱墨技術の向上やその他の再生資源化技術開発，回収業者の育成，リサイクルを促進・徹底させるための法律の整備，さらに地域住民や企業サイドでの紙や資源に対するコスト意識・環境保全意識の高揚がぜひとも求められる。

これに対して，第2のとらえ方として，より一般的に採用されている流通チャネルの始点と終点は，生産物の主要な形態変化（製造〈生産〉加工）を前提にして，原材料を中心とした流通チャネル，中間製品（半製品）を中心とした流通チャネルそれに完成品を中心とした流通チャネルという段階別の流通チャネルがそれぞれ構成される。

3　一般チャネルの主要なタイプ

⑴　生産者—消費者（ユーザー）

生産者から消費者に直接流通するタイプで，小規模生産者が直接市場に出て販売したり，移動販売や訪問販売によって家庭をまわってもしくはインターネットを利用して直接販売する方式がみられる。大規模生産者の場合は，直営の小売店を設置し，消費者との直接的な接触を保持しながら専門的なサービスや情報を提供し，自社のマーケティング活動を徹底しようとする。生産者が直営店を設置する場合は，独立した資本ではないという意味では性質を異にするが（むしろ統合型といえる），次に述べる小売業者介在型の方に分類することも可能である。近年では，異業種メーカーや物流業者などから消費者に事業多角化の一環としてカタログやインターネットを利用してダイレクト・マーケティングが展開されている。

消費財では，訪問販売（化粧品，ミシンなど），通信販売（書籍，家庭用品，食料品など），直営小売店（楽器，衣料品など），自動販売機による販売がこの具体例である。産業財の分野では，主要設備品や原材料の大規模生産者の多くは，取引の大規模性と専門サービスの点から直接流通のタイプが一般的である。

このタイプが採用される理由としては，次の点があげられる。

①　製造販売形態（伝統的な製造小売：豆腐・パン・和菓子など）

②　中間業者を介在させるほどの生産量をもたない。

③　自社の方が中間業者よりも商品の取り扱いやマーケティングを有利に進められる（中間業者を介在させると高コストになる場合，適切な中間業者がみつからない場合もこれにあたる）。

④　ユーザーとのきめの細かい接触を通して，コンサルティング，商品開発，商品利用の指導あるいはアフターサービスを的確に行なう必要性が高い。

⑤　生産者やメーカーがインターネット，電子メールそれに宅配を利用することで，顧客との直接的取引を実現している。とくに，中間業者を介

在させなくても，顧客との双方向性や個別対応を基礎に顧客からの注文や製品開発への提案などが正確に把握できる。とくに，音楽や新聞・雑誌のネット上での配信は典型的なダイレクト・マーケティングを作り出した。

⑥　消費者購買行動の多様化をカバーするために，店舗販売に加えて，無店舗販売を導入しTPO（Time, Place, Occation）に応じた販売を試みる。

⑵　生産者―小売業者―消費者

独立した中間業者としての小売業者を利用するタイプである。耐久消費財のように，生産者が大量生産をしていながらも，最終消費は少量・分散消費の特徴をもち，アフターサービスが必要となる場合にはこのタイプになる（自動車，楽器，家具，化粧品など）。食料品の場合のように，生産から消費までの時間がとりにくい場合にも採用される（洋菓子，パンなど）。また大規模生産者が消費者動向をできるだけ迅速に把握するねらいから卸売業者を排除する場合，それに大規模小売業者が，メーカーとの大量仕入によって中間の流通コストを削減するために卸売業者を通さない場合がある。

⑶　生産者―卸売業者―小売業者―消費者

消費財の分野では，最も多くみられ，伝統的に採用されてきたタイプである。最寄品に一般的なチャネルであり，生鮮食料品，加工食品，日用雑貨がその代表的なものである。生産者にとっては，自社の商品の市場をできるだけ多く確保でき，小売業者にとっても多品種少量取引にかなっている。このタイプは，収集機能が重視される場合には，収集段階での産地仲買人や産地問屋が介在し，分散機能が重視される場合には，分散段階に１次卸，２次卸，３次卸が介在し，卸売段階が多段階化・複雑化する事例もみられる。

⑷　生産者―卸売業者―ユーザー

業務用財の分野では，政府，学校，病院，レストランへの設備や事務用消耗品の販売にみられる。産業財の分野では，部品や中間製品，機械設備など多種の品目にわたっており，品質の標準化された，比較的低価格の見込み生産された，多数の産業に汎用性をもって使用・消費されるものに多くみられる。

ここで，生産者(メーカー)—消費者あるいはユーザーのタイプがダイレクト(直接)・チャネルと呼ばれる。それ以外のタイプが，インダイレクト(間接)・チャネルと総称される。チャネルは，同じような商品やサービスでも，メーカーごとに販売ルートが異なるし，また同じ企業の同じ商品でも複数の異なった販売ルートに置かれることもある。この場合，チャネルというものは，構成企業の戦略，商品・サービス特性，生産と需要の特性，競争関係，法的規制・行政介入などさまざまな要因が関与して構成されている。

4　逆流通チャネルの主要なタイプ：循環型社会の実現をめざして

通常の流通チャネルは生産者から消費者や産業用ユーザーへと流れるチャネルを対象とするが，近年では資源の有限性や地球環境への影響を配慮する動きが重要性を高めており，使用後の廃棄物を回収するチャネルの開発と形成がクローズアップされている。これは，通常の流れとは逆に，消費者やユーザー・サイドから廃棄物を逆に供給業者や生産者に流す過程であり，逆流通チャネルもしくはバックワード・チャネル（reverse or backward channels）と呼ばれる。廃棄物の回収が社会的に問題となるのは，廃棄物の増加による処理能力や処分場確保の制約，処理にともなう地球環境汚染や地域公害問題の発生，資源の枯渇問題（自然災害の誘発なども含め）やコスト上昇など幾つかの制約条件が存在するからである。これらは，ゴミの減量化（リデュース），有価資源の回収による再利用（リユース）および再資源化（リサイクル）という３Ｒを求める動きとなってあらわれており，リサイクル可能な製品開発やコスト算定（ライフサイクル・コスティング）方式の確立，分別収集の徹底，回収システムの形成・維持（低コスト回収と回収業者の育成など），リサイクルを推進するための法整備，それに再資源化の技術向上が求められている。また製品の修理・回収やリコール・システムとしても逆流通チャネルが利用される。

再資源化のためのチャネルを考える場合，２つの認識が重要である。まず，消費者やユーザーが逆流通チャネルの出発点におかれている。それに廃棄物を有価資源を含んだ原料もしくは製品としてみなしていることである。これにも，一般の製品チャネルと同じく中間業者の介在の有無によってダイレクトとインダイレクト・チャネルに区分される。現実には，廃棄されたものの種類，大きさ，量それに発生源によって多様なチャネルが形成されていることも事実であるが，これらを要約して主要なチャネルを見てみよう。

(a)　消費者（ユーザー）―生産者

ダイレクト・バックワード・チャネルと呼ばれるもので，消費者もしくはユーザーが自らの使用や製造過程で生み出した廃棄原料を直接製造業者に引き渡すタイプである。今日では一般家庭廃棄物よりも産業廃棄物に主として見られる。

(b)　消費者（ユーザー）―ボランティア・グループ―回収業者―生産者

ボランティア・グループが中間業者の役割を担い，回収・分別などの逆流通機能の一部を担当する。地域によっては自治体がこうしたボランティアの組織化に関与し集団資源回収を進めているところもある。有価資源の量や種類によっては，回収業者がさらに多段階に形成されることも少なくない。新聞，雑誌，牛乳パック，アルミ缶，清酒ビン，プラスチックトレイなどの回収チャネルとして機能している。ボランティア・グループによる回収は必ずしも定期的になされるものばかりではない。

(c)　消費者（ユーザー）―１次回収業者（―２次回収業者）―生産者

新聞・雑誌に見られるちり紙交換や買出人のシステムは，回収が専門業者によって行なわれている。このシステムでは，①１次資源と②輸入有価資源（古紙の輸入など）および③国内有価資源の取得・再資源化の３つのコストが常に競争関係にあり，前者二つの価格が後者の国内有価資源の回収コストよりも上昇することが，回収業者の事業意欲を刺激する。しかし逆の関係にある場合には，回収業者の回収意欲は起こらないだけでなく，彼らにとって市況（相場）の長期低迷は死活問題となる。

(d)　消費者（ユーザー）―販売店（小売業者―卸売業者）―生産者

一般の販売店が回収の役割を担当する。量販店でのプラスチックトレイや牛乳パックの回収，家具や家庭電気製品に代表される買い替えなどによる旧製品の家庭からの回収あるいは使い切りカメラの引き取りなどに見られる。販売店と生産者までの間には回収専業者が介在することもある。2001年4月から施行された「家電リサイクル法」（「特定家庭用機器再商品化法」）によって，洗濯機，テレビ，エアコンそれに冷蔵庫・冷凍庫の4品目について，さらには2009年には液晶式テレビ，プラズマ式テレビならびに衣料乾燥機が追加された。これらはいずれも家電メーカーに回収・再処理が義務付けられ，消費者は買い替えにあたって販売店に有料で廃家電を処分してもらうか，自治体に処理費用を支払って回収してもらう。また修理の必要，欠陥や問題のある商品の回収のためのリコール・システムあるいは返品のチャネルとしても機能する。

(e) 消費者(ユーザー)―自治体清掃事業―回収業者―生産者

自治体の清掃事業によって回収されるもので，清掃会社に委託される場合もある。家庭，飲食店などから排出された一般廃棄物（粗大ゴミを含む）のなかから有価資源を選別し，再資源化に乗せる。しかし有価資源のすべてが回収・再資源化されているわけではなく，多くは焼却・埋め立てに回されている点も無視できない。むしろこれまで地方自治体の清掃行政は，あくまで清掃事業として廃棄物を回収し処分するという発想はあっても，再資源化することでごみの減量や資源の保全に貢献するという認識から実行しているところは決して多くはなかった。最近では，家庭や事業用の廃棄物から有価資源を回収しやすくするため，分別収集を徹底させる自治体が増えてきた。特に，容器と包装の廃棄物のごみに占める比重の増大を背景に，1995年6月に「容器包装リサイクル法」（「容器包装に係わる分別収集及び再商品化の促進等に関する法律」）が制定されたことで，これまで自治体に過度に依存していた処理を消費者は「分別排出」，行政は「分別収集」，それに事業者には「リサイクル」を義務付けることにした。1997年4月の実施からはびん，缶，ペットボトル，牛乳パックが対象となっていたが，2000年4月からは紙箱，紙包装材，ダンボール，プラスチック包装材が対象品目として加わった。

(f)　消費者(家庭)―販売店(リサイクルショップ，バザー，インターネットによるバーチャルショップなど)―消費者(家庭)

再利用のためのチャネルとしては，それほど大きなシェアをもっているわけではないが，不用品の有償（ときには無償）の交換によって再利用を促進しようとするものでもある。有償の場合は，この消費者（家庭）と消費者（家庭）の間にリサイクルショップやバザーでの出店などの販売店が介在することも少なくない。米国では，ムービングセール，ヤードセール，ガレージセールという名称で家庭で一度利用されたものに消費者が価格設定や広告掲載を行ない，他の家庭の消費者に対してダイレクトにマーケティングする機会が多く，消費者自身もマーケティング活動の実質的な担い手となり，通常の販売店で売られている商品とこうした再利用の販売ルートの価格比較・利用価値の評価などを通してコスト感覚を身につけている。このルートが，わが国でそれほど浸透しない理由としては，一度他の消費者や家庭で使用したものを再利用することへの抵抗感，旧型の製品を利用することへの後ろめたさが強いことがあげられる。

同じ種類の有価資源が複数のチャネルを経由して流れるケースは，一般の製品の場合と同じである。たとえば，購読後の新聞・雑誌が，一部は新聞販売店のルートで流される場合，ボランティア・グループを経由して分別・収集され回収業者に渡される場合，ちり紙交換の回収ルートによって流される場合，家庭廃棄物として自治体の清掃業者に回収される場合と多様なルートを通して製紙メーカーへと流され，新聞・雑誌，トイレットペーパー，ティッシュペーパー，ノートや印刷用紙などの再生紙に加工される。逆流通チャネルの発展を考える場合，今後ますます地球環境と資源のバランスある保全のために，消費者，中間業者，生産者それに行政のそれぞれが再資源化の市場を育成する適切な役割と責任が求められているといえる。

注

1） 久保村隆祐・荒川祐吉編『商業辞典』同文舘出版，1986年，pp. 302-303。

2） M. T. Copeland, *Principles of Merchandising*, A. W. Shaw Company, 1927, pp. 13-16.

3） サービスの特性のなかで，とりわけ，サービスの生産と消費の同時発生（分離不可能性）の指摘は，サービスが在庫されず，生産と消費との直接販売が求められ，サービスには流通チャネルの利用を必要としないという認識を生んできた。しかし，サービスが生産者から人格的に分離でき，サービスの有形な代理権（tangible representation）が他の主体に移転できるとすれば，代理店や取次店といった中間業者の利用が可能となる。J. P. Peter and J. H. Donnelly, Jr., *A Preface to Marketing Management*, 3rd ed., Business Publications, 1985, Chapter 12. とくにサービス流通における中間業者の利用については，pp. 211-213に詳しい。

4） 柏木重秋著『現代商業総論』同文舘出版，1989年，pp. 54-55。およびT. N. Beckman, W. R. Davidson and W. W. Talarzyk, *Marketing*, 9th ed., Ronald, Press, 1973, pp. 206-207.

5） W. Alderson, *Dynamic Marketing Behavior*, Richard D. Irwin, 1965（田村正紀・堀田一善・小島健司・池尾恭一訳『動態的マーケティング行動』千倉書房，第3章).

第8章
小売業の概念と店舗による分類

第1節　小売業の概念と形態

1　小売行為と小売業者（retailer）の関係

小売業（retailing／retail trade）とは，個人使用や家庭使用（事業目的以外の使用）を目的とした最終消費者を対象に，商品およびそれに付随するサービスの継続的販売を主たる業務とする。われわれの消費生活に最も身近なところに位置しているのが小売業といえる。小売業の定義は，消費財分野での有形財の取扱いを中心としており，無形財としてのサービスは販売される商品と関連した場合（配達，包装，修理など）に限定されている。サービス自体の販売（金融，保険，旅行など）は，サービス業という独自の業種・産業区分で別個に扱われている。しかし，最近では，小売業においてサービスを扱うウエイトが高まってきていることも無視できない傾向である。米国では，有形財に限らず，無形財のサービスの販売も小売業の固有のカテゴリーに含めて考えようとしている1)。

小売業は人々の日常生活にとって，きわめて身近な存在だけに，比較的わかりやすいといえるが，しかし販売技術，競争環境，それに法律の急速な変化を背景に，その実態が必ずしも十分に理解されているとはいえない面もある。ここで,小売業をより厳密にとらえる場合，注意しておくべきいくつかの条件がある。

小売（retail）の語源的由来は，日本語でも“小分けする”という意味があるように，英語でも，re は again, tail（tailorも同じ語源に由来する）は to cut を意味し，to cut again で“必要に応じて再びカットする”という意味をもつものととらえられる。小売で販売するという場合には，あるものから切った一部やわずかな部分を売ることを意味する[2)]。かつては卸売業（wholesaling）と区別する際に，取り扱い数量の多寡を問題にすることもあったが，今日ではそのような基準は意味をなさない。むしろ販売対象が誰であるかによって，小売であるか卸売であるかが区別される。

そこで，製造業者や卸売業者が最終消費者に彼らの商品を直接販売する場合は，小売行為を果たしていることになる。逆に，小売業者が，製造業者や卸売業者を相手に商品を販売したとすると，これは小売行為ではなく卸売行為となる。このことが意味するように，小売業という場合，小売行為・活動（小売機能）と小売業者（小売組織・制度）とはひとまず区別して考える必要がある。小売行為・活動は，必ずしも専業の小売業者の独占物ではない。他の組織体によっても担われることになる。製造業者や卸売業者による小売段階への直営店の設置などがその例である。しかし製造業者や卸売業者をあえて小売業者と呼ばないのは，小売行為を主たる（main, primary）事業としていないからである。小売業者とは，他の異なった事業から得られる販売よりも，小売業から得られる販売額の比重の高い方を基準に，小売業者としての認定が行なわれる（メインの原則：通常はその事業から50%以上の売上高が得られるもしくは相対的に大きい方という判断基準）[3)]。したがって小売業とは，継続的な小売事業を通じて，主たる売上高を獲得している組織体ということができる。ただし，現実的な企業行動の視点に立てば，小売業者・卸売業者・生産者の三者の境界はそれほど厳密ではないことも事実である。卸売業や製造業と比較しても，小売業はこれまでむしろ参入・退出の障壁は低く，余剰労働力の受皿となってきた歴史的経緯もある。近年では小売業においても，高度な経営資源の蓄積と運用が求められるようになっており，必ずしもこのような状況はあてはまらなくなってきている。しかし，企業はどの産業分野に投資をすれば最も高い利益が得られるかを最大の動機にして行動する限り，特定の産業・事業分野に自社の役割（mission）を限定する理由はなく，できるだけ高い投資収益率を生み出す可能性のある産業・事業分野に積極的に進出していくのが自然であるから，はじめは製造業あるいは卸売業からスタートしても後には小売業の事業分野に参入し，小売業が本業となる場合さえ起こる。このようにある企業がどのような産業に属するか，もしくは何屋であるか，つまりは小売業者であるか，卸売業者であるかを判断するには，相対的な評価基準で識別していることになる。

2　小売機能と多様な小売形態の創出

小売業者は流通過程の川下に位置し，生産者や卸売業者の供給条件と最終消費者の需要条件を相互に適合・結合（マッチング）させる重要な役割を演じている。その結合が的確に，円滑に行なわれるために，小売業は流通過程でいくつかの小売機能を遂行する。小売機能は流通機能の一部であるが，そのとらえ方や内容は必ずしも共通した認識が得られておらず，論者によってさまざまな解釈のもとで分類されており，また小売業者においても，そのおかれた状況や自社の経営資源との関連でさまざまな小売機能の遂行への対応を生んでいるのが実情である。ここでは，前に流通機能の説明で取り上げた分類のフレームワークにもとづいて小売機能を具体化している。ただし，(5)の機能は，流通機能以外にも企業維持のための機能を取り上げている。

(1)　商的流通機能

①　マーチャンダイジング：品揃えの範囲と内容の選択，仕入方法の選択，PB商品の計画

②　価格決定：価格水準，マージン率の決定

③　チャネル設定：仕入先の選択，立地選定，店舗開設

④　プロモーション：新聞広告，テレビ広告，チラシ，店頭実演販売，接客

⑤　代金の受取りと支払い：現金仕入，クレジット（信用）販売

(2)　物流機能

① 配送・配達：無料・有料配達区域の設定

② 保管：在庫管理の徹底，冷凍・冷蔵設備の強化

③ 流通加工：サイズ調整，包装，値札付け作業

⑶ 情報流通機能

① マーケティング・リサーチ（市場調査）：消費者ニーズの収集・分析・予測

② 仕入先への情報提供：売れ筋・死に筋商品，競争環境に関する情報提供

⑷ 補助的流通機能

① 危険負担：顧客の信用管理，リスク負担力の向上（仕入先への返品の廃止）

② 流通金融：資金調達ルートの多様化，店舗設備・事務機のリース利用

⑸ 企業維持機能[4)]

① 人員の採用・訓練

② 資材の購入

③ 記帳および一般的経営管理

小売業者は，これらの機能のすべてを総合的に遂行するか，あるいは限定して専門的に遂行するかを，自社の経営戦略として選択していかなければならない。たとえば，“販売すべき商品の範囲をあるテーマやコンセプトの下で専門的な商品ラインに限定するか，それとも無関連な商品ラインも含め多様な商品構成で総合的に進めるかという選択”，“価格の水準を高価格で統一するか，それともディスカウント志向とするかの選択”，“配達を負担するか，現金持ち帰り方式とするかの選択”，あるいは“店舗を開設して進める方法か，それとも無店舗販売で進めるか，あるいはその組み合わせでいくかどうかの選択”などが決められなければならない。この選択によって小売業には，さまざまな形態が発展することになる。

小売業の形態の多様性は，まずは，このような小売企業の戦略の選択に

よってもたらされるということができる。

それでは，この小売企業の戦略の多様性を規定するものは何であろうか。単一の要因によるものではないにしても，むしろ本質的には，経営戦略の選択を規定する消費者ニーズの多様性によって，さまざまな形態が創出されるということができる。消費者がどのようなライフスタイルをもち，どのような購買行動をとるかによって，小売業のあり方は大きく影響される。消費者ニーズのさまざまな変化に先取り的に，あるいは追認的に対応するためには，どのような小売機能を強化し，特徴のある小売業者となるかが小売戦略のひとつの柱である。小売業者が消費者の求める商品やサービスを，必要とする場所に，タイミングよく，適切な価格で提供できるかは，消費者ニーズを的確に予測しかつ十分に対応した戦略に依存する。そこで，どのような商品やサービスを売るのか（業種決定）の問題およびどのように売るのか（営業形態・販売方法の決定：業態）の問題が消費者ニーズとの関連で決定されることが重要である。ここでは，業種という概念と業態という概念を統合して小売形態という言葉で表現している。業種決定も，業態決定も，小売企業の経営戦略の問題であるが，同時にまた消費者ニーズの正確な反映でなければならない。

さらにいえば，こうした小売業の形態の多様性が生まれるのは，今述べてきた小売業の戦略，消費者ニーズの多様性に加えて，競争要因，技術的要因，政治的要因，文化的要因などの小売業を取り巻く背景の影響も無視することができない。

なお，業態という用語に関しては一般に曖昧に使用されることが多く，統一した見解が存在しているわけではない。論者によっては，営業形態（type of operation）の略称であるとか，業種（kind of business）を含む概念であるとか，あるいはより広い解釈として経営形態や企業形態を含む概念であるとか必ずしも一致した定義があるわけではない[5)]。矢作敏行教授は，小売業態を「経営管理や経営組織といった企業の舞台裏ではなく，直接消費者と触れる店舗・販売という表舞台に立脚した」局面でより厳密にとらえようとしており，その特徴として企業レベルではなく店舗レベルに焦点をおいており，この点，欧米でも業態に該当する表現として，Type of Store, Store Format，Store Concept などが利用されている。その上で小売形態とは経営形態や小売業態を含む小売業全般にわたる概念として認識する見解である[6)]。こうした理解からいうと，最近のわが国における小売業の革新には，フランチャイズ・チェーンやボランタリー・チェーンの展開という経営形態上の革新と，コンビニエンス・ストアやディスカウント・ストアといった業態上の革新の両方が同時に進行して発展していることがうかがえる。

以下では取扱い商品種類を軸に展開される業種と対比して，販売方法や営業方式を強調するときはあえて業態という表現を用いるが，業種，経営形態や企業形態にかかわる局面を含めた包括的な議論をするときは，業態概念を含む小売形態という表現を用いてあえてそれぞれの意味する局面にはこだわらない使い方をする。

3　消費者による店舗選択基準の多様性

消費者は，一般的に，どのような角度から小売業を評価し，魅力ある店舗もしくは不満の多い店舗を判断しているのであろうか。これを消費者の有店舗・無店舗選択の際のさまざまな条件を問うことによって，明らかにしてみよう（表8－1参照)。

小売業における形態が多様に登場する主な要因が，消費者ニーズの変化と発展にもとづくものであるが，この有店舗・無店舗選択基準をみてもわかるように，消費者がさまざまな期待をこめて有店舗・無店舗を選択していることが示されており，また1人の消費者でも TPO（Time, Place, Occation）に応じて，有店舗・無店舗を使い分けている。

消費者が店舗選択に際して，重視する基準とはいかなるものかその主要なものを示しておこう。これによって，どのような売り方や小売形態が創出できるのかのヒントとなる。消費者のライフスタイルの変化やニーズの多様化によって，それぞれの時代，地域，国に求められる小売業の形態は多様に形

表 8-1　消費者にとっての有店舗と無店舗の選択基準

◎非常に期待される　○期待される　△どちらともいえない　×期待されない　空欄 一概に言えない

		GMS	SM	DS	CVS	専門店	百貨店	ドラッグストア	中小小売店	SC	商店街	通信販売	eショップ
商品情報	商品情報の量	○	○	○	×	◎	◎	○	○	○	○	○	◎
	商品情報の質	○	○	○	×	◎	◎	○	○	○	○	○	◎
	評価情報の入手しやすさ	×	×	×	×	×	×	×	×	×	×	×	◎
	検索性	×	×	×	×	×	×	×	×	×	×	×	◎
品揃え	品揃えの幅	○	○	○	×	○	○	○	○	◎	○	○	◎
	品揃えの深さ	○	○	○	×	◎	○	◎		◎	○		◎
	商品の独自性	○	○	○	○	◎	◎	○	○	◎	○	○	◎
	必需品の品揃え	○	○	○	◎	△	△	○	○	○	◎	△	△
鮮度	商品の新しさ	○	◎	○	○	○	○	○	○	○	○		◎
価格	安さ	○	◎	◎	△	△	△	◎	○	△	◎	○	○
	価格比較	△	△	△	×	△	△	△	△	○	○	△	◎
アフターケア		○	△	○	×	◎	◎	△	◎	△	◎	○	○
即時性	欲しいときにすぐ手に入る・使える	◎	◎	◎	◎	◎	◎	◎	◎	◎	◎	×	×
五感	視覚	◎	◎	◎	○	◎	◎	○	○	○	○	△	△
	聴覚	○	△	△	△	○	○	△	△	○	△	×	○
	触覚	◎	○	○	○	○	◎	○	○	○	○	×	×
	嗅覚	◎	○	○	△	○	◎	◎	○	◎	○	×	×
	味覚	○	○	△	×	○	○	○	○	○	○	×	×
利便性	アクセス性	○	◎	○	◎	△	△	○	◎	△	○	◎	◎
	時間の自由度	△	△	△	◎	△	△	△	△	△	△	◎	◎
	買い物弱者からみて											◎	◎
	情報弱者からみて	○	○	○	○	○	○	○	○	○	○	○	×
対面のコミュニケーション	助言・相談	△	△	△	×	◎	◎	○	◎	○	◎	×	○
	ホスピタリティ	△	△	△	×	◎	◎	△	○	◎	◎	×	△
気軽さ	入店しやすさ	○	○	○	◎	○	○	○	○	○	○	○	○
	見るだけのしやすさ	○	△	○	△	△	○	○	△	○	△	◎	◎
エンターテインメント性	娯楽性・楽しさ	○	○	○	△	○	◎	△	×	◎	○	○	○
アミューズメント性	面白さ・遊び	△	×	△	×	○	◎	×	×	◎	○	×	○
空間消費	空間・雰囲気を楽しむ	○	○	○	○	○	◎	○	○	◎	○	×	×
時間消費	そこで時間を費やす楽しみ	○	○	○	○	○	◎	○	○	◎	○	○	○
劇場型消費	非日常的な空間の演出が消費者の購買意欲をかりたてる	△	△	○	△	○	◎	△	△	◎	○	×	×

（出所）　セゾン総合研究所『eショッピングの可能性に関する研究調査』，2000年，p. 136. から引用。

成・発展することが予想できる。

●店舗選択の基準[7)]

① 立地の便利さ：アクセスの容易性（時間・距離），交通手段の利用しやすさ，交通の混雑程度，駐車場の利用可能性

② 商品構成の充実：品揃えの幅・深さ・奥行，在庫数量，在庫商品の品質，鮮度管理，売場・部門数

③ 価格の妥当性：全商品の価格水準，特売商品の価格水準，リーズナブルな価格設定，競争店舗の価格水準

④ 営業時間の長さ：長時間営業，休業日数，24時間受注

⑤ 販売促進の適切さ：販売員の礼儀正しさ・有用性，広告の信頼性，催事・展示会の話題性，生活提案の有効性

⑥ 売場の雰囲気づくり：レイアウト，店内装飾，陳列位置，BGM，照明，楽しさの演出

⑦ 販売サービスの充実：包装，配達，クレジット，専門的なアドバイス

⑧ 取引後の満足感の保証：返品・返金自由，品質保証，アフターサービス，メンテナンス・サービス

図 8-1 小売ミックスと形態創出

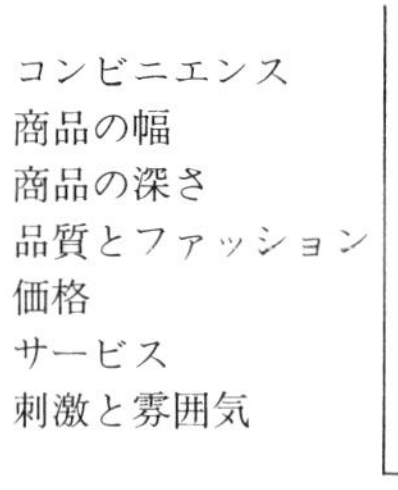

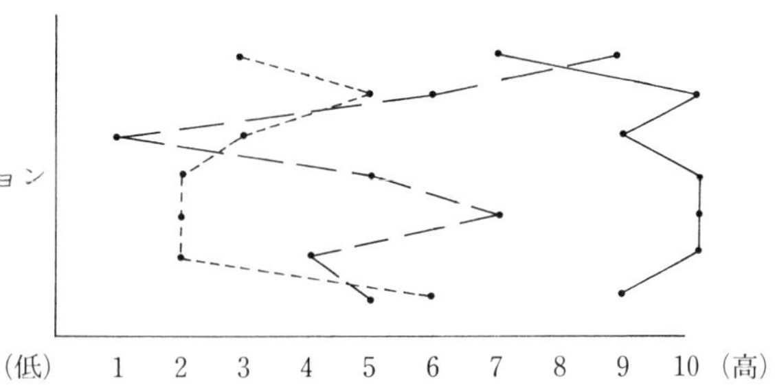

──── 百貨店
--------- ディスカウント・ストア
── ── コンビニエンス・ストア

（出所） Robert F. Hartley, *Marketing Fundamentals*, Harper & Row, 1983, p. 326 の図を参考に，わが国の小売形態のケースとして作成。

小売業は，このような消費者が重視する基準のいくつかを組み合わせながら，さまざまな業種や業態を発展させることになる。このように消費者が重視する基準を組み合わせて，時代の要請として新たな小売形態を創出する方法が小売ミックス（retail mix／retail strategy mix）と呼ばれ，その小売業の対象顧客の選定にあわせて，その組み合わせにバリエーションが生じ，小売戦略の多様性を生み出す。たとえば，この点を具体的に示したのが図8-1である。さらにいえることは，同じ百貨店やディスカウント・ストアでも，それぞれ企業や店舗ごとに小売ミックスの中身は異なっていることが多い。

歴史的には，小売業の新しい形態は，消費者サイドに新たに発生しつつあるニーズや時代の要請に応えるために，従来の小売業の競争優位性を巧みに取り込みながらも，さらにこれまで不足していた何らかのイノベーションを付加し，異なった基準への適合を強調しながら発展してきたといえる。百貨

表 8-2　小売業の形態分類

(I) 店舗：1　店舗の有無――無店舗販売／有店舗販売　{第8章　第2節}
　2　店舗の規模――大規模小売店／中小小売店
　3　店舗の集合性――商店街／ショッピング・センター

(II) 組織・所有形態：1　独立小売業――単一店舗／複数店舗（支店，チェーン・ストア）{第9章　第1節}
　2　組織化小売業――ボランタリー・チェーン／リテール・コーペラティブ・チェーン／フランチャイズ・チェーン
　3　非小売系店舗――消費生活協同組合

(III) 商品：1　特定商品・特定コンセプト――専門店　{第9章　第2節}
　2　総合商品――百貨店／総合スーパー・GMS

(IV) 価格：1　高価格店――高級専門店／百貨店　{第10章　第1節}
　2　低価格店――ディスカウント・ストア／ウエアハウス・ストア／オフプライス・ストア

(V) 人的サービス：1　サービス（対面販売）――一般小売店／専門店／百貨店 {第10章　第2節}
　2　セルフサービス――スーパーマーケット／コンビニエンス・ストア／コンビネーション・ストア／スーパー・ストア／ハイパー・マーケット（ハイパー・マルシェ）

(VI) 複合経営：1　コングロマーチャント（小売複合体）{第10章　第3節}
　2　小売企業グループ

店（デパートメント・ストア），通信販売（メール・オーダー・ハウス），チェーン・ストア，スーパーマーケット，ディスカウント・ストア，ショッピング・センター，コンビニエンス・ストア，コンビネーション・ストアなど，とりわけ米国を中心に形成・発展し，わが国にも積極的に導入され，定着してきているさまざまな小売形態の歴史は，まさにこのような形で発展してきているといえよう。

これまでふれたように，一口に小売業といっても，実際にはさまざまな小売業の形態が発展している。多様な小売形態を，次節以降で，(Ⅰ)店舗の有無，(Ⅱ)組織・所有形態，(Ⅲ)取り扱い商品，(Ⅳ)価格水準，(Ⅴ)人的サービス，(Ⅵ)複合経営という，６つの切り口から分類整理してみたい。あらかじめ，この分類の形式を表にまとめると，表８－２のようになる。

第２節　店舗からみた小売業の形態分類

1　店舗の有無

まず，店舗立地をともなうか否かによって，無店舗販売小売業と有店舗販売小売業に分けられる。前者は，小売業にとって来客のための固定的施設をもたず，消費者は主に家庭や職場にいながらにして買物ができる。小売業の歴史は，行商人や旅商人（訪問販売）にみられるように，無店舗販売からスタートしたといってもよい。後者の有店舗販売小売業は，今日の小売販売方法の主流であり，前記の(Ⅰ)の１以外で，店舗立地を前提に展開される場合の多くの部分にかかわって説明される。

無店舗販売小売業（nonstore retailing）は近年急速な成長が注目されており，主なものとして，通信販売，訪問販売，自動販売機による販売があげられる。

(1)　通信販売（mail-order sales/direct marketing）

顧客に対して，カタログ，テレビあるいはインターネットなどの非人的なメディア（通信手段）を通して，商品やサービスの情報を提供し，注文を獲得することのできる無店舗による販売活動である。通信販売は主として米国で発展し，その歴史も古く，19世紀後半に郵便制度と鉄道事業の発展を基礎に，モンゴメリー・ワード（Montgomery Ward＝2001年経営不振により会社清算）が1872年に，またシアーズ・ローバック（Sears Roebuck＝2018年10月に経営破綻）が1886年に農村の分散した需要を対象にカタログによる通信販売に着手した。わが国では，1899年に高島屋京都店に通信担当の「地方係」を置いたのがはじまりといわれ，開設当初は中国大陸に住む日本人向けに細々と行なわれていた程度であったといわれる。その後三越が1910年，大丸が1920年に着手している。これら百貨店の通信販売は，第２次大戦から戦後の物不足で一旦壊滅するが，1952年頃から再開され，その後に通信販売部を外商部から独立させている[8)]。

通信販売は，企業と顧客との間に他の中間的な業者（人）を介在させず，直接的な取引関係から販売を実現するという意味で，ダイレクト・マーケティングという名称で表現するようになってきた。通常，ダイレクト・マーケティングという場合は，中間業者を除外した生産者と消費者との直結による流通方法のすべてが含まれる。しかし，米国では，ダイレクト・マーケティングをより狭く捉え，自動販売機による販売や訪問販売を含めず，通信販売によるものに限定して用いることが多い[9)]。

近年，通信販売が注目されてきた理由として，女性の社会進出の増加による買物時間の制約，都心部での買物にともなうフラストレーションやコストの増加（交通渋滞，駐車場不足，レジ待ちのわずらわしさ），通話料無料制度や宅配便の利便性向上，クレジットカードの普及，通信販売用オリジナル商品の導入などが指摘できる。さらに情報伝達・通信手段自体の進歩も無視できない影響力をもっている。これまで郵便，印刷カタログ，電話，テレビ，ファックス，ビデオやCDカタログなどの利用に加え，パソコンや携帯電話それにタブレットなどによるインターネットや電子メールの利用が通信販売をいっそう発展させる可能性を示している。

ネット通販は，有店舗と比較して，立地，営業時間，品揃えの物理的な制約を克服して販売領域を拡張している。その発展の前提はフロント・システムの利便性向上とバック・システムである物流の迅速性と正確性に依存している。これまでは通信販売の主軸は伝統的にカタログによってリードされてきたが，やがて雑誌や新聞，テレビショッピング，インターネット，モバイルへと利用メディアを拡大させ，最近では主軸がネット通販へ変化しつつある。とくにネット通販は，他の通信販売の業態と比較して，ノート（ラップトップ）PC，タブレット端末，スマートフォンなどを顧客が携帯（モバイルデバイス）することで従来の家庭や職場内で購買行動が起こる領域を超えて，通信可能な条件が整ってさえいれば，場所や時間を問わず利用が拡大している。最近急速に普及しているモバイルデバイスとしてのスマートフォンは，よりポータブルで，小さな画面で，場所や時間に制約されず，タッチスクリーン技術を利用した検索などにより，しかもさまざまなアプリの活用によって，従来のコンピュータを使ったものに比べて，ユーザーに異なった接続環境や利用経験を生み出している。このことは企業にとっても，顧客の位置情報を通してさまざまなタイムリーな情報を提供することで店舗への送客やプロモーションにも活用できる。

ネット通販の業態の特徴として，レビーとワイツそれにグレウオールは，店舗やカタログという他業態と比較して，①品揃え：深くて広い選択（店舗やカタログが規模の制約が大きいのに対して広範囲な品揃えを可能とし，サイトへの手軽な訪問と店舗やカタログでは対応がむずかしいロングテール商品の選択も容易にしている），②商品・価格情報：商品評価のための豊富な情報提供（店舗では店舗数や販売員数それに訓練の必要などで情報提供に制約があり，カタログもページ数の制約や迅速には変更できないなどネックがあるが，ネットの場合は情報が無制限に提供でき，価格比較や在庫確認が容易であり，それに流行やタイミングに合わせて商品や価格の情報を入れ替えることもできる），③顧客対応：パーソナライゼーション＝カスタマイゼーション（店舗やカタログとは異なって，デジタル技術をベースに個々の顧客に対する情報や商品の提供をパーソナライズすることで，顧客の記憶だけではなく，データベースでインタラクティブな特性を活用して購買決定に必要な支援をしようとする)，④対象商圏の広さと環境にフレンドリーな対応：市場の広がり（店舗での商圏は店舗にアクセスできる距離と時間に制約されるし，カタログでは商圏は広いものの印刷コストや資源環境問題に関心のある顧客の増加は制約要因といえる。ネットはこの点，新店舗を立地させることなく，また追加の紙やカタログを印刷するコストを負担することなく市場を地球規模で拡大できるし，店舗やカタロググログとの販売方法の共存も可能である)，⑤買物行動の理解とフィードバック：複数のチャネルを超えた買物経験の活用（店内の観察では収集がむずかしいことであるが，ネット上ではクッキーを利用して顧客がクリックして関心をもつ商品の特性や購買に結果しない商品などの情報を収集したり，購買した商品に関連のある別の商品をレコメンドすることや顧客の関心に合わせたプロモーション活動が容易である）を指摘している。しかし，⑥買物リスクの認識：ネット通販の信頼性問題（クレジットカードのセキュリティ，個人情報の漏えいや悪用，ネット通販企業の信用や信頼性，提供商品の品質や安全性など，店舗利用と異なったリスクを抱えている点も課題として指摘している)[10)]。

インターネットやスマートフォンの普及は，いわゆる『ショールーミング』(店で見て購入はネットという動き）によるリアル店舗の空洞化やその逆の選択として『ウェッブルーミング』(ネットで調べて店で買うという動き)，さらにはネットと有店舗との融合から顧客にアプローチするオムニチャネル（Omni-Channel）と呼ばれる販売形態への取り組みなどが見られるようになってきた。ネット通販の登場は，ショールーミングを加速しているように思われているが，ネットで購入した商品の宅配便をコンビニ店頭でわざわざ受け取るユーザーが多いということを見ても，「自分の都合で」受け取れるということが，バーチャルでもリアルでも重要なキーワードになっている[11)]。

⑵　訪問販売（door-to-door selling）

消費者の家庭や職場に直接訪問して販売する方法で，他の方法に比べて消費者とのより人的なコミュニケーションを通じて商品の提示・説明ができる。訪問販売のタイプとしては，行商（移動販売），御用聞き，戸別訪問販売（Avon，ポーラ化粧品が代表格），配置販売（富山の置き薬方式），ホームパーティー方式（プラスチック容器のタッパーウエア社が代表的），事務所訪問などが指摘できる。

消費者にとっては，家庭や職場で，商品が購入できるという手軽さがあるわけだが，その反面で，不意の訪問で十分な購買計画をたてる余裕をもてず，比較購買の機会が少ない状況で購買決定を求められたり，詐欺的商法の多発にともなう根強い不信感が訪問販売をむずかしくしている。こうした状況を配慮して，わが国では，特定商取引法（2000年11月の訪問販売法の改正により，「特定商取引に関する法律」に名称変更）において，現金決済された取引や路上でのキャッチセールスをも含め，８日以内であれば，無条件で契約解除できるようにクーリング・オフ（cooling off）の期間が延長された。その後，トラブルの絶えない問題に対して，この法律の改正として2004年には勧誘に当たって，業者の氏名及び勧誘目的であることを明示すること，2008年には高齢化と一人暮らし老人の増加を背景に，訪問販売について，再勧誘禁止及び過量販売規制（本法９条の２）を導入した。

また訪問販売は，販売員のコストが非常に高くつくという問題もある。１日に訪問できる顧客の数は限界があるし，最近では主婦の外出機会の増加とともに，不在の家庭が多くなって，訪問販売の効率が低下する問題が生じている。

⑶　自動販売機による販売（automatic vending machine）

消費者が販売員を介在させずに，お金やカードを機械に投入して，商品やサービスを自動的に購入することができる方法である。

消費者には，自動販売機を通じて，いつでも，どこでも気軽に商品を購入できる便利さがあり，供給業者には，無人販売の省力性，狭い場所でも設置できる省スペース性，人目につくところであれば簡単に設置できるロケーション性，24時間営業の可能な長時間性などが利点として受け入れられている。自動販売機の対象商品には，消費者によく知られた，事前販売の徹底した商品である必要がある。代表的な商品といえば，たばこ，アルコール・清涼飲料，切手，カップラーメンなどであるが，その利用範囲も年ごとに拡大され，宝石，果物，名刺，生花や牛肉まで自動販売機で取り扱うようになってきた。商品のみならず，サービスの分野でも電車の切符販売，公衆電話，コピー，スピード写真，コインランドリー，駐車料金支払い，銀行や小売店舗施設内などに設置されたATM（現金自動預け払い機）やCD（現金自動支払い機）などさまざまな形で拡大している。支払いの方法としても，紙幣やコインに限らず，プリペイド（代金先払い）カードや携帯電話なども利用できるようになり，顧客の固定化，つり銭準備の省略など利便性を高めている。設置場所も，屋外屋内を問わず，小売店内外はもとより，住宅地の路上，学校，病院，ガソリンスタンド，職場など人目につくさまざまな所に設置されるようになっている。

自動販売機自体も，高度な電子技術を応用し年々性能が向上しており，販売できる商品やサービスが豊富になり，音声・本人確認・簡単な加工機能・節電機能などを組み込むなど機械の多機能化もはかられている。その反面では，故障・品切れ・盗難・メンテナンスなどのリスクやコストがかかることによって，販売する商品やサービスの価格が高くなるなどの問題点もある。

ただし，さまざまな自動販売機だけを常設的な店舗の中に集中し，無人店舗として販売する場合には，有店舗販売小売業とみなされる。

2　店舗の規模

有店舗小売業は，固定した店舗を構えて，顧客の来店を待つという方法で販売を実現する。わが国には，中小規模の小売店舗が多数存在しているが，販売額では少数の大規模店舗に集中する傾向がある。大規模小売店（large-scale retail store）と中小小売店（small and medium-scale retail store）を区分するには，売上高，資本金，従業員数などの基準が利用されるが，わが国では，大規模小売店舗立地法（大店立地法）によって，店舗面積から区分すべき基準を設けている。しかし，売上高にしても，この法律にしても，大規模小売店と中小小売店を区分する絶対的な基準ではなく，時間的経過により相対化する性質があり，きわめて便宜的な基準にすぎない。

事実，これまでわが国での大規模小売店の店舗面積基準は，複数の法律の制定・改正・廃止のサイクルの過程で激しく変化してきた。最初に大規模小売店舗と中小小売店舗を区分し，大型店を規制することで周辺の中小小売店を保護しようとした法律が百貨店法であった。政府は，第1次百貨店法を1937年（昭和12年）に制定したが，第2次大戦後の経済民主化（独禁法の制定）を契機にいったんは1947年（昭和22年）に廃止する。しかしその後，再び百貨店の復興・成長とともに1956年（昭和31年）に復活させ，第2次百貨店法と呼ばれた。当時，百貨店法での百貨店の店舗面積は6大都市で3000平方メートル以上，その他の都市では1500平方メートル以上を基準にしていた。百貨店法が制定されるきっかけは，経済的不況や百貨店の積極的な支店設置などによる中小小売店に対する圧迫が要因とされている。

さらに，60年代後半から70年代にわたって，スーパーの導入と急成長によって，中小小売店は厳しい状況に置かれた。また規制を受けている百貨店にしても，スーパーが品揃えの総合化，店舗面積の大型化それに大量出店で急激に拡大する状況に対して，同じ大型店でありながらスーパーが規制を受けないことへの不満，それを野放しにしている政府やスーパーの脱法行為を可能とした百貨店法の不備に反発し，中小小売商団体とともに新たな法律の制定運動に加わった[12)]。そこで政府は，1974年（昭和49年）に大型店舗を有するすべての小売業を規制の対象とする大規模小売店舗法（制定は1973年。正式名称：「大規模小売店舗における小売業の事業活動の調整に関する法律」，単に大店法と略す）を百貨店法に代えて施行した。この大店法での大型店の基準面積は，百貨店法と同じ基準を受け継ぎ，とくに最低基準面積の1500平方メートル（東京都と政令指定都市で3000平方メートル）が大型店と中小小売店を区分する境界を示していた。これにより，大型店は，店舗面積，開店日，閉店時刻，休業日数の4項目が調整の対象となった。しかし，大店法実施後に，スーパーなどの大型店は，大店法の対象となる基準面積1500平方メートル以上に対しすれすれの出店を強力に推進し，多店舗展開をはかったために，中小小売店との対立・紛争がいっそう激化し，大店法は1978年（昭和53年）に店舗面積の引き下げを内容とする改正が行なわれ，大型店の基準を東京都と政令指定都市を含め，すべての地域で500平方メートル以上を有する小売店舗とするまで規制が強化された。しかし，この大店法の存在は，海外からは輸入品の流通を制限し，海外からの小売企業の進出を阻止する法律として批判された。とくに日本と米国との貿易摩擦（つまり，米国の慢性的な貿易赤字）において，大店法が米国の輸入品を受け入れない最大の原因とされ，閉鎖的な流通機構や非関税障壁の象徴とみなされた。そこで，1990年６月28日に取りまとめられた日米構造協議をきっかけに，大店法の規制緩和が行なわれ，1994年（平成６年）５月から店舗面積1000平方メートル以下の出店を自由に認める運用基準が採用された。

さらに，大店法は数度の規制緩和を繰り返して，2000年に廃止された。それに代わって2000年６月からは，大規模小売店舗立地法（1998年５月に制定され，施行までに２年間の猶予期間が設けられてきた。この法律は略称して大店立地法と呼ばれる）において規制対象面積を1000平方メートル以上として，大型店の出店や変更に対しては，交通渋滞，騒音，ごみの異臭など周辺地域の生活環境への配慮を求める法律として施行された。大店立地法は，大店法に見られる中小小売店舗の保護を特徴とした経済的規制から，地域の環境を重視し，地域と共存できる大型店を求めるための社会的規制に性格を変えた。

このように，わが国では，大規模小売店の店舗面積基準が，複数の法律の制定・改正・廃止を通して変動してきた歴史をもち，中小小売店と大型店の対立，国内はもとより国際経済の摩擦を背景に，政治的な解釈により基準が恣意的に設定されてきたことも注目しておくべきであろう。

こうした法律によって，小売業の大型店と中小店の線引きがなされてきたが，小売業の店舗規模は拡大傾向にある。とくに，郊外での住宅の増加を契機に，車による買物と小売店舗の郊外への立地が結びつくことにより，2000

年代においても店舗の大型化が傾向として持続しており，これと対照的に市街地において既存の商店街を支えてきた小規模店舗は激減してきた。

3　店舗の集合性

店舗立地を個別の店舗レベルからだけではなく，店舗集積の程度から分類する方法である。消費者としても，地域にどの程度の魅力的な店舗が立地しているかによって，買物の際のワンストップ・ショッピングの便益を基準に店舗の選択を行なうことがある。

(1)　商店街（shopping street／shopping district）

特定の場所に発達した商業集積をいうが，特徴としては自然発生的に形成され発展してきた商店や関連施設の集まりのことである。その典型は，人々が多く集まり往来する駅前，盛り場，幹線道路，神社仏閣，住宅街，公共施設などを中心に形成された商店街であり，さまざまな業種や業態を抱え込んで成長してきた。歴史的には，商店街は消費者に買物や生活の場を提供してきただけでなく，都市の発展を支え，都市の施設としても発展してきた。

しかし，都市部に集中していた商店街の多くは，外部環境的には人口の郊外流出，車による買物の普及，大型店の郊外展開，商圏人口の減少などの変化を受け急速に衰退しており，さらに内部的には経営者の高齢化，後継者難，高地価の持続，駐車場不足と慢性的交通渋滞，商圏人口の高齢化，商店街内からの大型店の撤退といった問題を抱え，商店街内での空き店舗の増加が深刻化している。これとは対照的に，郊外ではモータリゼーションを背景に車客を対象とした大型スーパー，ディスカウント・ストア，ショッピング・センター，アウトレット・モールなどが発展し，はじめは単独立地が主流であるが，やがて集積効果を求めて複数の店舗が立地する形態に進んでおり，それとともに，競争関係が個店間から商店街間や地域間のレベルへと変質している。

これまでも，本来的には自然発生的な形で発展してきた商店街であっても，さまざまな環境変化に対してより計画的に対応する試みはなされてきたが，必ずしも十分であったわけではない。改正都市計画法，中心市街地活性化法および大店立地法の施行（これらを合わせてまちづくり三法と呼ぶ）によって，改めて交通・環境問題，空き店舗さらには高齢者の買物機会の確保などの対策を含め，今後ますます商店街活性化のために魅力あるまちづくりに取り組む必要性が高まっている。とくに，近年では日本の人口の高齢化と人口減少のいっそうの進行は，商店街の衰退や高齢者の体力低下・運転免許の返納などによって買物難民や買物弱者問題を生み出しており，喫緊の解決が求められるようになってきた[13]。

ある程度の計画性の保持という点からは，ショッピング・センターほど徹底していないが，ターミナルの便利さから街としてのコンセプトを反映させた店舗集積のタイプとしては，わが国では名店街や地下街が存在する。また，駅ビル，ショッピング・ビルあるいは専門店ビルなども，貸しビル形式のテナント誘致によって作られるが，賃貸収入にもっぱら関心がおかれやすく，ディベロッパーがおらず，統一性に欠けたものになりやすい[14]。

商店街の魅力とは，さまざまな店舗や文化的・娯楽的な施設の集積効果が反映されたものであり，そこには多くの要素が観察できる。その代表的な要素としては，①人目を気にせず，各種の店舗を買回りながら自由に買物ができる選択性・開（解）放性，②盛場や人ごみの雑踏感が買物のムードを盛り上げ，日常にない変化を期待させる賑わい性・娯楽性，③明るさ，落ち着き，静けさを通して穏やかな気持ちで買物ができる清潔感・高級感・信頼性，④火災，地震，交通事故，盗難，押し売り，詐欺などの危険な状況に陥ることのない安全性・安心感などが指摘できよう[15]。これらの要素が，十分に確立している商店街ほど消費者にとっては魅力度が高いといえるが，このような集積の魅力を人為的に創出し，コントロールしようとするのが，ショッピング・センターの行き方である。

⑵　ショッピング・センター（planned shopping center or mall＝SC）

ショッピング・センターは，明確なディベロッパー（開発企業：developer／development company）および関連施設の集合によって，統一的に計画され，建設され，所有され，管理される小売店舗である。米国では，主として1950年代に，多くの人々が都心から郊外へ住むようになり，モータリゼーションのいっそうの進行と相まって，郊外需要にマッチするため，計画的に配置されたショッピング・センターが発展した。それは，専門店などの小売施設にとどまらず，映画館，劇場，コミュニティー・センター，銀行，郵便局，教会などの娯楽・公共施設を併設し，大型の駐車場を備えた巨大な小売活動の中心地を出現させた。そのためショッピング・センターは，郊外生活のシンボルにまでなった。

ショッピング・センターにおいては，ディベロッパーの役割がきわめて重要であり，彼らの存在が自然発生的な商店街と区分するポイントにもなっている。ディベロッパーは，主に，①立地場所の選定（土地の先行取得，造成，開発など），②建物・周辺施設の建設計画（長期的な視点から，対象地域の需要条件に見合った施設の規模・タイプの決定，駐車場，広場，遊歩道・モールの設計など），③管理・運営（対象地域の顧客ニーズに適合した施設内入居店舗の選定・維持：テナント・ミックス，そのために核店舗〈キー・テナント／アンカー・ストア／マグネット・ストアと称される〉の誘致，各種店舗群の選定・維持，つまり専門店群，飲食店群，カルチャー・レジャー・スポーツ施設群，公共施設群などの最適ミックス）を業務とする。

ディベロッパーは，直接の販売活動を行なうのではなく，テナントに売場スペースをリースし，オーケストラの指揮者（conductor）のごとく，各店舗施設の選定や調整を行なうので，ノン・マーチャンダイズ・リテーラー（non merchandise retailer）とも呼ばれる。ディベロッパーの主な仕事は，センターにとって必要と思われる顧客吸引力の高い，魅力のあるアンカーの誘致や各種テナントやエンターテインメント施設の決定，およびテナント料の設定などを行なう。とくに，店舗集団がそれぞれ顧客に提供する商品やサービスの質と種類を相互に補完しあうよう，ワンストップ・ショッピング（関連購買）とコンパリゾン・ショッピング（比較購買）の効果が最大限に発揮できるように計画する。

さらに開店後も，それぞれのテナントへのきめ細かいコンサルティング・サービスを継続して行ない，集客効果を高め，その成果として賃貸収入にもとづく収益の向上をはかるというエンドレスな仕事を担当する。

ショッピング・センターは米国では，1922年にカンザス・シティに不動産業者 J. C. ニコルス（Nicols）がオープンしたカントリー・クラブ・プラザが最初であるといわれているが，本格的なものとしては自動車の普及と郊外住宅の発展を背景として1950年前後から登場する。1948年オハイオ州コロンバスの不動産業者ドンカスター（Doncaster）が開設したタウン・アンド・カントリー・ショッピング・センターやワシントン州シアトルで J. B. ダグラス（Douglas）によって開設されたノースゲート・ショッピング・センター（当時はボンマルシエ〔Bon Marche〕のブランチを核店舗とする）がリージョナル・ショッピング・センターの原型といわれる。また，ミネアポリス郊外のサウスデール・センターはデイトン・ハドソン（Dayton Hudson）によって1956年に建設されたが，最初の完全なエンクローズド（屋内型）で，全天候対応型のモールといわれる。わが国では，玉川高島屋が1969年に二子玉川にオープンしたのが，本格的ショッピング・センターのスタートといわれる。

規模とコンセプトの面でユニークなのは，カナダのウェスト・エドモントン・モールであり，世界最大といわれるエンクローズドのショッピング・センターで，520万平方フィート（約48万平方メートル）の延床面積に人工のビーチ，アイススケートリンク，遊園地それにホテルを組み込んだ商業施設とアミューズメントの複合施設を展開しており，3段階に分けて拡大がはかられ，第1期工事は1981年から始まり第3期工事が1985年で終了している。それによって，26の映画館や110のレストラン，専門店だけでも約800以上の店舗をかかえている。また1992年8月には，米国で最大規模のショッピング・センター：モール・オブ・アメリカがミネアポリス郊外のブルーミントンにオープンした。これは420万平方フィート（約39万平方メートル）の規模で，ナッツキャンプスヌーピーによるファミリーエンターテインメントをテーマパークにして，4つのアンカーストア（ノードストローム，ブルーミン

表 8-3　ショッピング・センターのタイプ

タイプ	コンセプト	アンカーを含む平方フィート**	アンカーの数（テナント数）	アンカーのタイプ	商圏*※※
ネイバーフッド	周辺の人々への 買物の利便性提供	30,000—50,000	1店舗以上 （5—15）	スーパーマーケット ドラッグストア	3マイル
コミュニテイ	買回品を中心に 最寄品も提供	100,000—350,000	2店舗以上 （15—25）	大規模専門型ディスカウント・アパレル スーパードラッグストア ホームインプルーブメント スーパーマーケット	3—7マイル
リージョナル	総合商品とサービス：ファッション・アパレルを中心とし，エンクローズド・モールがその典型	400,000—800,000	2店舗以上 （50—150）	複数のフルライン・デパートメント・ストア 量販店 ディスカウント・デパートメント・ストア ファッション・アパレルストア	5—15マイル
スーパーリージョナル （メガモール）	リージョナルと類似しているが施設の規模，テナント構成の多様性の点で優れている エンクローズド，多層階の構造 フードコートの充実	800,000以上	3店舗以上 （モール・オブ・アメリカでは450の専門店，ウエスト・エドモントン・モールでは800ほど）	フルライン・デパートメント・ストア ジュニア・デパートメント・ストア 量販店 ファッションアパレル テーマパークや各種エンターテインメント施設	5—25マイル
パワー	ディスカウント志向の大型小売店を中心とする テナントは少数	250,000—600,000	3店舗以上	カテゴリーキラー ホームインプルーブメントセンター ディスカウント・デパートメント・ストア ウェアハウスクラブ オフプライス・ストア	5—10マイル
ファッション・ スペシャリティ	高級志向 ファッション志向	80,000—250,000	なし センターの規模による	高級ブランドを中心とした アパレルショップ，ブティック，ギフトショップ，グルメレストラン	5—15マイル
アウトレット	製造業者の アウトレット・ストア	50,000—400,000	なし センターの規模による	製造業者のアウトレット・ストア テナントとしては，小売業者のアウトレット・ストアも含む	25—75マイル 観光地などへの立地により本来の店舗との競合回避
テーマ・ フェスティバル	レジャー 観光客対象	80,000—250,000	なし センターの規模による	レストラン エンターテインメント施設	不特定

*　商圏は，当該センターが売上高の60—80パーセントを生み出すエリアを示す。
**　平方フィート×0.093＝平方メートル，マイル×1.609＝キロメートル
（出所）主に，International Council of Shopping Centers, M. Levy and B. A. Weitz, *Retailing Management*, Irwin, 1998, pp. 232-242. およびB. Berman and J. R. Evans, *Retailing Management*, Prentice-Hall, 1998, pp. 321-324. を参考に米国の例として作成。

グデールズ，メイシーズ，シアーズ）と450のテナントから構成されている。

ここでは，米国におけるショッピング・センターのいくつかのタイプを表8－3にまとめて紹介している。この表からも知りえるようにショッピング・センターはさまざまな形で多様に進化・発展してきている。買物と同時に，娯楽性を取り入れたエンターテインメントやフェスティバルなどに焦点を当てた開発が増えてきた。楽しみながら買物させようという仕掛けづくりは，テーマパーク，マルチシネマやスケートリンクそれにさまざまな娯楽施設に象徴されるように，買物客にモールへの訪問回数を増やさせ，またそこでの滞在時間を高める効果を期待している。エンターテインメントの強調には，その発展方向として，各店舗内で顧客が商品やサービスを購買前に体験させ，楽しみを実感させる，しかも買うことを義務と感じさせない，使う楽しみを事前に感じてもらうという対応が含まれている[16)]。

また，不況と競争激化を背景に登場してきたのが，パワーセンターやアウトレット・モールという新しいタイプのショッピング・センターである。これらの中には特定のアンカーをもたない形で発展するものもあり，商品の価格との対応で価値を重視し，買物客がすぐに入ってすぐに出られるように目的買い（destination shopping）を可能とした施設や駐車場の配置を実現している。さらに単独店でも十分成り立つ有名ブランド商品のファクトリー・アウトレットや有名百貨店や専門店のリテール・アウトレットを都市から離れたところの一箇所に集め目的買いを強調したスタイルなど，従来の高級・大規模・娯楽の枠組みに収まりきれない新しいタイプが発展してきた。それとともに，既存のモールのリノベーション（改装）や拡張が増えており，モールの改装のサイクルが速められてきている。このようにショッピング・センターに対する顧客の多様なニーズや競争の激化は，一方でモールの多様化・差別化に拍車をかけながら，同時に他方でバリューとエンターテインメントの同時追求を同じモール内で行なうようになっており，典型的にはブランド品の低価格を訴求する形でスタートしたアウトレット・モールに次第にエンターテインメントの施設が組み込まれてきているように，融合が進む面も無視できない。

こうした状況において，とくに，リージョナルモールのディベロッパーにとっては，遠方から顧客を吸引できるだけの魅力あるアンカーの世代交代に直面しており，現在勢力の衰えつつある伝統的百貨店や量販店（GMS）に依存することが困難になっており，ディベロッパーにとって新たな有力なアンカーの開拓やアンカーに代わる魅力的な集客装置を必要としている。米国の小売流通のイノベーターは，既存のショッピング・センターの弱点を自らの競争優位にして，これまでのリージョナルモールがその総合性を強さの源泉として発展してきた方向とは逆に，低価格，コンビニエンス，専門性，フェスティバル，歴史的遺産，あるいは特定のテーマ性など切り口を絞った形で成功してきた。こうした新しく多様化し，専門化するショッピング・センターの出現は，消費者ニーズの変化と新しい小売業態の登場によって生み出されたものであり，今日の小売流通における構造変化の発信源をなしている[17]。しかも近年では，こうしたショッピング・センターの開発は，先進国よりも，経済発展の顕著な新興国で活発に行なわれるようになっている。

注

1) B. Berman and J. R. Evans, *Retail Management : A Strategic Approach,* 7th ed., Prentice Hall, 1998, p. 36, pp. 156-158 and pp. 624-639.
2) L. P. Bucklin, *Competition and Evolution in the Distributive Trades,* Prentice-Hall, 1972, p. 10.
3) W. J. Stanton, *Fundamentals of Marketing,* 7th ed., 1984, pp.320－321.
4) 鈴木安昭著『商業の広域診断』同友館，1974年，pp. 28-29。
5) この点については，久保村隆祐・荒川祐吉編『商業辞典』同文舘出版，1986年，p. 322の指摘を参照されたい。
6) この理解は，矢作敏行著『現代小売商業の革新』日本経済新聞社，1981年，pp. 83-84からのものである。
7) この点は，鈴木安昭著，前掲書，pp. 35-39。G. Fisk, “A Conceptual Model for Studying Customer Image”, *Journal of Retailing*, Vol. 37, Winter 1961－62, pp. 9-16. R. F. Hartley, *Marketing Fundamentals,* Harper & Row, 1983, pp. 322-324を参考に作成している。

8）　古賀裕之「曲がり角にきた百貨店のカタログ販売」『BIGMAN』No. 54, 1985年, pp. 132-137。

9）　B. Berman and J. R. Evans, *op. cit.,* pp. 164-178.

10）　M. Levy, B. A. Weitz and D. Grewal, *Retailing Management*, McGraw-Hill, 2014, pp. 75-79.

11）　田口冬樹著『流通イノベーションへの挑戦』白桃書房, 2016年。

12）　百貨店法は, 文字通り百貨店の出店・増床を規制対象とするだけで, 当時急成長過程にあった大型スーパーや他の大型専門店チェーンなどを調整する形にはなっていなかった。百貨店法は, 企業単位ごとに出店を許可するという企業主義と許可制になっていたため, スーパーはフロアごとに別会社として登録し, 店舗面積を基準以下で申請して法の適用を免れることができた。そこで, 大型スーパーの取り扱い商品が百貨店とほぼ同じでありながら, 規制されないことへの不満・批判が百貨店はもとより, 中小小売業者からも提起され, 疑似百貨店問題として, 一定面積以上の大型店舗の出店を届出によって調整する新たな法律が求められ, 店舗面積主義と事前審査付き届出制にもとづく大店法が百貨店法にとって代わった。

13）　田口冬樹「商店街」宮澤永光監修『基本流通用語辞典』白桃書房, 1999年, p. 131。杉田聡著『買物難民――もうひとつの高齢者問題』大月書店, 2008年, および経済産業省商務情報政策局商務流通グループ流通政策課『買物弱者応援マニュアル』2015年３月に詳しい。

14）　見崎好昭「現代の小売機構」山崎吉雄著『商業総論』税務経理協会, 1982年, pp. 108-109。

15）　この点については, 中村孝士著『銀座商店街の研究』東洋経済新報社, 1983年, pp. 24-28に詳しい。

16）　この点については, 田口冬樹「わが国における小売業の構造変化と流通イノベーションの展開」『専修経営学論集』第72号, 2001年, pp. 190-203。に詳しい。

17）　日米におけるショッピング・センターの発展の特徴については, 田口冬樹「米国におけるショッピングセンターの開発と展望」専修大学社会科学研究所『社会科学年報』第31号, 1997年, pp. 3-35。およびF. Taguchi and R. E. Weigand, “Shopping Centers—Japan and the U.S.Compared”, *Senshu Business Review*, No. 63, 1996, pp. 143-171, またディベロッパーとアンカーとの関係を分析したものとしては, A. Ghosh and S. McLafferty, “The Shopping Center : A Restructuring of Post—War Retailing,” *Journal of Retailing*, Vol. 67, No. 3, Fall 1991, pp. 357-365に詳しい。

第9章 組織・所有形態と取扱い商品による分類

第1節　組織・所有からみた小売業の形態分類

小売業を組織と所有形態から区分すると，いくつかのタイプがとらえられる。小売業を単独で営業するか（独立小売業），他企業とのなんらかの組織化を通して営業するか（組織化小売業）によって区分する方法がある。資本的に独立した企業が，単一店舗の小売店を展開するか，同一の所有権のもとで複数の店舗を展開するかどうかによって，単一店舗か複数店舗かに分けられる。この複数店舗は，さらに店舗の自主性や仕入の形態との関連で，チェーン店舗と支店とに区別される。資本的に同一の所有権のもとで，多数の店舗を組織する場合（チェーン・ストア）の他に，さらに資本的に独立した複数の企業同士の一定の結びつき（契約関係）を通して展開するいわゆる「組織化された小売業」も存在する。さらに小売業者以外の経営主体が所有する店舗として，消費者や卸売業者あるいは生産者による小売行為も観察できる。ここでは，主として独立小売業者，チェーン・ストア（コーポレート・チェーン），ボランタリー・チェーン／コーペラティブ・チェーン，フランチャイズ・チェーン，消費生活協同組合を考察する。それ以外にも，所有形態の種類としては，ここでは取り上げないが，生産者による所有――たとえば農協の小売店舗・メーカーによる直営店，および卸売業者による直営小売店の所有なども存在し，非小売系の店舗も広い意味では小売機能を遂行している。

1　独立小売業

(1)　単一店舗（単独店）

単一店舗は，資本的に独立した小売業者（independent／owner-operated independent）が単独（共同活動をしていない独立自営）で単一の店舗を所有・経営する小売業である。わが国の中小零細小売業者のほとんどは，このカテゴリーに分類される。今日の大規模小売企業である，ダイエーやイトーヨーカ堂なども，もとをただせば，一介の医薬品のディスカウンター（ダイエーの前身はサカエ薬品）や衣料品店（イトーヨーカ堂の前身は，浅草の洋品店，洋華堂ののれん分けから発展）としての独立小売業者による単一店舗からスタートし，後にチェーン化によって急成長を実現してきた。地方の老舗の百貨店や専門店には，支店網やチェーン店を形成せず，単一店舗での対応を維持している例も少なくない。単一店舗は，対象とする商圏の大きさによって制約されるため，地域の人口減や交通網の変化などの環境変化で需要が縮小している場合には，設備投資やマーケティング努力を投入するわりには売上が伸び悩み，かえってコストがかさむという状況が生まれやすくなる。単一店舗でも，近年では他企業との提携や共同化に取り組むことで，競争企業への対抗力をつけようとする動きが顕著である。

また，独立小売業者については，これまではいくつかの点で恵まれた条件が備わっていたが，最近では，こうしたことが必ずしも該当しなくなっている。これまで，多数の中小の独立小売業者が存立し得る条件として，たとえば，①参入・退出が容易で，経営技術や必要資本規模も，それほど高くはないこと，②土地・店舗が自己所有である場合は，固定費が安くて済むこと，③家族労働に依存することで，地域密着サービスが展開でき，長時間営業にも耐えられるなど経営に弾力性があること[1)]，④酒類，米穀，医薬品，たばこなどの販売では政府の許可制・免許制によって自由な競争が規制されていたこと，などが指摘されてきた。

こうした条件は，戦後の高度成長の過程で，消費需要の順調な拡大を受けて，中小零細な独立小売業者でも十分に存立できる基盤を形成し，小売商店数を増加させてきた。しかし，今日では，こうした条件が大きく変質し，存立の基盤を突き崩している。具体的には，消費需要の多様化，製造業者など他産業および外資系小売業者からの参入による競争の激化，政府規制（大店法，酒税法，食管法など）の緩和や廃止，地価の高騰，後継者難，チェーンや情報処理システムを駆使した専門経営の導入など，独立小売業者を取り巻く環境が大きく変貌している。また，独立小売業者は，単一店舗の場合には限られた販売力のため，仕入の規模が相対的に小さく，メーカーや卸売業者への交渉力が弱くなりがちであり，この点から他企業との仕入活動の組織化に向かうようになる。

⑵　複数店舗

⒜　支　店

チェーン・ストアと類似した複数店舗組織に，本支店組織がある。これは，中央の統制が緩やかであり，各支店における営業上の独立性が認められており，各店での仕入や独自の営業活動が認められているが，各店が不統一に，標準化されずに行動するためにしばしば効率が悪い。

チェーン・ストアの国際的な定義では，店舗数が11店舗以上という基準があるが，それに満たない独立小売業者の店舗網のケースをここに含めて考えようという見方もあるが，単純に店舗数の多寡でみるよりも，厳密には本部と各店舗との関係がどのような状態に置かれているかによって区分すべきであろう。

⒝　チェーン・ストア＝コーポレート・チェーン（chain store／corporate chain／regular chain）

一口にチェーンといっても，その形態や内容はさまざまである。同一の所有権の下におかれているか否かによって，同一所有権の下にあるものをコーポレート・チェーン＝レギュラー・チェーン，異なった所有権の下で運営されるものを，ボランタリー・チェーンおよびフランチャイズ・チェーンと分類できる。

通常チェーン・ストアという場合，わが国ではレギュラー・チェーンを意味している。英語では，コーポレート・チェーンと呼ばれる。レギュラー・チェーンとは，同一の所有権（同一資本所有）の下で，同じようなラインの商品を販売し，仕入と経営管理の本部集中を行ない，同じフォーマットの店舗施設を用いて，複数の小売店舗を有する小売業者のことを意味する。

① 米国でのチェーン・ストアの発展の歴史

チェーン・ストアは，米国において，1910年から20年にかけて急速に発展し，さまざまな小売業種に採用され，しかも小売企業の大規模化の基礎となった[2)]。

たとえば，食料品の分野では，A＆P（Great Atlantic and Pacific Tea Company）が，チェーン・ストアをいち早く採用した。A＆Pは，1859年に，東洋との紅茶輸入を独占していた英国貿易商に対抗して，直輸入紅茶を自らの店舗で低価格で直接販売するためにスタートし，最初の大陸横断鉄道の開通にあわせて，1869年からA＆Pという社名を名乗るようになった。1880年に100店舗以上を開設し，1900年までには，店舗を全米にはりめぐらすまでになり，紅茶以外にも，食料品の品揃えを拡張し，生産者からの直接仕入に取り組んだ。1912年には，それまでの掛売りと配達をやめて，キャッシュ・アンド・キャリー方式を導入し，思い切った低価格販売を実施した。1930年には全米に1万5737店もの店舗を展開し，売上高も1929年に10億ドルを達成したが，これは全米の食料品売上高のほぼ10％近くを占めていた。各種食料品ラインの利益を高めるために，食料品の加工工場を建設・買収し，それをAnn PageやA＆Pというプライベート・ブランドで商品化した。その発展期には，ハワイにパイナップル園，セイロン（スリランカ）に茶畑，イタリアにオリーブ園まで保有し，垂直的統合＝川上志向を実行した。さらに*Woman's Day*という400万部近くの発行部数を誇るサービス雑誌まで刊行し，反チェーン・ストア運動の吹き荒れる中で，A＆Pを身近な存在として社会に浸透させようとしていた。膨大な販売力は食料品加工業者との直接仕入によって低価格を実現し，小売売上高の急増をもたらした。しかしA＆Pは，大恐慌，反チェーン・ストア運動それに新しく登場しつつあったスーパーマーケットなどによる競争激化に直面し，古くて品揃えの狭い“ティー・ストア”から食料品のフルライン・セルフサービスのスーパーマーケットへと業態転換することで，小規模店舗を大幅に削減した。

衣料品の分野では，ＪＣペニー（JCPenney）のチェーン化が早かった。1902年にペニー（James Cash Penney）は，２人の共同経営者とともに，ワイオミング州ケマラーに，ゴールデン・ルール・ストア（Golden RuleStore）という一介の衣料品店を開業するが，創業２年目に２店舗目を開設し，さらに1907年には共同経営者の持株を買い取り，1917年には177店もの店舗を抱えるまでに成長する。しかも，1921年には店舗数が313店となり，その売上高が4600万ドルにも達し，遂に米国最大の百貨店ニューヨークのメーシーの売上高と互角に並ぶ。創業わずか19年で，創業以来63年の巨大な単独店舗による百貨店の売上高の水準に達し，1929年にはペニーが1395店舗になったところで，売上高は２億ドルを超え，両社の売上高は２倍の開きが生じるほど，チェーン・ストア・オペレーションの威力が大きく発揮された。

②　チェーン・ストアの経営的特徴

チェーン・ストアの特徴は，小売業の基本的な機能である仕入と販売の機能を分離し，中央の本部における大量集中仕入の利点と，分散された多数の店舗における販売の利点とを同時に実現する経営形態として確立された。中央の本部は，原則として販売を行なわず，もっぱら経営方針の決定，商品調達，人材開発，プロモーション，各店の管理にあたり，各店は本部の経営方針に従って販売活動に専念する。これによって，小売業という本来，規模の経済性の実現しにくいところに，大量集中仕入によって規模の利益を実現し，消費者の分散的に発生する需要に，特定の商圏に制約されない分散立地した多数の店舗でもって対応しようというものであった。この革新的な経営組織は，単に生産者や供給業者の提供する商品を受け入れるだけにとどまらず，多数のチェーン店舗の展開を通じて，大量販売力から大量仕入力（購買力：buying power）への転化を可能とし，プライベート・ブランド商品の開発，卸売機能の負担，製造工場・農場の経営などを含め，チェーン・ストア企業自らの川上志向として供給業者や生産者へのさまざまな交渉力を発揮させ，小売企業自体の大規模化の基礎を形成してきた。チェーン・ストアは，本部集中仕入と標準化店舗の運営によるコスト削減効果のほかにも，販売やさまざまなリスクを複数の店舗に分散できるという効果をもつが，反面で仕入や店舗運営の標準化は，経営や販売に柔軟性を失わせ，地域の急速な変化に適合できにくくする。そこで，地域の各店舗の店長に一定の自由度を認め，柔軟な対応を可能にする配慮が求められるようになってきた。

2　組織化小売業

(1)　ボランタリー・チェーン（voluntary chain＝VC／cooperative chain）

ボランタリー・チェーン（VC）とは，同一業種の独立小売業者がオーナーとして，独立性を維持しながら，仕入，広告，人材教育，情報処理などの管理・営業活動を共同化し，規模の利益と分業の利益による効率性を実現しようと組織化した経営形態である。

歴史的にみて，米国ではボランタリー・チェーンの発展はチェーン・ストアの発展によって誘発された。いわば，チェーン・ストアの発展は卸売機能を本部に吸収し，中小小売店との価格差を明確にしたことで，危機感を自覚した卸売業者や中小の独立小売業者が相互に共同化して，チェーン・ストアに対抗しようと編み出した協業組織である。わが国では，米国の発展の影響を受けて戦前からすでに存在しており，1966年以降も，政府の流通近代化施策の一環としてボランタリー・チェーンの育成や助成が行なわれたが，あまり定着しなかった。むしろ，高度成長の終息をもたらした1973年のオイル・ショック以降に関心が高まってきたといえる。

ボランタリー・チェーンには，そのスポンサー（本部）が誰であるかによって，卸売業者主宰のボランタリー・チェーン（wholesaler-sponsored voluntary chain）と小売業者主宰のコーペラティブ・チェーン（retailer-sponsored cooperative chain）が存在する。欧米では，通常ボランタリー・チェーンといえば，卸売業者主宰のボランタリー・チェーンを指す。卸売業者主宰のボランタリー・チェーンは，卸売業者のイニシアチブ（主導権）の下で，独立の中小小売業者（加盟店）と継続的連鎖関係（ボランタリー契約）を結び，仕入の共同化や各種の経営指導を通じて，加盟小売業者の活動を統制・援助・調整し，流通コストの低下や加盟店の競争力強化に貢献しようというものである。最近では，加盟店への情報提供を中心としたリテール・サポート機能の強化が注目されている。

リテール・コーペラティブ・チェーンは，独立小売業者同士が自主的に集まって，小売業者主宰の下に卸売本部を設立し，チェーンを運営する協業組織である。小売業者の資本と経営上の独立性は確保され，本部集中仕入，共同での広告・情報処理・教育指導などが行なわれる。ボランタリー・チェーンにしても，このコーペラティブ・チェーンにしても，基本的には，個々の加盟店が本部経由の集中仕入によって規模の利益（スケール・メリット）を実現し，仕入価格の引下げを期待するが，集中仕入率の増加のためには，本部による商品の品質，価格，品揃え，POS 情報の分析，在庫管理，物流経費削減などの政策の実施といった点で，加盟店を十分に満足させる本部機能が問われている。近年では，ボランタリー・チェーンが次に述べるフランチャイズ・チェーンの利点を組み入れる傾向もみられる。

(2) フランチャイズ・チェーン（franchise chain＝FC）

一般にフランチャイズとは，一定の特権を与えることや自由に何かができる範囲を意味する。日本フランチャイズ・チェーン協会は，フランチャイズを次のように定義している。「フランチャイズとは，事業者（フランチャイザーと呼ぶ）が他の事業者（フランチャイジーと呼ぶ）との間に契約を結び，自己の商標，サービス・マーク，トレード・ネーム，その他の営業の象徴となる標識，および経営ノウハウを用いて，同一のイメージのもとに商品の販売，その他の事業を行なう権利を与え，一方，フランチャイジーはその見返りとして一定の対価を支払い，事業に必要な資金を投下してフランチャイザーの指導および援助のもとに事業を行なう両者の継続的関係をいう」[3]。

(a) フランチャイズ・チェーンの発展と経営的特徴

米国では，このフランチャイズ・システムの展開はかなり早く，南北戦争以前の1856年以降からシンガー・ミシンによって，販売権をもつ小売店の設置として導入されたのが知られている[4)]。1910年には，フランチャイズ・チェーンは当時ビッグビジネスになろうとしていた自動車メーカーと石油精製業者（ガソリンスタンド）の主要なディーラー組織の編成原理になった。さらに1920年代から30年代には，ソフトドリンク，ファーストフード，医薬品，自動車用部品などの販売網の拡大に取り入れられ，第２次大戦後の1950年代には，フランチャイズ・チェーンは小売業種，サービス業種を問わず普及し，流通機構の中に完全に定着する。わが国でフランチャイズという言葉が使われるようになったのは，1956年11月に設立された「東京コカコーラ・ボトリング」であるといわれており，フランチャイズの本格的な導入は，1960年代前半からであり，とくに1963年に洋菓子の「不二家」，ダスト・コントロールの「ダスキン」などが着手し，外資系企業の進出や外食産業の成長を契機にさまざまな業種に拡大され，今日に至っている[5)]。

フランチャイザー（franchiser）とは，フランチャイズ事業を主宰し，フランチャイジー（franchisee）を指導する本部である。フランチャイジーは，その事業運営のための権利を取得し，フランチャイザーが開発した商品やサービスの特定地域での販売，それに一定の店舗フォーマットや運営マニュアルを利用する加盟店である。本部と加盟店とはボランタリー・チェーンと同様に所有形態において別個の資本関係にある。フランチャイズの場合はボランタリー・チェーンよりも，本部から加盟店への統制がより厳格に行なわれ，契約内容もより詳細であり，提供すべき商品・サービスの内容，販売地域，価格，品質，陳列・提示方法，店舗施設，従業員のユニフォーム，言葉づかいなどの面で徹底した標準化・マニュアル管理が行なわれている。また加盟店が本部の決定に参加する機会は少なく，加盟店の自主性は制限されている。

そこで，本部であるフランチャイザーは，フランチャイジーに対して特色のある商品やサービスの開発，競争力のある販売方法を開発していること，十分な経営指導をきめ細かに展開できることが求められる。それに対して，加盟店は，本部に対して，事業を行なう権利の取得や継続的指導への見返りとして，加盟金，保証金，ロイヤリティなどを支払う。

フランチャイズ・チェーンの主なタイプとしては，特定の商品やサービスの流通を目的としたフランチャイズ・チェーン（product & trade name franchising）と総合的システムの展開によるフランチャイズ・チェーン（business format franchising）の2つが存在する。前者の場合は，フランチャイザー（メーカーあるいはサービス業者）が自社の開発商品やサービスを流通させるために利用するフランチャイズ・チェーンである。ここでは，提供物を開発した本部が，ある特定の小売業者やサービス販売店に対して，一定の地域におけるその提供物の販売権を与えるという形をとる。このタイプのフランチャイズ・チェーンは，当該商品やサービスが効果的に販売されるような方向で展開され，そのために各種の指導・援助が行なわれ，加盟店は商号，商標，店舗施設の統一の下で営業する（たとえば，自動車のディーラーの場合）。これに対して，後者の総合システム型は，特定の商品やサービスを中心として展開されるのではなく，「フランチャイズ・パッケージ」と呼ばれる商号，商標，商品・サービス，資材，スーパーバイザーによる各種の指導・援助などを包括的に組み合わせたプログラムをフランチャイザーが開発し，そうしたフランチャイズ・パッケージの運営の独自性によって加盟店を募集し，独自の指導を通して加盟店から見返りを得るタイプである（たとえば，コンビニエンス・ストアの場合）。

フランチャイズ・チェーン展開のために，本部は直営店を設置し，独自性のある商品・サービスの開発や競争優位性のある販売技術の開発と消費者のそれらに対する反応を確かめるためのテスト・マーケティングを行なう。また，直営店は事業経験のない人材を教育し，研修する場としても利用される。

(b)　フランチャイズ・チェーンのメリットとデメリット

フランチャイズ・チェーンの利点と欠点をそれぞれ列挙してみよう[6]。

まず，利点として，本部にとっては，①出店のための投資が少額で済み，短期間で広範な地域に多店舗展開が可能であり，知名度の向上になる。②フランチャイジーへの販売権の供与と継続的指導の見返りとして，加盟金，保証金，ロイヤリティが着実に確保できるので，安定した事業経営が可能である。加盟店にとっては，①すでに実験済みの商品やサービスを，知名度の高い社名，ブランドで販売できるという点では，失敗の危険性が少ない。②比較的少額の資本で，事業経験なしでも，優れた経営手法やノウハウを利用して，十分に事業が行なえる。消費者にとっては，①どの加盟店からでも，標準化された均質な商品やサービスの提供が期待できる。②独自性のある，優れたノウハウの開発は，消費者の買物の利便性に貢献し，サービスの水準を高める。

逆に欠点として，本部にとっては，①継続的指導・援助に，コストと労力がかかりすぎる。②加盟店を急速に増大させた場合，本部の指導や物流体制が追いつかず，店舗間格差を拡大する。加盟店にとっては，①本部への依頼心が強まり，経営努力や販売努力を怠る恐れがある。②本部の重要な決定に参加する機会が少なく，加盟店の意向を十分に反映できない恐れがある。消費者にとっては，①問題が発生したときに，消費者の苦情・不満のもって行き先として，責任の所在が本部と加盟店の間で不明確になる恐れがある。②本部の力が強すぎると，価格やサービス面で不利益が発生しやすくなる。フランチャイズ・チェーンの適正な発展のために，たとえば，本部が加盟店を募集する場合，そのフランチャイズの内容についての重要事項を文書をもって知らせなければならないという開示義務事項を中小小売商業振興法で定めている。また，価格維持，販売地域，仕入先の制限，表示，解約をめぐるトラブルなど，不公正な取引方法を強制したり，公正な競争を阻害する場合には，独禁法との関連で問題となる。

3　非小売系店舗：消費生活協同組合（consumer cooperative）

消費生活協同組合は，英語表示が先の小売業者主宰のコーペラティブ・

チェーンと混同されやすいが，主体と目的の点で異なっている。消費生活協同組合は，消費者の自主的な集団によって所有され，営利を目的とせず，相互扶助の精神の下に，消費者組合員の生活の擁護と質的向上をはかるために運営される。消費生活協同組合は，しばしば生協やコープと略称される。

その起源は，1844年にイギリスのロッチデイール公正開拓者組合（28名のフランネル職工によって結成）に求められるが，わが国では，1921年の神戸購買組合，灘購買組合がそのスタートといわれている。しかし，わが国において生協活動が本格的に定着したのは戦後になってからといえる。

わが国では，消費生活協同組合は，消費生活協同組合法（1948年施行）にもとづいて設立・運営される。この法律によって，非営利団体としての性格，活動の地域制限，組合員以外の利用の禁止など事業内容や運営方法が定められている。組合のタイプとしては，地域を中心とする地域生協，職域を中心とする職域生協，さらにこれらの連合会に分けられる。事業の内容としては，生活物資の供給事業の他に，医療，住宅供給，共済（保険），教育，文化，旅行，ホテル，福祉サービスなどの事業を多角的に行なっている。生活物資の供給においては，安全性や環境保全の点から生協独自の商品開発（コープ商品）や産直の展開が活発である。

生活物資の主な供給形態は，店舗供給と共同購入であるが，前者の店舗は，管轄が経済産業省ではなく厚生労働省である。生協の店舗は，流通活動に与える影響力や組合員以外の利用をめぐってしばしば政治問題化しやすいが，新たに制定された大店立地法のもとでは，営利・非営利組織を問わず店舗面積が1000平方メートルを超える場合には，生協店舗でも周辺環境への配慮が求められるようになった。また後者の共同購入では，商品の発注や配送の仕事を組合員の自主的な活動に負っているが，有職主婦の増加によって在宅率が低下し，この方式の伸び率が鈍化してきている。そのため，新たな供給ルートとして，個人宅配の方法も採用されるようになってきた。

第2節　取扱い商品からみた小売業の形態分類

取扱い商品の範囲や内容から小売業を分類すると，ある特定の商品ラインに限定した小売業から複数のラインに及ぶ総合的な小売業までさまざまなタイプがみられ，ここでは，商品構成の扱いにおいて特徴的な専門店，百貨店および総合スーパーを取り上げる。

表 9-1　商品構成の広さと深さ

専門店タイプ			
☞狭くて深い：			色　デザイン　スタイル等のアイテム
平均の深さ	商品ライン	Ⅰ	a，b，c，d，e，f，g
幅	商品ライン	Ⅱ	1，2，3，4，5，6
百貨店タイプ			
☞広くて深い：			
平均の深さ	商品ライン	Ⅰ	a，b，c，d，e，f，g，h
幅	商品ライン	Ⅱ	1，2，3，4，5，6，7
	商品ライン	Ⅲ	X1，X2，X3，X4，X5，X6
	商品ライン	Ⅳ	Y1，Y2，Y3，Y4，Y5，Y6
	商品ライン	Ⅴ	Z1，Z2，Z3，Z4，Z5
	商品ライン	Ⅵ	W1，W2，W3，W4
	商品ライン	Ⅶ	N1，N2，N3，N4
伝統的小売業タイプ			
☞狭くて浅い：			
平均の深さ	商品ライン	Ⅰ	a，b
幅	商品ライン	Ⅱ	1
スーパーマーケット／コンビニエンス・ストア・タイプ			
☞広くて浅い：			
平均の深さ	商品ライン	Ⅰ	a
幅	商品ライン	Ⅱ	1，2
	商品ライン	Ⅲ	X1
	商品ライン	Ⅳ	Y1
	商品ライン	Ⅴ	Z1，Z2

商品構成には2つの次元があり，広さ（狭いから広いまで）と深さ（浅いから深いまで）があり，それぞれの次元の程度によって，いくつかの小売業のタイプがとらえられる（表9－1参照）。

1　特定商品・特定コンセプト：専門店（specialty store）

(1)　専門店概念の変化

一般的に，専門店は，特定分野の商品ラインを扱い，そのライン内での品揃えが充実しており，それに関連して提供されるサービスも豊富である。わが国では，これまで専門店といえば，取扱い商品を限定した業種別専門店あるいは品目限定店を意味することが多かった。英語では，single line store や limited line store と呼ばれるタイプの小売業である。肉屋，果物屋，酒屋，靴屋，家具屋という，その店での扱い商品（業種）の専門性に注目して分類したものである。こうしたタイプの小売業者は，商店数の面で多数派であり，その大半は中小零細な独立小売業者によって構成されている。

しかし，形式的に，商品構成のラインを単一の分野に限定しただけで，専門店となるかというとそう簡単ではない。専門店といえる条件は，かつてとは違って，現実にはかなり変化している。専門性の追求には，提供する側の商品の素材的・技術的関連性から追求するアプローチと，消費者側のライフスタイルやニーズにもとづく購買行動の関連性からアプローチする方法がある。本来は，この両者が専門店の形成に相互に影響し合って展開されるべきものである。しかし，従来は専門店づくりがどちらかといえば，商品の素材的・技術的関連性から進められてきた。これは，生産サイドの事情を反映して，たとえばメーカーが推進してきたフル・ラインの製品構成を小売業者がそのまま受け入れ売場づくりを進め，店頭陳列するというような関係にみられる。

(2)　業態発想からの専門店づくり

近年においては，消費者ニーズの個性化・多様化の進行とともに，ある標的消費者の特定のニーズやライフスタイルに適合する商品構成――たとえば，健康，アウトドア，ガーデニングといったテーマや生活のシーンの専門性の追求から専門店づくりが考えられている。したがってこの場合は，あるテーマの専門的追求という視点から，従来の業種構成の枠を越えた複数の商品ラインを扱い，それに最寄品・買回品・専門品に限定されないさまざまなジャンルの商品やときにはサービスまでがひとつのフロアーに提示されることになる。専門性の表現方法が時代とともに変化し，より洗練された形で追求されるようになり，ターゲット・マーケティング（市場細分化）の手法などを通して，多様な試みで専門店が作られるようになってきた[7)]。

そこで，専門店の定義としては，小売業者があるテーマやコンセプト（主張・提案）の下で，誰に，何を，どのように販売するかを明確にし，そのテーマやコンセプトを実現させるために商品ラインや品揃えの専門性を追求する経営のスタイルであるといえる。ここには，販売すべき商品の専門性（業種）よりも，販売方法の専門性（業態）の追求が反映されるようになってきている。そのためこうした視点から作られた店舗をコンセプト・ショップと呼ぶ場合もある。専門店は，またいくつかの特徴的な販売方法をともなっていることが多い。その主なものは，消費者の高度な差別化欲求を満足させるための厳選された品揃え，販売員による専門的知識の提供・品質保証・アフターサービスなどの徹底したサービス，それに高級感のある場所への立地と快適な店舗空間の演出である。

一口に専門店といっても，さまざまな切り口が考えられ，そのタイプは多様である[8)]。①特定商品・品目専門店（アイテムショップ）：毛糸専門店，リボン専門店，絵本専門店，ジーンズショップ，サラダ専門店，②用途別専門店：旅行用品専門店，スキューバ・ダイビング専門店，パーティー用品専門店，③客層別専門店：ミセス向け婦人服店，子供服専門店，ベビー用品専門店，小さいサイズの店，LL サイズの店，④ブランド別専門店：メーカー系列店，DC ブランド店，⑤量販型専門店：チェーン展開をベースに車客を対象とした郊外型専門店（本部による主要商品の一括仕入，各種イベントの展開，店舗イメージの統一，低価格訴求と専門サービスのバランスをとる専門店：紳士服，婦人服，家電品，家具，呉服，書籍などで展開），⑥カテゴリー・キラー：

専門店とディスカウント・ストアを結合したタイプで，①の方向の絞込みとは逆に，独自のテーマに即した特定商品カテゴリー（ときには複数ラインに及ぶ）を拡充し，豊富な品揃えと広い商圏を確保し，セルフサービス方式で低価格販売しようとする行き方。キラーとは，対象商品カテゴリーで同業者が存続できなくなるほどの威力を発揮することから呼ばれる。ディスカウント・ストアに分類することもできる。

2　総合商品

(1)　百貨店（department store）

(a)　百貨店の発展と経営的特質

百貨店の起源は，今からおよそ170年ほど前であり，1852年パリで，衣料品商人のアリスティッド・ブーシコー（Aristide Boucicaut）によって創業されたボン・マルシェ（Bon Marché）に求められる。ボン・マルシェでは，機械によって大量生産された衣料品を，不特定多数の消費者に定価で販売した。今日では，この定価販売は珍しいことではないが，当時の商慣習からは想像できない革新的な販売方法であり，百貨店の登場によってはじめてこうした販売方法が確立したといえる。それまでは，手工業的な生産体制を背景にもっていたこともあって，生産量や品質にバラツキがあり，それに対応した売り方としては，むしろ買う人によって掛け値が違ったり，良質の商品は価格が高く，価格の安い商品は，品質も劣悪という通念が支配していたが，やがて産業革命後の機械制工業の発展によって，大量生産された品質が一定の商品を，誰に対しても同一の価格で販売するという方法が生み出された。しかもボン・マルシェでは，それと並行して，低マージン・高回転という薄利多売の販売方法を導入することで，当時の一般小売商よりも低い価格で大量販売を実現した。

米国では，既製服の大量生産が都市での百貨店の発展を可能にしたといわれる[9)]。都市の発展とともに，百貨店が成長し，都市のシンボルにまでなった大きな理由は，それまでの掛売りと顧客ごとに差別した値段によって販売する方法ではなく，店内への出入りを自由に認め，顧客に分け隔てなく対応し，すべて現金定価販売を実行することで，大衆の大きな支持を得ることができたからである。これが，大量生産された商品を大量に販売できるきわめて合理的なルートでもあった。

都市化の進む米国では，百貨店が大都市の繁華街に，都市の需要を対象に，都市の中心的な施設として形成される。1858年には，メーシー（R. H. Macy）がニューヨークに衣料品店を開き，取り扱い商品を徐々に拡大して今日のデパートメント・ストアの発展の基礎を作った。1865年には，ジョン・ワナメーカー（John Wanamaker）によって，①現金販売，②定価販売，③品質保証，④返品・返金の自由という百貨店の営業原則が提示され，近代的な営業方法として浸透する。

百貨店の発展は，ヨーロッパから米国に波及し，後に1900年代になってからは，わが国にも導入されるようになる。定価販売の導入という点では，わが国の三越の前身である，江戸の呉服商の越後屋は，すでに1673年に創業者三井高利によって「現銀掛け値なし」という呉服の定価販売を試みていたことで知られている。呉服商という専門店の分野で革新的な販売方法をきわめて早い時期に取り入れていたという点では注目できる。しかしこれだけの条件で百貨店の起源とすることには無理がある。百貨店のとらえ方には，近代的な営業方法や日本語表現の百貨（あらゆる商品の取り揃え）のほかに，英語で department store と呼ぶように，部門別管理組織を基礎においており，同一の資本の下に，さまざまな商品ラインに及ぶ無数の商品を部門別に仕入・販売するという経営管理の方法によって近代的な小売業の特徴を確立したといえる。つまり百貨店は，多数のさまざまな商品の取り扱い，近代的な営業方法それに部門別管理の３つの革新を基礎に発展してきたといえる[10)]。1904年（明治37年）になって，三越呉服店が新聞紙上にデパートメント・ストア宣言を行ない，わが国で初めて百貨店という業態を導入した。明治末期から大正にかけて，白木屋，松坂屋，高島屋，大丸など呉服商から百貨店への転換が進む。

国や時代によって百貨店のとらえ方や発展のパターンはさまざまであるが，一般に百貨店の商品構成上の特徴は，広くて深い品揃えにある。商品構成ラインが多数に及ぶだけでなく，特定の商品ライン内でも，用途やサイズなどに応じてたくさんの品揃えが行なわれている。ただし，わが国では，衣食住などの生活に関するあらゆる商品やサービスが扱われ，これまでその傾向を強めてきたが，米国では衣食住，とくに食のすべてを扱うわけではない。米国の the U.S. Bureau of the Census によるデパートメント・ストアの定義として，4つの基準をもつことを指摘している。①最低50人の従業員を雇用していること，②アパレルとソフトグッズ（非耐久財）が総売上高の最低20パーセントを占めること，③商品の品揃えには，家具，家庭用調度品，家電製品，それにラジオ・テレビ，家族向けの一般的なアパレル商品，家庭用のリンネル製品や繊維製品（dry goods）といったラインの中から幾つかの品目を扱っていること，④年間の売上高が1000万ドルに達しない場合，ある一つだけの商品部門（ライン）が売上高の80パーセント以上であってはいけない。売上高が1000万ドル以上である場合，売上高のもっとも小さい2つの商品部門（ライン）の合計が最低でも100万ドルであれば，一つのラインへのパーセンテージに制限はない[11)]。この4つの基準を満たすものには，伝統的な百貨店とフルライン・ディスカウント・ストアがある。米国では，伝統的な百貨店がディスカウント・ストアや専門店など他業態との競争により衰退しており，家具，家電製品，玩具などを排除し，不得意な売場のリース割合を高めたり，あるいはノードストローム（Nordstrom），ニーマン・マーカス（Neiman Marcus）やサックス・フィフスアベニュー（Saks Fifth Avenue）などのアパレルや装身具を中心としたリミテッド型百貨店（specialty department store），あるいは JCペニーやシアーズといった総合量販店（general merchandise store : chain department store），それにウォルマート（Wal-Mart），Kマート（Kmart），ターゲット（Target）などの総合ディスカウント・ストアも百貨店として包括的にとらえるようになっている。

わが国の場合では，経済産業省の商業統計調査において「百貨店業態」の定義として，①取扱い商品において，衣食住のそれぞれが10%以上70%未満，②従業員では50人以上，③売場面積では大型百貨店が3000平方メートル以上（都の特別区および政令指定都市は6000平方メートル以上），その他の百貨店が3000平方メートル未満（都の特別区および政令指定都市は6000平方メートル未満），④販売方法としてはセルフ方式ではなく対面販売によるものを条件に百貨店とし，他の条件は同じであっても，販売方法でセルフ方式（売場面積の50%以上でセルフサービス方式を採用している）ものを総合スーパーとして区分している。ここで，筆者なりの百貨店の定義をしておくと，同一資本の管理の下で，衣食住を中心に，さまざまな商品やサービスを総合的に取扱い，部門別組織をベースとした各売場を店舗内に展開し，対面販売と各種サービスを提供することによって，顧客にワンストップ・ショッピング（関連購買）とコンパリゾン・ショッピング（比較購買）のベネフィットを提供する大規模小売店であるととらえておこう[12]。

(b) わが国における百貨店の特質とタイプ

欧米の百貨店と比較してわが国の百貨店の特徴は，返品を前提に納入業者（メーカー・問屋）に依存した仕入方法（委託仕入・売上〈消化〉仕入）やそれに関連して納入業者からの派遣店員制を採用する例が多いことである。百貨店にとってはそれだけ仕入のリスクや人件費の負担を回避できるとはいえ，自主的なマーチャンダイジングの能力や優秀な人材の育成のチャンスを逃してきたといえる。近年になって自主マーチャンダイジングという言葉があえて使われるようになった事情もこの点の反省からともいえる。またわが国の場合，伝統的に外商活動による販売も大きなウェイトを占め，企業や官公庁などの法人外商（中元・歳暮の贈答品，制服，事務用品などの大口購入），個人顧客を対象とした家庭外商（所得の高い顧客層を対象とした高額品の販売とその固定客化）の２つのタイプが存在するが，こうした外商活動をめぐっても激しい競争が繰り広げられている[13]。

わが国における百貨店の類型としては，次のように整理できるであろう。

①　都市百貨店：６大都市（東京都の特別区，横浜市，名古屋市，京都市，

大阪市，神戸市）に本拠をおく。

ⓐ　呉服系百貨店：その源流は，江戸時代の都市の呉服商に遡ることができるが，主として1900年初頭に株式会社化し，営業形態を百貨店化して誕生した三越，高島屋，伊勢丹，そごう，大丸，松坂屋など

ⓑ　電鉄系百貨店：私鉄系ターミナル・デパート――阪急，東急，西武，東武，小田急，京王，阪神，名鉄など

ⓒ　総合スーパー系百貨店：総合スーパー系百貨店：かつては，ダイエーによるプランタン，イトーヨーカ堂（店名はイトーヨーカドー，セブン＆アイ系列）によるロビンソン，イオンによるボンベルタ（現在は成田店のみ営業）が展開されてきたが撤退している。セブン＆アイのように，そごうや西武百貨店を傘下に収める方式で展開している[14]。

②　地方百貨店：6大都市以外の都市に本拠をおく。大正期に百貨店業態を開始した山形屋（鹿児島），天満屋（岡山）などの伝統的な百貨店があるが，丸井今井（北海道：現在・三越伊勢丹HDの子会社），藤崎（宮城），丸広百貨店（埼玉），岡島（山梨），大和（石川），福屋（広島），井筒屋（福岡），岩田屋（福岡：現在・三越伊勢丹HDの子会社），鶴屋（熊本），トキハ（大分）など。地方百貨店は，都市の大規模小売企業系列との関係において以下のように整理できる。

ⓐ　独立系：自主独立路線を守る行き方

ⓑ　都市百貨店系列：とくに，呉服系・電鉄系の百貨店系列に加盟する行き方

ⓒ　総合スーパー系列に加盟する行き方

③　クレジット百貨店（月賦百貨店）：わが国独特の業態であり，その特徴として，ⓐ百貨店業態の中で，月賦販売比率が50％以上を占めること，ⓑ販売対象がさまざまな生活用品に及ぶこと，ⓒ月賦販売に必要な総資金はすべて自己資金で賄うこと，ⓓ店頭販売による割賦であること，ⓔ割賦販売の顧客を自己の責任で選別していること，が指摘できる[15]。その代表が丸井といえる。丸井は，「月賦」からクレジットへのイメー

ジ・チェンジをはたし，若者層を中心にした赤いカードの発行（現在はエポスカード）とファッションのイメージによって，独自の業態を作り出した。

④　専門百貨店：取扱い商品を絞り込んで，高級化志向を進め，とくに輸入品，ファッション衣料，家具，インテリアなどに特化している。この専門百貨店が作られる状況としては，当初から専門店ビルとして展開される場合と，従来の百貨店の業態変更として行なわれる場合などがある。

とくに，これまでわが国の百貨店は，衣食住を中心に，消費者の生活の豊かさの高まりとともに遊（娯楽），知（文化教養），美（芸術），動（健康スポーツ），祭（冠婚葬祭），好（趣味）などに関連したさまざまな商品やサービスを総合的に取扱い，消費者に新しいライフスタイルを提案し，消費の楽しみを刺激してきた。将来，百貨店がどのような形態をとるにせよ，消費者に新しいライフスタイルを提案し，消費の楽しみを刺激し続けることは重要であり，効率的なオペレーションと顧客サービスの向上をバランスさせるために，自らのコア・コンピタンス（中核能力）を明確に打ち出し，新しい流通イノベーションへの挑戦と競合他社との連携や合併によって，商業集積の形成を促進する役割を担うことで再生をはかることが求められている。

(2)　総合スーパー・GMS（General Merchandise Store）

(a)　総合スーパー・GMSの発展

総合スーパーという言葉はわが国独特の表現である。具体的には，ダイエー，イトーヨーカ堂，イオン，ユニーのような，いわゆるスーパー（これも和製英語である）が取扱い商品を総合化することによって発展してきた大規模小売企業のことである。量販店もしくはGMSという呼び方をすることもある。わが国において，総合スーパーの発展は，本来の意味でいう食料品中心のスーパーマーケットから進められたというよりも，セルフサービス方式を衣料品小売業（これはわが国ではスーパーストアと呼んだこともある）や医薬品・雑貨小売業（むしろディスカウンターと呼ぶべき性格をもっていた）

に導入し，取扱い商品の多様化・多店舗化・店舗の大型化を急速に進めて，総合スーパーとしての業態を生み出してきた歴史がある。これは，米国の影響を受けながら，わが国の小売業経営者が戦後に，米国ですでに発展していたチェーン・ストア，スーパーマーケット，戦後登場してきたディスカウント・ストア，さらにはGMSなどのコンセプトや業態運営のノウハウを同時集中的に導入したことにもよっている。いわば，米国ではそれぞれ段階的に発展してきた各々の業態が，わが国では小売企業に混在的に，わが国の状況にあわせて選別的に組み入れられていったといえよう。GMSの商品構成上の位置としては，スーパーマーケットと百貨店の中間に位置しているともいえる。その取扱い範囲も，食料品から衣料品，日用雑貨のほとんどすべてに及び，さらには耐久消費財やスポーツ・文化教室などの各種サービスの提供などに拡張され，品目数でも10万点以上を品揃えしている。このようにスーパー企業は品揃えを総合化し，店舗をチェーン化し，店舗規模の大型化を進めた結果，その取扱い商品構成や社会的影響力において，百貨店に並ぶまでになり，とくに地方百貨店との競合が激化するようになった。また売上高の規模でも，先に例示した総合スーパーは，多数のチェーン・ストア展開を武器に都市百貨店の売上高を凌駕している。

(b)　総合スーパー・GMSの経営的特徴

総合スーパーの発展において，取扱い商品の総合化は，スクランブルド・マーチャンダイジング（scrambled merchandising）によって進められてきた。スクランブルド・マーチャンダイジングは小売業の商品構成において本来の商品ラインと関連のない商品やサービスを追加していくことで，商品ラインや品揃え構成の多様化を実現しようとすることである。このねらいには，全体的に売上の増加を期待できる，粗利益率の高い商品やサービスの追加をはかる，消費者の来店頻度を高めワンストップ・ショッピングの要求に対応できる，異なった標的市場に到達できる，さらには季節性や競争の直接的影響を削減できるなどが指摘されている[16)]。その反面，長期的な方針のない，場当たり的な商品ラインの拡張や多様化は，店の主張や売場構成を煩雑にし，とくに商品の取り扱いに十分なノウハウが確立されていない場合には，売れ残りのリスク負担を大きくし，コスト増を生むことになる。

ところで，わが国の総合スーパーは米国の GMS をモデルにしてきたといわれる。米国でのGMS の代表的な小売企業は，シアーズ，JCペニー，かつてのモンゴメリーワード（Montgomery Ward＝2001年経営不振により会社清算）であり，これらの発展の仕方はわが国の総合スーパーとはかなり異なっている。とくに大きく異なる点は，わが国の総合スーパーと比較して，食料品の取り扱いがないこと，PB の比率が非常に高いことである。そこで，米国の GMS の特徴を列挙してみると次のようにいえる。

① 衣住にかかわる買回品を中心として多品種大量販売を展開している。

② セントラル・バイイング・システムを基本に，チェーン・ストア・オペレーションとマス・マーチャンダイジングを進めてきた。

③ 百貨店との差としては，セルフサービス方式のウエイトが高く，PB によって品揃えを充実させている。

④ 取扱い商品のグレードは，量産品・大衆品を中価格帯を中心に提供し，セルフ・サービス方式，カタログ販売（シアーズはカタログ事業から撤退），ディスカウント販売，PB 商品の開発，クレジット販売など販売方法の総合化をはかってきた。

米国では，このようなGMS はデパートメントストア（百貨店）として扱われており，伝統的なデパートメントストアとこれまで GMS と呼ばれてきた業態には厳密な区分を設定していない。むしろ，品揃えや価格帯のレベルで，ファッション性，高級な品揃え，手厚い顧客サービスなどの点から，総合商品小売業をポジショニングしており，高級路線としてニーマンマーカス（Neiman Marcus），ブルーミングデール（Bloomingdale's：Macy'sの系列企業），ノードストローム（Nordstrom），サックスフェフスアベニュー（Saks Fifth Avenue）が分類され，その中間の価格帯とサービスのランクにメーシーズ（Macy's）や ディラード（Dillards）が分類され，最後により価格意識の高い消費者に焦点を合わせたバリュー志向の小売業としてシアーズ

(Sears)，ＪＣペニー（JC Penny）それにコールズ（Kohl's）が分類されている。米国での所得格差の拡大を背景とした中間所得層人口の減少は，GMSの成長を阻止するように働き，ウォルマート（Wal-Mart）やターゲット（Target）のようなフルラインのディスカウントストアの攻撃やショッピングモールに出店している専門店との競争に直面し苦戦が続いている[17]。そのためシアーズのような企業は，伝統的なデパートメントストアを目指しているのか，フルラインのディスカウントストアを目指しているのか，顧客にとってイメージの混乱を与えている。こうした状況はGMSを目指してきた日本の総合スーパーでも類似した状況に直面し，業態としての魅力が低下しポジショニングが曖昧となっており消費者の総合スーパー離れが続いており，不採算店の閉鎖や専門店売場の導入など模索が行なわれている。

注

1) この問題を考える上では，中小の独立小売業者の存立を家族の役割に注目し社会学的視点から分析した研究として，石井淳蔵著『商人家族と市場社会』有斐閣，1996年が有益である。
2) 佐藤肇著『流通産業革命』有斐閣選書，1971年，第4章。K. L. Bryant, Jr. and H. C. Dethloff, *A History of American Business*, Prentice-Hall, 1983, pp. 322-329. および G. M. Lebhar, *Chain Stores in America 1859～1962*, Chain Store Publishing Corporation, 1963（倉本初夫訳『チェーンストア』商業界，1971年，pp. 18-19).
3) 田島義博編『フランチャイズ・チェーンの知識』日本経済新聞社，1983年，p. 19。
4) この点の歴史的展開については，小原博著『マーケティング生成史論』税務経理協会，1987年，pp. 89-94に詳しい。
5) R. F. Hartly, *Marketing Fundamentals*, Harper & Row, 1983, pp. 336-338. および岸田弘著『フランチャイズ・システムの基礎知識』外食産業総合調査研究センター，1986年，pp. 28-29。
6) この点の詳細は，流通システム開発センター編『改訂　フランチャイズ・システム：運営・加盟の手引き』，1985年，pp. 11-17を参照されたい。
7) 三浦功「専門店のサバイバル戦略」久保村隆祐・流通問題研究協会編『21世紀の流通』日本経済新聞社，1987年，pp. 163-176。

8) 同上書。中村孝士著『専門店の理論と政策』東洋経済新報社，1977年。および久保村隆祐・荒川祐吉編『商業用語辞典』同文舘出版，1986年，p. 178。

9) とくに，1834年に考案された本縫いミシンの普及が，衣料品の大量生産に大きな役割を果たしたといわれる。流通経済研究所『アメリカ流通概要：資料集』，1990年，p. 53。

10) 佐藤肇著，前掲書，pp. 28-40。および同著『日本の流通機構』有斐閣大学選書，1974年，pp. 54-57，69-72。なお日本の呉服商の場合，江戸時代に典型的に見られた暖簾と看板それに座売りという販売方式から，明治時代に入って陳列販売とショーウインドーの利用という形で近代的な営業方法を発展させる。このことは，それまで店の奥にあった商品が店の外部を行き交う多くの消費者の目にさらされ，また店内で消費者が直接手にとって触って品質などを確かめられる販売方法に進化し，日本における百貨店の成立にも貢献した。この点は，高柳美香著『ショーウインドー物語』勁草書房，1994年に詳しい。

11) B. Berman and J. R. Evans, *Retail Management: A Strategic Approach*, 7th ed., Prentice Hall, 1998, pp. 148-149.

12) 田口冬樹「百貨店」宮澤永光監修『基本流通用語辞典』白桃書房，1999年，p. 242。および田口冬樹「百貨店」出牛正芳編著『基本マーケティング用語辞典』〔新版〕白桃書房，2004年，p. 174。

13) 宮下正房著『日本の商業流通』中央経済社，1989年，pp. 100-106。

14) 百貨店業界では，2000年に入って業界再編が活発化し，経営統合による生き残り策が模索されてきた。その結果，03年そごう・西武（ミレニアムリテイリング⇒2006年セブン&アイが（株）そごう・西武を傘下に収め，2009年にはロビンソンをそごう・西武に吸収させた），07年9月大丸・松坂屋（Ｊフロントリテイリング），07年10月阪急・阪神（H_2Oリテイリング），08年三越・伊勢丹ホールディングスが誕生している。

15) 見崎好昭「現代の小売機構」山崎吉雄編著『商業総論』税務経理協会，1982年，pp. 101-103。および田口冬樹「クレジット百貨店」宮澤永光監修，前掲辞典，p. 66に詳しい。

16) B. Berman and J. R. Evans, *op. cit.*, pp. 135-136.

17) M. Levy, B. A. Weitz and D. Grewal, *Retailing Management*, McGraw-Hill, 2014, pp. 48-49. B. Berman and J. R. Evans, *Retail Management : A Strategic Approach*, Pearson, 2013, pp. 125-128.

第10章 価格，人的サービスおよび複合経営による分類

第1節　価格からみた小売業の形態分類

小売業にとって価格は，仕入と販売にかかった費用を回収し，利益を創出する重要な手段であり，ときとして消費者の購買を刺激する即効的な手段となったり，他の小売業者との関係では相手の価格戦略や戦術を予測しながら価格を競争手段として利用することが少なくない。価格のもつ効果は，このほかにも品質や付随するサービスの程度を反映して，価格の設定水準によって商品イメージが左右されるという心理的な要素も含んでいる。ここでは，価格の設定水準によって，小売業の形態を高価格店と低価格店という２つの類型に分け，その種類を分類してみよう。

1　高価格店：高級専門店（prestige store）／百貨店

これは，恒常的に高価格志向であり，提供する商品の品質，付随するサービスの内容，立地条件，店舗施設などの点で，他店の追随を許さない独自性や高級感をもっており，そのことによって社会的なプレステージ（名声・威信）や消費者からの愛顧を獲得している小売業であり，その代表が都心部に立地する高級専門店や百貨店である。わが国では，近年，都心立地の専門店や百貨店の中に，高級ブランド志向や高資産所有層の出現を背景に，高級化路線を追求するようになってきているところもある。すでに，商品からみた小売業のところで，専門店や百貨店についてふれてあるので，ここでは高価

格店の経営上の特徴を述べておこう。

まず，一般に高価格店の経営上の特徴には，商品に対する高い粗利益率の設定，素材の厳選，生産数量の限定，生産・加工の高度化，デザイナーズ・ブランド，専門販売員の積極的な役割，店舗内外の雰囲気づくり，徹底したアフターサービスなどが重要な要素となっている。そこで，これらの要素を踏まえて，高価格を持続的に維持するうえでの政策を検討してみよう。

⑴ 高品質：素材を吟味し，製造技術の丁寧さや独特の製法などを特徴とすることによって，品質の確かさを消費者に訴求する。自動化，マスプロ化が進むほど，また量産品を扱うスーパーやディスカウント・ストアが増えるほど，自然の素材，手作りの良さ，限定生産品をもつことの優越感や虚栄心，モノの文化を売る店が高く評価されるようになる[1)]。

⑵ 徹底した対面販売：販売員による商品の専門的な知識や情報の提供を通じて，顧客の疑問に的確なアドバイスができることで，顧客と販売員とのコミュニケーションを密にし，個々の顧客の好みや要求を十分に理解したうえでのプロモーションやプレゼンテーションを展開する。たとえば，ハウスマヌカンあるいはカリスマ販売員の場合は店の商品を身につけてプロモーション活動をしながら販売活動に携わる。また購買後の顧客の相談やアフターサービスにも適切に対処できる態勢を確立し，顧客との信頼関係を確立しておく。このためには，優良顧客の開拓，顧客管理や従業員教育が重視される。

⑶ 先端的なファッション：これまでも，高価格店では，有名デザイナーのブランド品やその店が入念に開発したオリジナル・ブランド（プライベート・ブランド）を提供することで，モノとしての商品だけでなく，先端的なファッションの提供を通じて，顧客の差別化欲求を満たしてきた。高価格店の展開では，商品や売場をハードな視点からだけでなく，ファッションを演出し，情報として提供するためのメディアとしてとらえ，活用する視点が必要である。デザイナーの個性や独創性，その店の主張をひとつのファッションとして商品や店舗に織り込み，絶えず顧客の感性に訴えながら，時代の先

取り感や高質なイメージを演出する。

⑷　希少性：高価格維持には，生産（製造）の場合でも，販売の場合でも，量の限定が条件となる。限定生産や限定販売は，顧客の欲望のボルテージを高め，逆に人気を作り出すのに役立っている。したがって，店舗数も地理的に限定した出店とすることが多い。むしろ店舗の立地条件については，交通の便がよく，潜在顧客が多く通行しそうなハイセンスなショッピング街，高級ホテル，都市百貨店のテナント，ショッピング・センター内への出店などが一般的である[2)]。

2　低価格店：ディスカウント・ストアなど

小売業の価格政策において，一時的にバーゲンセールや割引価格を取り入れるというのではなく，常時ディスカウント（everyday low price : EDLP）を志向し，低価格をその店の特徴として打ち出しているタイプの小売業であり，いくつかの種類に細分される。今日，米国最大そして世界最大の売上高をもつ小売企業は，このディスカウント・ストア業態によるウォルマート（Wal-Mart）であることも注目してよい。

⑴　ディスカウント・ストア（discount store＝DS）

スーパーマーケットが食料品の低価格・大量販売を実現した小売形態であるのに対して，ディスカウント・ストアは，非食品の分野から，とくにハードグッズ（hard goods : 家電品，家具など）の低価格・大量販売としてスタートしたところに特徴がある。ディスカウント・ストアの先駆者としては，米国において，ルーマニアから移民してきたユージン・ファカウフ（Eugene Ferkauf）がおり，彼が1948年にニューヨークのマンハッタンに，旅行鞄のディスカウント販売のための店，E. J. コーベット（Korvette）を展開したのが知られている[3)]。彼は，この成功によって，次第に品揃えを拡大し，家電製品やさらには衣料品へと商品構成を総合化していった。当時はディスカウント・ハウスとも呼ばれていた。ディスカウント・ストアは，郊外出店によって本格的な展開を実現する。そこでは，郊外生活者の利便性を考慮した広大な駐車場，米国の百貨店でも扱わなかった食料品の品揃えを含めた総合化，インフレに悩む郊外生活者にワンストップ・ショッピングと低価格の効果を積極的に提供するなどの挑戦を果たした。

米国では，ディスカウント・ストアの成功が認識されるにつれて，既存のチェーン・ストアや百貨店の多くがこの分野に新規事業として参入するようになった。たとえば，バラエティ・ストアのウールワース（Woolworth）はウールコ（Woolco）というディスカウント・ストアを開設した。同じくバラエティ・ストアのクレスゲ（Kresge）は，売上高の減少に直面していたが，1962年に業態をディスカウント・ストアへ全面転換し，店名をKマート（K mart）という名称に変えることによって急速に成長し，1977年にはJCペニーの売上高を追い抜いて全米第2位の売上高を達成するまでになった。ディスカウント・ストアは，地価が安い，人口増加率の高い，しかもより大きな可処分所得を有する家族が移転してくる郊外に出店を断行した。ショッピング・センターへのキー・テナントとして郊外出店を果たしていた百貨店の場合は，都心部と違い，必ずしも伝統的な地下のバーゲン売場（bargain basements）を併設しておらず，そこにディスカウンターの活躍できる大きなスキマを生み出していたといえる[4)]。しかしその一方では競争の激化によって，倒産するディスカウント・ストアも出現し，またより多くの顧客を引き付けようとするディスカウント・ストアは店内装飾への投資やクレジットの承認，配達など各種サービスの追加によって次第に販売価格の上昇を生み出すようになり，他の小売業のディスカウント政策の採用や異なったタイプのディスカウント・ストアに参入の余地を与えている。

⑵　ウエアハウス・ストア（warehouse store）

他のタイプのディスカウント・ストアとしては，倉庫型店舗とでも訳されるものが存在する。これは，土地や店舗（あるいはテナント料）への投資をできる限り抑え，倉庫や倉庫のような形をした簡素な店舗に，商品を直送された段ボールごとの状態のままで陳列し，サービスへの配慮を省略した形で，低価格・大量販売を実現しようとするものである。これらは，取扱い商品や販売方法の特徴から，①ゼネラル・マーチャンダイズ・ウエアハウスもしくはハイパー・マーケット，②家具のウエアハウス，③ボックス・ストアもしくはフード・ウエアハウス，④カタログ・ショールーム，⑤ホールセール・クラブ（ウエアハウス・クラブ）などが発展している。

ボックス・ストアもしくはフード・ウエアハウスは，食料品の低価格販売であるが，スーパーマーケットのように食料品の総合的な品揃えではなく，とくにボックス・ストアでは品目限定（加工食品に限定）した低価格販売である。もともとボックス・ストアは，ドイツのアルディ（Aldi）によって開発された店舗形態であり，1970年代半ばに米国に波及し，米国経由でわが国にも採用され（ダイエー系のビッグエー），ノンフリル・ストアとも呼ばれる。顧客が自分で袋や袋詰め作業を負担し，セルフサービスをより徹底することでも低価格を訴求した。欧州では景気低迷を背景に，成長を続けているが，米国ではボックス・ストアよりも食品の取扱い範囲を拡大し，ナショナルブランドを中心に農産物を含む複数の食料品部門によってワンストップ・ショッピングを実現しようとし，スーパーマーケットよりも低価格を強調したウエアハウス・ストア，とくに50000から65000平方フィートクラスのスーパーウエアハウスといわれるタイプが高い成長を示している5)。

(3) オフプライス・ストア（off-price store），アウトレット・ストア（outlet store）

有名ブランド品を低価格販売する小売業である。これには，デザイナー・ブランドの衣料品，アクセサリー，履物類，化粧品，家庭用品などが対象になる。オフプライス・ストアでは，特定の有名ブランド品が継続的に仕入られるというよりも，そのつど発生する取引に応じて断続的に品揃えされる。メーカーもオフプライス・ストアを必要とする理由として，見本商品，売れ行きの悪い商品（発売後3～4週間でわかる），注文がキャンセルされた商品，シーズン末の売れ残り品，生産過剰品などを素早く処分でき，換金できるルートとして利用している。ここでも，簡素な店舗やサービスの制限が貫かれている。また最近では，メーカーが自社の製品在庫を処分するためファクトリー・アウトレット（factory outlet）を所有・運営しており，メーカーが製造過程で生み出した規格はずれの製品，過剰生産品，小売などから返品されたものを自らの収益改善，チャネル衝突回避（自らのコントロールにおいて，正規の価格で販売する場所とは離れたところにアウトレット・ストアを立地することで，直接的なブランド内の価格競争を避ける），それにPBへの対抗のねらいから採用するようになった。さらに，百貨店や専門店など小売企業も，シーズン中売れ残った商品，有名ブランド品あるいはPB商品を処分するため低価格販売によるリテール・アウトレット・ストアを所有・運営している。メーカーであれ小売企業であれ，こうしたアウトレット・ストアはモールに入ることで，共同広告の採用などを含め顧客吸引の効果を高めようとしている。米国では，このところオフプライス・ストアがアウトレット・モールに入居していることからみても，両者の境界が次第に不鮮明になっているし，アウトレット・モールも顧客に快適な買物をしてもらうため，単純なブランド品の低価格販売にとどまっていない。

(4) 均一価格店（single price store, variety store, dollar stores），100円ショップ，ダラー・ストア

バラエティ・ストアもしくはシングルプライス・リテーラーとも呼ばれ，さまざまな種類の商品に安価な均一価格を設定し販売する小売業である。かつて，米国ではWoolworthによってバラエティ・ストアが5セント，10セントの均一価格で展開されたことがあり，日本でも戦前に高島屋が均一価格によるチェーン・ストアを展開したことがあった。一時この小売業態は衰退傾向にあったが，近年では不況や海外商品調達の容易性を背景に，こうした価格設定の店舗展開が100円ショップやダラー・ストアとして日米でもブームになっており，大型小売店やショッピング・センターの中にテナントとして出店するまでになっている。取扱い商品も家庭用品・日用雑貨が多く，最近では食料品さらには衣料品にまで広がっている。顧客の予算からみるとそれほど負担を感じさせず，あったらよい程度の軽い気持ちでの衝動買いを誘い，店にとってはいかに商品回転率を良くするかが課題である。

3　持続的な低価格販売を可能とする条件

(1)　わが国でのディスカウント・ストアの発展

わが国では，ディスカウント・ストアの発展は，1950～60年にかけて，最寄品の分野でみられ，むしろスーパーマーケットの発展とオーバーラップする部分が多かったといえる。1960～70年にかけては，耐久消費財メーカーの量産体制のいっそうの発展を背景に，過剰供給体制が慢性化し，買回品や専門品の分野（メガネ，カメラ，時計，紳士服，ゴルフ用品，スキー，釣具，家具など）にディスカウント・ストアが出現する。1970―80年代には，オイル・ショックや円高を背景に，しだいに総合的なディスカウント・ストアの発展がみられるようになった。ここでも示されたように，ディスカウント・ストアの発展のパターンとしては，専門化の方向と総合化の方向の２つが観察できる。専門化の方向では，すでに東京の秋葉原や大阪の日本橋にみられるように，家庭電気製品の低価格販売のための商店街が発展しており，東京・神田の小川町にはスポーツ用品を中心としたディスカウント・ストア群が形成され，同じく東京・新宿や池袋には，カメラ，時計，宝飾品などを中心としたディスカウント・ストアが集中的に発展してきた。専門化は，このように特定の商品系列や品揃えを中心に，低マージン・高回転で，低価格販売を実現する。これに対して，商品構成を次第に総合化していく方向が第１次オイル・ショック以降に出現する。神奈川県を中心としたダイクマ（イトーヨーカ堂からヤマダ電機へ売却され，2013年にはヤマダ電機に吸収合併された），ボウリング場からディスカウント・ストアへ転換したロヂャース（北辰商事），ダイクマの元従業員が創設したアイワールド（2014年10月で全店舗閉店），宝探しを店のコンセプトにして圧縮陳列と深夜までの営業を特徴に首都圏を中心に出店を行なっているドン・キホーテなどがある。

わが国では，すでに述べてきたようなウエアハウス・ストアやアウトレット・ストアなどの新しいディスカウント・ストアのタイプがまだ本格的に発展しているわけではないが，近年の輸入品の増加，不況それにIT革命とともに，小売業以外の異業種分野からの参入も登場しており，ディスカウントのさまざまな発展のルートが形成され，ディスカウントをめぐる多様な小売形態の出現と展開の機会を高めている。

⑵ 小売業における低コスト経営の条件

ここでは，低価格販売を一時的にではなく，継続的に実現できる条件をいくつかの側面からまとめておこう。小売業が，持続的なディスカウント販売を行なうためには，こうした条件のいくつかの実行が不可欠となる。

⒜ 店舗立地

① できるだけ，地価や賃貸料の安い郊外立地で，土地や店舗設備への資金負担を節約する。

② ウエアハウス・スタイル（倉庫型）の店舗で，店の内装・外装に金をかけない（使用済みの工場，ボーリング場の有効利用，既存の倉庫をそのまま店舗とするなど）。

③ 多店舗展開において標準店舗開発による建設コストの引き下げ。

⒝ 仕入ルート

①「国内ルートの場合」

ⓐ 大量集中仕入：仕入量のスケール・メリットの追求や数量割引の効果を活用。

ⓑ 現金支払いや支払い期間の短縮：手形支払いが業界の一般的な支払い慣行の中において，現金払いによる現金割引や支払い期間の短縮による早期決済割引の恩典を受ける。

ⓒ 完全買取制の採用：仕入に伴うリスク負担を行なうリスク・マーチャンダイジングの徹底により，仕入先からの納入価格の引下げをはかる。

ⓓ 直接仕入：生産者（メーカー）と小売業者との直接仕入，食品分野での産地直送の実現によって，中間マージンを排除したり，仕入の期間・時間を短縮し，商品の鮮度を維持できる。ディスカウント・ストアはその成長によって，ますます継続的で安定的な仕入や品揃えが求められているが，メーカーや生産者がディスカウント・ストアの大量販売力と低価格にどのような態度をとるかが鍵となる。

ⓔ　メーカーの過剰生産・過剰在庫にもとづいて生まれる商品の仕入や規格外れ品・倒産品・質流れ品などの仕入：正規の流通ルートではなく，換金のための別ルートであり，メーカーや卸売業者の段階で，需要の予測違いや押し込み販売によって，不定期的ではあるが，現金問屋／バッタ・ルートが出現する。

ⓕ　メーカーによるディスカウント用商品の開発：ブランド・メーカーといえども，今日では，その販売力・購買力という点で，ディスカウント・ストアや量販店ルートの存在を無視することができず，量販店向けの販売会社の設置や低価格販売を前提にした普及品の開発に乗り出している。

②　「海外ルートの場合」

ⓐ　並行輸入：輸入総代理店契約を締結している者以外の第三者が，輸入総代理店制度の対象になっている輸入品を，その輸入総代理店を通さずに，原産国や第三国の販売店などを通して直接購入しようとする方法を活用する。輸入総代理店制度の対象となっている商品は，通常，有名ブランド・メーカーの商品がほとんどであり，ブランド・イメージの維持のために，取扱いルートを限定したり，高価格政策がとられていることが多い。海外のブランド・メーカーや輸入総代理店は，為替変動を反映する形でブランド品の価格を弾力的に設定しようとしない。並行輸入はこの間隙をつく形で，別ルートで安く仕入れ，低価格販売をアピールしようとする方法である。大手の小売業者の場合は，自らが並行輸入業者となることも多い。わが国では円高を背景に急速にこのルートが注目されるようになった（図10-1参照）[6]。

ⓑ　開発輸入：メーカーや流通業者などが直接現地（生産国）に赴き，日本向けに商品を企画し（日本側の仕様書発注によって），資金援助や生産技術の指導などを行ない，その商品を直接輸入し販売する方法を活用する。開発輸入は，もともと小売業においては粗利益を向上する手段として，安価な労働力や原材料の確保を活用して低価格商品の開

図 10-1　輸入総代理店と並行輸入のルート

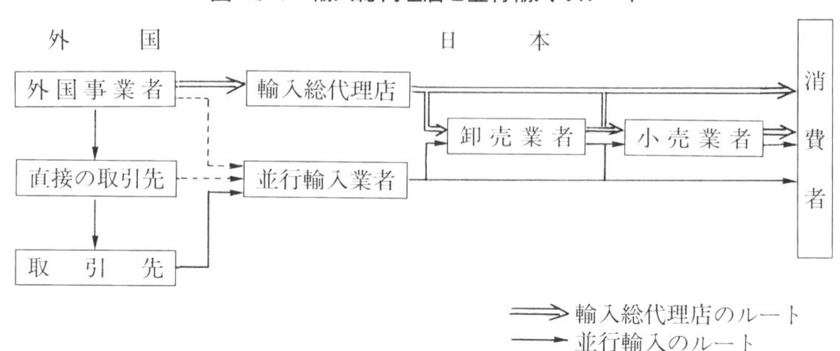

発をめざし，海外にその生産と仕入の基地を求めたのがはじまりである。それが円高の進行によって，開発輸入への勢いが一段と加速されてきた。一方，国内の消費者ニーズの個性化・多様化・短サイクル化は，企業サイドにそれだけきめ細かい商品開発を要求するようになっており，商品の価格以外の要素，たとえば，品質，耐久性，デザイン，機能，使い勝手などが消費者にとって商品購買の際の有力な決定要因となっている。単に低価格だけでは，日本の消費者には受け入れられない。開発輸入はこの価格要素と非価格要素を適切に組み合わせ，日本の消費者に適合する仕様書によって商品開発をめざし，海外生産が行なわれるタイプを追求している。為替の変動に左右されるとはいえ，今後，わが国の流通企業が国境を越えて世界のベストソースから長期的・グローバルな視点で商品調達を行なう機会が増加していくことが予想できる[7]。

ⓒ　その他の海外仕入ルート：㋑逆輸入―わが国のメーカーが，海外工場で生産した商品を国内にもち込み販売する方法の活用。そうした商品が国内に比べて製造コストが安い場合，もしくは国内にない海外仕様（車でいえば左ハンドルや日本で生産していない車種）ということで差別化効果がある。㋺再輸入――一度日本から輸出して海外で販売されている商品を，日本の企業などが現地で購入し，再び日本へ輸入する

方法を活用する。これも逆輸入と呼ばれることがあるが，円の急激な上昇は，海外に輸出したものを再輸入しても，国内の販売価格よりもまだ安く販売できることを実証した。このような内外価格差の発生は，メーカーによる国内の高価格維持政策の存在（輸出価格と対比して），円高差益の業者間吸収（消費者にはあまり還元されない），政府規制（産業保護政策の存在）などわが国の流通の閉鎖性がもたらした結果ともいえる。㈧個人輸入―消費者がカタログやインターネットなどの通信販売を利用して，海外から直接もしくは代行店を通して海外の商品を購入する場合に，小売業者が商品情報の提供，輸入代行やコンサルティング・セールス業務の遂行という形で関与する。

(c)　販売方法

①　セルフサービス方式の採用：少数の販売員で大規模な売場面積をカバーする。また顧客自身に商品を選択させるセルフサービスは，衝動買いを誘発しやすい。

②　パート，アルバイト労働力の活用：前述のセルフサービス方式の採用でもいえることだが，この場合にも人件費の節約に役立つ。

③　サービスの廃止もしくは限定：クレジット，包装，配達などのサービスをできるだけ抑える。

④　広告・販売促進活動の廃止もしくは制限。

⑤　無在庫もしくは在庫保持の最少化。

⑥　薄利多売の価格設定：低マージン・高回転によって，小売企業のトータルな経営システムの立場から効率経営に取り組む。

(d)　物流および情報システム

顧客や商品に関する精度の高い情報を集め活用し，顧客ニーズに対応した商品提案を行なうことで売れ筋を中心に品揃えし，しかも効率的な物流体制を実現することにより，過剰な生産や仕入を防ぐことができ，ローコストオペレーションを通して販売価格の引き下げと高いマージンが期待できる。

第2節　人的サービスからみた小売業の形態分類

小売業では，販売員が重要な役割を演じており，これまでしばしば労働集約的な産業のひとつに数えられてきた。伝統的小売業ほど労働の集約度は高いといえるが，この人的労働の程度と小売業との関連で小売業の形態を整理することもできる。ここでは，人的要素をサービスとみなすことによって，小売業ではサービスの程度に応じてさまざまなタイプのものが登場している。つまり消費者がさまざまな人的サービスを要求し，また商品によってはいろいろな関連サービスを必要とすることから，現実には多様なサービス水準をもつ小売業の形態が発展している。

今これを，人的サービスの程度によって，対面販売を内容としたフルサービスから，そのウエイトをほとんど排除したセルフサービスに至るプロセスで表わし，それに対応した小売業の形態を組み合わせると表10-1のようになる。

1　フルサービス（full service）／対面販売（counter selling）小売業

これは，店員が顧客に対面して商品を提示したり説明しながら販売する方法であり，一般小売業，専門店，百貨店で主として採用されている（表10-1参照）。この方法は，主に高額品を販売する場合，商品の特性，使用法や効果など専門的な説明を加え，顧客の疑問に的確に答えながらまた購買心理状態に即して販売するのに適している。専門品や買回品，値のはる新製品などが対象となる。また低額品や最寄品の場合でも，量り売り（計量），直しや調整，据え付けなどの流通加工を必要とする商品の場合にも，この方法が求められる。フルサービスの場合は，販売員が顧客の望む商品を，取り揃え，捜し出し，説明し，決済し，包装し，引き渡し，場合によってはさらに配達や据え付けまでを責任をもって担当する。そこで，販売員によるサービスの役割が大きいぶんコストの占める割合が高くなる。この方法は，小売業で

表 10-1　顧客サービス量にもとづく小売業の分類

サービスの減少 ←→ サービスの増加

	セルフサービス	セルフ・セレクション	限定サービス	フルサービス
特性	ほとんどサービスがない 価格訴求 主要商品 最寄品	制約されたサービス 価格訴求 主要商品 最寄品	少ない種類のサービス 買回品	多種類のサービス ファッション商品 専門品
実例	ウエアハウス小売業 グローサリー・ストア ディスカウント・ストア バラエティ・ストア 通信販売小売業 自動販売機	ディスカウント・ストア バラエティ・ストア 通信販売	訪問販売 百貨店 電話による販売 バラエティ・ストア	専門店 百貨店

（出所） P. Kotler, *Marketing Essentials*, Prentice-Hall, 1984（宮澤永光・十合晄・浦郷義郎共訳『マーケティング・エッセンシャルズ』東海大学出版会，1986年，p. 358）.

は，伝統的には一般小売業，専門店，百貨店で利用されてきたが，近年では，むしろ人件費の高騰などによって，この方法の利用は減少してきているといえる。

むしろ百貨店や専門店の一部では，バーゲン商品売場，生鮮食料品売場などに消費者の自由な選択によるセルフ・セレクションやセルフサービス方式を導入する傾向も目立っている。セルフ・セレクションや限定サービスは，顧客が商品を自由に選択でき，売場ごとに代金を支払うシステムを意味している。セルフサービスは，さらにそれを拡張し，さまざまな売場にある商品を顧客が選択し，1カ所の集中チェックアウト・カウンターまで顧客自らが商品を運ぶ形態といえる。

それとは逆に，スーパーやディスカウント・ストアでは，生鮮食料品，名産品コーナー，耐久消費財，ファッション商品，化粧品，メガネ，貴金属などの売場（インストア形式）に対面販売を中心とするフルサービスを採用しており，それぞれの小売形態間に相互浸透現象が生じている。

2　セルフサービス（self-service）小売業

セルフサービス方式を採用する小売形態には，スーパーマーケット，コンビニエンス・ストア，コンビネーション・ストア，スーパー・ストア，スーパーセンター，ハイパー・マーケットなどがある。

(1)　スーパーマーケット（supermarket）

(a)　スーパーマーケットの発展と経営的特徴

スーパーマーケットは，食料品をセルフサービス方式によって低価格・大量販売する大型小売業として1930年に登場した。スーパーマーケットの登場には，それまでに発展してきた販売技術が貢献している。そのひとつが，1912年にジョン・ハートフォード（John Hartford）によってはじめられたA＆Pでのキャッシュ・アンド・キャリー（現金持ち帰り）方式の採用であり，もうひとつは1916年にメンフィスの食料品小売業者であるクラレンス・サンダース（Clarence Saunders）が，彼のピグリー・ウィグリー（Piggly Wiggly）ストアで考案したセルフサービス方式，チェックアウト・カウンター，顧客用回転ドアなどによって構成された店舗運営技術である。この２つの技術を結合し，スーパーマーケットの原型を作ったのは，マイケル・ジョセフ・カレン（Michel Joseph Cullen）によって，1930年８月に開設されたキング・カレン（King Kullen）であるとみる説[8)]と，1932年12月にオティス（Robert Otis）ならびにドーソン（Roy Dawson）によってニュージャージー州のエリザベスに開設されたビッグ・ベア（Big Bear）であるとみなす説[9)]がある。いずれにしても，スーパーマーケットは1930年代の大恐慌を背景として，消費者の圧倒的な支持を得てアメリカ的ライフスタイルを形成するまでに発展する。それには消費者を魅了するだけの十分な工夫が施されていた。

大恐慌の最中の，1930年８月，カレンは，ニューヨーク・ロングアイランドのジャマイカに，キング・カレンという店名で，食料品のスーパーマーケットを開店した。それは，粗末な空き倉庫を利用しただけの店内に，商品を空き箱の上に山積みした陳列であったが，価格は驚くほどの低価格がつけられていた。その粗利益率は，９～10%程度であり，当時の食料品店の粗利益率の半分であったが，それでも十分に利益を創出できるものであった。何よりも，大恐慌による失業で，所得の機会を失った人々には，食料品の低価格販売こそ大きな朗報であり，多数の消費者を引き付けていった。彼は，大恐慌の中で，高い伝統的なマーク・アップよりも，セルフサービス方式とキャッシュ・アンド・キャリー方式を基本に，低マージン・高回転による薄利多売の方法を通して，伝統的小売業者と比較してはるかに大量の顧客動員を実現でき，しかも利益を確実にできることを証明した。このことによって，それまで食料品のチェーン・ストアであったＡ＆Ｐ，クローガー，セーフウェーなどが一斉にセルフサービス方式のスーパーマーケットに戦略転換した。これによって，スーパーマーケットをチェーン・ストアで展開するという経営形態の複合化が果たされたわけである。また独立小売業者も含めて，伝統的な食料品小売業者の中においても，この新しい業態が果敢に導入され，食料品の主要な流通方法にまでなった。一方，消費者側にも，アメリカ的なライフスタイルとしてスーパーマーケットなしには消費生活が成り立たないほどまでに浸透した。

スーパーマーケットが，この時代に成長できたのは単に販売方法のユニークさにもとづくだけではない。むしろそうしたものを受け入れる社会的な背景が存在していた。スーパーマーケット出現の背景には次のようなものが指摘できよう。

① 大恐慌の中で，消費者が価格に敏感になり，低価格を重視したことである。

② 自動車保有の増加と大衆化によって，車による買物を促進し，スーパーマーケットの商圏を拡大させ，また車による週１回のまとめ買いを定着させた。

③ 冷凍・冷蔵の技術進歩によって，店舗でも，家庭でも，腐敗しやすい食料品の長期保存が可能になった。とくに家庭では電気冷蔵庫の普及と

まとめ買いの習慣の形成は密接に関連していた。

④　包装技術の発展によって，家庭単位向けの食料品のプリ・パッケージング（事前包装）が可能となり，買物時間を節約でき，セルフサービス方式の定着の基礎となった。

⑤　食品の加工メーカーは，大量生産とマス・マーケティングを展開し，自社製品にブランドを付与し，全国的な広告によって，ブランドのプリ・セリング（事前販売）を消費者に訴求した。これは，スーパーマーケットにとってはメーカーのブランド品を目玉に低価格を訴求しやすくし，事前販売により商品説明に販売員をそれほど必要とせず，セルフサービスの採用を容易にし，効率的な販売を実現した。

⑥　大恐慌は工場の閉鎖や過剰製品の滞貨を抱えさせ，遊休の倉庫を低賃貸料で借りられたり，換金のための商品の投げ売りなどから低コスト仕入を可能とした。

スーパーマーケットの特徴は，すでに指摘したように，セルフサービス，キャッシュ・アンド・キャリー，プリ・パッケージングにみられるように，販売員，計量，掛け売り，包装や配達などにかかるコストや時間を徹底的に切り詰め，できるだけ無駄な経費や作業を排除することで食料品を安く提供するねらいから生まれた。しかも，伝統的な小売店と違って，肉，魚，青果物，乳製品，パン，菓子，乾物類などの食料品が総合的に品揃えされ，食料品やそれに関連した商品の品揃えによって，ワンストップ・ショッピングを可能とするように複数の部門をもった売場が構成されている。

また，価格設定にも特徴がある。これは，後にディスカウント・ストアにも取り入れられる品目別価格設定であり，低価格を実現するために，経費をかけない経営方法を採用しただけでなく，薄利多売を商品の品目ごとに実施した点である。つまり，伝統的な小売店では，各品目にほぼ同一のマージン率をマークアップ（値入れ）する方法であったが，スーパーマーケットではある品目は極端に安くし，他は伝統的小売業よりは少し安い，しかし一律のマージン率ではないマークアップ方法を採用した。このことは品目別にマージン率を設定し，顧客動員のための商品と利益を創出する商品とそれぞれ役割を与え，平均マージンよりも低い商品をリーダー（おとり商品，目玉商品）やロス・リーダー（原価割れ商品）として，顧客への刺激的な販売促進に利用した[10]。

(b)　わが国におけるスーパーマーケットの発展とタイプ

わが国では，セルフサービス方式を食料品の販売に最初に導入したのは，1953年に増井徳男が東京・青山にオープンした紀伊国屋であったといわれている。しかし，食料品の低価格訴求ではなかったので，低価格で総合的な食料品をキャッシュアンドキャリーで販売する方式を重視したスーパーマーケットのはじまりとしては，1956年に設立した吉田日出男による北九州の小倉の丸和フードセンターや，山口県から広がった主婦の店運動に求められ，「主婦の店・ダイエー」の１号店は1957年９月に開店している。こうした動きにも，米国で発展していたスーパーマーケット旋風が大きな影響を及ぼしたことはいうまでもない。わが国では，スーパーマーケットは高度成長時代において，メーカーによって大量生産体制が確立され，景気の拡大とともに物価上昇がクローズアップされ出した頃に導入され，多くの主婦の支持を得ることができたが，それと同時に，われわれの消費生活や購買行動を大きく変化させ，小売業界の構造をも変質させたことは注目しておいてよい。

また，わが国では，スーパーマーケットという言葉よりも，和製英語としてのスーパーという呼び方が一般的である。スーパーは，医薬品・日用雑貨店や衣料品店からディスカウント・ストア的な要素をもってスタートしたものなどあり，取扱い商品の割合に応じて，食料品スーパー，衣料品スーパーそれに総合スーパーという呼び方がされてきた。また，そのチェーン展開と，関連した出店地域の範囲から，地方スーパー（local chain），地域スーパー（regional chain），全国スーパー（national chain）という分け方で整理されてきた。こうした分け方については，たとえば，『日経 MJ・流通新聞』が毎年実施している「日本の小売業調査」において，スーパーの原則的な区分として，出店地域が３都道府県以内の企業を地方スーパー，４都道府県以上に出店している企業を地域スーパー，４都道府県以上で首都圏（１都３

県），大阪，名古屋のうち，２大都市圏以上にまたがり全国展開する企業を全国スーパーとして区分し集計しているのは，参考になろう[11]。

スーパーマーケットは，時代によっても，国によってもその発展の形態が異なり，環境の変化にあわせて変身してきている。かつての低価格訴求はそれほどでもなくなり，商品構成もスクランブルド・マーチャンダイジングの追求によってますます多様化・総合化してきた。すでに，店舗の大型化とチェーン化によって急成長を実現できた時代が去り，スーパーマーケットを取り巻く競争環境の熾烈化，大店立地法の施行，消費者ニーズの多様化や個性化などが，スーパーの高級化路線，サービス部門への多角化それにITの有効活用などさまざまな経営課題を提起している。とくに，食料品市場をめぐる消費と競争の構造が大きく変化しており，伝統的に競争関係にあった百貨店の食料品売場や一般の食料品店との競争構造だけではなく，これから述べるコンビニエンス・ストアや外食産業，弁当・おにぎりなどのテイクアウト産業，食材のケータリング産業などの発展は消費者のライフスタイルとニーズの多様化を反映して，消費者にとって料理の時間，加工度，雰囲気それにコストの視点から家庭での内食，中食および外食との選択を多様にし，かなり複雑な競争関係を生み出すまでになっている[12]。

⑵　コンビニエンス・ストア（convenience store＝CVS）

⒜　コンビニエンス・ストアの発展

コンビニエンス・ストアは，セルフサービス方式を基本に，近隣消費者に対しより購買頻度の高い食料品や日用雑貨などの品揃えを中心に長時間営業で販売する小型・少人数管理による小売形態である。コンビニエンス・ストアの特徴として，日経MJ・流通新聞の「コンビニエンス・ストア調査」で採用されている基準を参考までに示すと，①セルフ販売，②飲食料品を扱う，③営業時間が１日14時間以上，④売場面積が30平方メートル以上250平方メートル未満中心，という４条件を満たすチェーンとしている[13]。

コンビニエンス・ストアも，米国で生み出されたものであるが，1927年テキサス州ダラスにあるサウスランド・アイス社（Southland Ice）がテキサスの砂漠地帯を行く旅行者に氷を販売するビジネスからスタートした。その後，需要が絶える冬の期間をカバーするために，小売店舗を設けて，パン，ミルク，砂糖，紅茶，石けんなど商品の範囲を次第に拡張した。これが後にコンビニエンス・ストアのセブン-イレブン（7-Eleven）を創業するサウスランド社（Southland Corporation）の前身である[14]。1950年代になって，コンビニエンス・ストアとして本格的な発展がみられるようになった。つまり人口の郊外移動がいっそう進み，郊外へのショッピング・センターや，郊外市街地でのスーパーマーケットの建設をもたらすが，その反面で，これらの郊外立地にともなう買物の不便さを補完する形で，住宅地内に立地するコンビニエンス・ストアが成長してきた。

わが国の場合，コンビニエンス・ストアは1969年にマイショップ（豊中），70年のＫマート（大阪），71年ココストア（春日井），セイコーマート（札幌），72年清水フード（新潟）がスタートし，さらに73年にはファミリーマート（狭山）〔セゾン系列から伊藤忠商事へ売却〕，74年にはセブン-イレブン（東京）〔セブン＆アイ系列〕，75年にローソン（豊中）〔ダイエー系列から三菱商事へ売却〕が開業し，大手のコンビニエンス・ストア・チェーンの創業は，ほとんどがこの時期に集中していた[15]。

わが国の場合，大手の総合スーパー，食料品卸売業者，食品メーカーなどが既存の伝統的な中小小売商店の所有する土地，店舗，労働力，近隣性を有効に組織化し，近代化させながら活用してきた面がある。とくに，伝統的体質の色こい食料品小売業において，酒屋，米屋，牛乳販売店，生鮮食料品店などの業種・業態転換として，コンビニエンス・ストアの導入が行なわれてきた。コンビニエンス・ストアを主宰する本部企業としては，この他に，チェーン本部からスピン・アウトしたものが自力でチェーンを作る場合や中小資本の協業体など独立系も存在しており，この市場へのさまざまな企業の参入を加速してきた。

(b)　わが国でのコンビニエンス・ストアの急成長と高度化

コンビニエンス・ストアのコンビニエンスには，立地，時間，品揃え，購買などの便利さの意味が含まれている。立地は，近くで買えるという便利さであり，時間は，長時間営業・年中無休でいつでも買えるという便利さ，品揃えは日常生活に必要な商品は最低限揃っているという便利さであり，さらに購買はわずかな時間で買物ができる，クイック・ショッピングを可能としている便利さである。かつては立地や長時間営業のコンビニエンスが競争手段となり得たが，今日ではそれ以外のコンビニエンスでも差別化の手段にはならないほど競争が激化している。長時間営業と消費者の補充購買を特徴に登場したコンビニエンス・ストアは，競合の激しいところは別にして，一般に比較的高い価格を設定している。しかし消費者はさまざまなコンビニエンスの恩恵を受けるぶん高価格を受け入れてきたといえる。

かつて，中小企業庁から「コンビニエンス・ストア・マニュアル」（1972年３月）が刊行され，その中で立地条件として，第１次商圏が半径500メートルを目安とすることがうたわれていた。しかし近年では，この半径500メートルを割る立地が増加しており，車客を対象とした店舗展開によって，主要道路沿い（ロードサイド）の立地が増加し，また特定地域への競争企業や同一企業の過剰出店によって，オーバーストアやバッティング現象が目立っている。

品揃えでは，わが国のコンビニエンス・ストアの場合，生鮮食料品を扱うケースがあり，米国とは異なった日本的特徴でもある。品揃えも，時代とともに拡張されてきている。近年，とくに注目される品揃えでは，雑誌，ファースト・フードそれに各種サービスが指摘できる。大手のコンビニエンス・チェーンの場合，POS システムを活用した仕入によって，書籍業界では雑誌・単行本の高い返品率を，ここでは受注産業並みに減少させている。ファースト・フードでは，店内に飲食のためのイートイン・コーナーを設置したり，テイクアウト商品（弁当，惣菜，サンドイッチ，おにぎりなど）には購買時間帯を考慮した配送の多頻度化を実施している。さらにサービス分野は，コピー・サービス，宅配便，DPE の取り次ぎ，チケット販売，カタログ販売，クリーニング，保険代理店と多様に拡大しており，大手のコンビニエンス・ストアでは，さらに，情報ネットワークを活用した公共料金（電気・ガス・NHKの受信料）の収納業務の代行，ATMや情報端末の設置などを展開し，住民票の引き渡し，ゲームソフトや音楽ソフトのダウンロードなどコンビニエンスの内容を拡張している。今後は，店舗やそこに設置されたATM・情報端末をプラットホームとして使うことで，銀行業としての展開，インターネットショッピングの代金決済や商品受け取りを含むオムニチャネルへの対応の拠点などとしての発展が期待されている。

コンビニエンス・ストアは，米国以上にわが国において急成長した。その理由として，①多数存在する中小零細な食料品店の近代化にこの業態が活用されたこと，②主にフランチャイズ・システムによる加盟店の組織化が合理的な経営意識や経営方法を小売業者（フランチャイジーの高い動機づけとなり）に浸透させ，しかも急速に店舗数を拡大できたこと，③大店法（1973年制定）の規制を背景に，大手スーパーを中心に大型店への出店投資が困難となり，成長の活路としてまた中小小売店との大型店紛争を緩和する方法として，大店法の規制にかからない小型店であるコンビニエンス・ストアに主要な大手スーパーの投資が集中したこと，④セブン-イレブンに象徴されるように，POSの活用や窓口問屋制など情報システムや物流システムを本部主導で提案することで，メーカーや問屋と緊密な供給システムを確立できたこと，⑤オイルショック以降，若者を中心とした人々のライフスタイルの変化にコンビニエンス・ストアの販売方法が支持され，それまでの伝統的な中小零細店舗と違って，長時間営業と明るく清潔な店舗が次第に客層を拡大していったこと，さらに⑥コンビニエンス・ストアの小規模店舗には100平方メートルの平均的な売場で約2700～3000品目が品揃えされているが，消費者の時代のニーズを敏感に嗅ぎ取り絶えず新しい商品やサービスの販売を提案し，そのことが消費者から受け入れられたことなどがあげられる。この30年程で，急速に発展普及したコンビニエンス・ストアは，既存の食料品や日用品を販売する小売業との関係において優位に立つただけでなく，ファーストフード・ストアやスーパーとの関係でも，利便性と長時間営業などを武器に競争力を発揮してきた。これまで日本のコンビニエンス・ストアは，本部が主としてフランチャイズ契約を通して多数の新規加盟店を開拓し，統一的なイメージのもとに加盟店に対して強いコントロールを発揮してきた。加盟店の開拓は，それだけ商品供給の業者に安定した市場を提供しており，本部・加盟店・供給業者は高度な情報システムと物流システムを通して緊密な企業間関係を形成することになった。

しかし，最近では，コンビニエンス・ストア店舗の特定地域への過剰なまでの出店によって，コンビニエンス・ストア店舗同士の競争が激化し，さらにスーパーやドラッグストアの営業時間の延長など他業態からの利便性の追求などで，競争が一段と強まっており，新規出店地域のフロンティアも次第に限られてきた。こうした中で，コンビニエンス・ストア本部企業は，あらためて競争のレベルが店舗や品揃えなどの人目にふれることのできるところだけでなく，さらに踏み込んで目にふれないレベルの企業間提携やパートナーシップ戦略を強化する必要に迫られている。ますますコンビニエンス・ストアの競争が見えないところで決まるようになってきたといわれる所以である16)。具体的には，コンビニエンス・ストアを運営する上で鍵となるフランチャイズ本部の加盟店に対する提案力や指導力，顧客志向と効率的な供給システムの実現のために，本部とメーカーとの緊密な商品開発や卸売企業との円滑な物流システムの展開という企業間関係の構築および管理がコンビニエンス・ストアにとって競争力の源泉となってきた。

⑶ コンビネーション・ストア，スーパー・ストア／スーパー・センター，ハイパー・マーケット

食料品市場の獲得をめぐって，セルフサービス方式の小売形態はますます多様化しており，さまざまな新しいタイプの小売業を生み出してきている。米国ではとくにその動きが激しく現われてきた。店舗の規模，品揃えの範囲という点から，小規模のものでは先のコンビニエンス・ストアがあり，次に伝統的なスーパーマーケットが存在している。近年では，スーパーマーケット自体が環境の変化に合わせて変身しており，いくつかのタイプに分化して

とらえられる。

(a)　まず，コンビネーション・ストア（combination store）は，食料品のスーパーマーケットが食料品以外の商品分野，たとえばドラッグストアを結合するとか，ディスカウント・ストアを結合するように，これまで扱っていない商品やサービス分野の売場やその店舗を複合化し，多角化するものである。これには，同一建物内で形成される場合と，異業種・異業態店舗同士が同一敷地に隣接して立地しあう場合がある。コンビネーション・ストアは，消費者に対しては，消費者が隣りあった売場や店舗間の移動だけというワンストップ・ショッピング機能を広く提供できるし，小売業者サイドには管理上の効率化が実現できる。つまり本来の業務を増やさずに，異なったジャンルの売場や店舗の管理が可能であり，コスト節約につながる。米国では，食料品ベースのコンビネーション・ストアの展開は，1960年代後半から1970年代初期にかけて活発化している。その理由として，それぞれ独立した所有権のもとにあるスーパーマーケットとドラッグストア，あるいはスーパーマーケットとGMSに対して，共通のチェックアウト・エリアが開発されたからである[17)]。しかし，コンビネーション・ストアや複合店の展開は，食料品のジャンル以外の業種や業態間でも発生している。わが国でも，専門店とファミリー・レストラン，コンビニエンス・ストアとガソリンスタンドなど，ワンストップ・ショッピングや衝動買いの発生を刺激する展開はさまざまな形で試みられている。

(b)　スーパー・ストア（superstore）は，米国において，スーパーマーケットよりも店舗規模の面で大型であり，品揃え構成の面で多様化している。スーパーマーケットの売場面積の平均が２万3000平方フィートであるのに対して，スーパー・ストアの平均は３万8000平方フィートである。食料品とドラッグストアとのコンビネーション・ストアの売場面積は，平均が５万5000平方フィート（フットボール球場が1.5個分）であるからそれよりは小さい。食品のフルラインに加えて，園芸用品，金物，衣類，化粧品，おもちゃ，家庭電気製品などを品揃えし，さらに銀行，靴の修理，クリーニングそれにランチ・カウンターのような広範なサービスを提供している。品揃えが広く，しかも高マージンの非食品を扱うために，価格がスーパーマーケットよりも5～6％は高い。しかし品揃えの広がりは，消費者の日常的に発生するあらゆるニーズに応えることができるといわれ，日用品のワンストップ・ショッピング効果が多く期待できる。これによっても，消費者の食料品支出に占める大きなシェアの獲得をめぐって，コンビニエンス・ストアやファースト・フード産業と効果的に競争している。米国では，さらに大型な食料品小売店として，スーパー・センター（super center）と呼ばれるタイプが発展しており，売り場面積は15万から22万平方フィート程度と巨大であり，60－70パーセントが非食品で占められ，10万から15万アイテム以上を取扱う。これは，ハイパー・マーケットがアメリカで成功しなかった教訓から，それより規模は抑え目で，食料品と総合商品ディスカウント・ストアを結合した形態であり，これらの店舗開発はウォルマート（Wal-Mart），Kマート（Kmart），ターゲット（Target），メイジャー（Meijer），フレッド・マイヤー（Fred Meyer）によって推進されてきた[18]。

(c) ハイパー・マーケット（hypermarket）／ハイパー・マルシェ（hyper-marché）

ハイパー・マーケットは，1963年にフランスのカルフール（Carrefour）がパリの郊外で展開したのがはじまりであり，その後，ドイツ，ベルギー，スペイン，ブラジル，米国，カナダなどに波及した。ハイパー・マーケットは，同一店舗にスーパーマーケット，ディスカウント・ストアそれにウェアハウス・ストアのコンセプトを組み込んだ形で運営されている。店舗規模は，スーパーマーケットよりもはるかに大型で，30万平方フィート（フットボール球場が約6個分）に及び，コンビネーション・ストアやスーパー・センターよりも大きい。価格は，低価格志向であり，品揃えはスーパー・センターより絞り込まれており，4万から6万アイテムと限定されているが，食料品などの日常的に購買される商品の割合が多く，さらに，衣料品，金物，建設資材，自動車部品，大型家庭電気製品，家具，処方薬などにわたり，カフェテリア，美容院，銀行なども入っている。商品の陳列は，ウェアハウス・ストアのように，メーカーから直接梱包されてきた商品を10フィート以上もある棚に積み上げておき，販売のためにフォークリフトで下段の棚に引きおろす。通路は常時顧客とフォークリフトが動ける幅が確保されてあり，顧客はバルクのままの陳列から商品を自由に選択する。米国やカナダでは，ハイパー・マーケットそのものが発展するよりも，この経営方法がスーパー・センターやウェアハウス・ストアの運営に影響を及ぼしたといわれる[19]。

第3節　複合経営からみた小売業の形態分類：経営多角化とグループ化

1　複合経営：コングロマーチャント（conglomerchant）／小売複合体（retail conglomerate）

小売企業が成長し，大規模化していく過程にはいくつかの共通な動きがみられる。それは前にふれたチェーン化もそのひとつであるが，ここでの共通点は経営の多角化と関連企業のグループ化の動きである。

小売企業は，消費者のさまざまなニーズへの対応として，また企業の利益率を向上させるためにスクランブルド・マーチャンダイジングによって取扱い商品ラインを拡大し，多様な業種にまたがる商品構成を実現し，ワンストップ・ショッピング機能を強化してきた。このような方法は，小売企業の取扱い商品やサービスという業種レベルの多角化（総合化）を促進するだけでなく，販売方法の異なる小売業態をも多数抱えることとなり，さらには小売関連事業の強化・発展を通して事業部門の多角化をも活発にさせた[20]。

たとえば，小売業として国内最大級の規模を誇るイオングループは，総合スーパーのイオン（旧・ジャスコ）を中核企業として形成され発展しており，現在，総合小売事業，スーパーマーケット事業，ドラッグストア事業，ホームセンター事業，コンビニエンス・ストア事業，デパートメント・ストア事業，専門店事業，金融サービス事業，フードサービス事業，ディベロッパー事業，eコマース事業，製造・卸売事業など小売業を中心とした多数の異なった事業分野に多くの企業を抱えて拡大しており，とくに海外の専門店の買収や提携に積極的に取り組んでいる。

近年，EC事業をコアに，積極的なM&Aや業務提携を通して急速に成長してきた楽天の場合は，楽天株式会社を中核企業としているが，本体のEC事業に対して金融関連事業が増加しており，さまざまなサービス事業によるグループ化が拡大している。まず，楽天市場という国内最大の電子モールの運営，アフィリエイト事業，楽天ID決済がコアになっており，書籍等販売の楽天ブックス，宿泊・旅行等予約の楽天トラベル，さらにポータルサイト等運営のインフォシーク，共通ポイントの楽天スーパーポイントを展開している。連結子会社には，健康食品・医薬品などの通信販売サイトケンコーコム，楽天銀行，楽天証券，楽天オークション，楽天野球団（東北楽天ゴールデンイーグルス），楽天生命保険など短期間に多様な企業をグループ内に抱え込むようになっている[21)]。

このような多数の小売業態や事業部門に多角化した小売企業の複合経営をコングロマーチャントもしくは小売複合体と呼ぶ。コングロマーチャントとは，「支配的な所有権の下に，小売業のいくつかの形態を結合し，同時に流通と管理機能との統合をはかった，自由な形態の法人企業（free-form corporation）である」ともとらえられている[22)]。わが国では，中核（コア）になる小売企業，たとえば総合スーパーもしくは百貨店が，消費者のライフスタイルの変化を反映して，新規事業を手がけるための別会社・専門子会社を設置して経営の多角化を進め，小売業を軸とした「総合生活産業」として発展しようとしている。1997年には独占禁止法が改正され，これまで禁止されてきた持株会社の設立が解禁され，大手小売企業の場合も持株会社による経営統合やグループ事業の再編が行なわれつつある。

このことは，同時に，今日の小売業への理解には，個別単位の小売企業の動向をフォローするだけでは十分とはいえなくなっている。たとえば，あるニュータウンでのショッピング・センター，大規模商業施設の開発や地方への大型店の進出をめぐっては，単にディベロッパーや核店舗となる大型店単独の戦略で動かされるというのではなく，場合によってはグループ内からの複数の核店舗の構成，不動産の確保，店舗施設の設計・建設，多数の各種専門店の出店，大型店への商品・サービスの供給，カードの発行などを実現するために，その企業グループの全体的な戦略を通して，多数の関連企業を参加させた形で対応するケースがみられるようになってきた。単独の大型店でも容易には達成できないことを，大型店を中核とした企業グループの形成によって総合的に実現しているといえる。

2　小売企業グループとそのタイプ

企業成長には，２つの方法が考えられる。ひとつは，企業の内部に存在する人，物，金，情報，技術などの経営資源を有効に活用する方法（内部成長）であり，もうひとつは他の企業の保有する経営資源を活用するため業務提携，合併・買収（M＆A）などを通して成長する方法（外部成長）である。小売企業においても，内的な成長方法と外的な成長方法を巧みに組み合わせながら，大規模化と関連産業への進出を実現し，多角化型の小売企業グループを形成してきた。

小売企業にとって，２つの成長方法のうち内部成長は，取扱い商品やサービスの多様な拡大によって，さまざまな部門や事業を自己増殖する過程でもある。この問題を，企業間関係の形成というレベルでとらえると，これらの多角化された商品部門や事業分野が小売企業の中核企業（グループの本体）の組織内に常に保持されているとは限らない点である。たとえば，現在の西友は，1956年に生まれた西武ストアを前身としているが，これは当時，西武百貨店のワンフロアを占めるSSDDS（Self Service Discount Department Store）部門として位置していたものが分離独立したものである。同じく，ファミリーマートは，1973年，当時西友ストアー（現：西友）によって埼玉県狭山市にコンビニエンスストアの実験店として開設され，76年にこの事業をファミリーマートと命名し，FC オーナーの募集を開始した。81年に株式会社ファミリーマートとして西友から独立させている。西友は当時，セゾングループの中核企業の位置にあったが，その後，90年代初頭の日本経済のバブル崩壊とともに，傘下のノンバンク東京シティファイナンスの多額の不良債権処理と，西友自体の業績不振に直面し，96年には有利子負債が１兆円を超えるまでになり，優良子会社であったファミリーマートを伊藤忠商事へ売却せざるを得なくなった。小売企業内部で事業を育成し，その事業が一定の市場規模や経営ノウハウが確保できるようになったところで独立させ，グループへの貢献を高め，場合によっては本体の経営危機を乗り切るための手段として利用される構図が確認できる。

これに対して，小売企業の成長源泉を外部の経営資源に求め，提携や合併・買収に頼る手段も利用されている。小売企業が他の小売企業や他産業の企業との間での商品供給，PB 商品開発，販売技術，情報処理などをめぐって取り交わされる提携は枚挙にいとまがない。また歴史的にみても，総合スーパーのジャスコ（現：イオン）やニチイ（1996年マイカルに社名変更，2001年経営破綻，2003年イオンの子会社を経て2011年イオンに吸収合併）は，合併によって生まれた企業であり，これまでもこの種の手段が総合スーパーを中心に利用されてきた。たとえば，ジャスコの場合，自らが合併によって形成された企業であるだけでなく，連邦経営によって多数の地方スーパーを合併し翼下におさめ，全国展開を実現してきた。しかも国際的なレベルでM&Aを進め，婦人服専門店チェーンの米国のタルボット（Talbots）を買収（2010年売却）したり，90年代に入って，英国のザ・ボディショップ（イオンフォレスト），米国のカジュアルファッションアクセサリー・雑貨の専門店チェーンのクレアーズ（クレアーズ日本）や米国のスポーツオーソリティ（メガスポーツ）などの海外の大型専門店との提携も活発に進め日本での店舗展開を促進してきた。また当初から海外拡張をねらったわけではないが，経営危機に陥った相手企業の再建のための買収としては，イトーヨーカ堂グループ（現：セブン&アイ HD）が世界最大のコンビニエンス・ストア・

チェーンである米国のサウスランド社を買収することになり，わが国のコンビニエンス・ストア経営技術の逆輸出の時代に入ったといわれるようになった[23]。逆に西友は2002年に入って，米国のウォルマートの傘下に入り経営再建を進めている。このように，小売業でも国際的なレベルでM＆Aを進める企業がみられるようになってきた。

このことは，小売企業の経営戦略の展開過程で，本体自身の組織の枠組みの中に，ある特定部門の活動をそのまま存続させるか，それとも分離・独立させ関連企業（子会社）といったグループのひとつに位置づけるか，もしくはそうした活動を内部にではなく，他企業との提携や合併という外部成長方法に求めるかは，各中核企業の経済合理性をベースに他の種々の条件を配慮しながら決定される。経済合理性以外の配慮とは，採算に引き合うことが大前提であるが，たとえば総合性を顧客にアピールするためとか，経営ノウハウを移転させるためとか，特徴のある専門店やサービス部門をバランスよく抱えることで機動性を発揮させるためとかによっても判断される。したがって，このことが，各社のグループ構成企業の内容と範囲に多様性を生み出し，各グループ・レベルでの競争優位性の発揮の機会ともなる。

小売企業を中核としたグループの形成は，次のような類型によって理解することができる[24]。

(1)　小売企業の事業部門の多角化，取扱い商品の多様化にともなう関連企業群

①　小売業として新しい業種・業態への進出（たとえば，専門店，コンビニエンス・ストア，インターネット通販への新規参入）

②　取扱い商品にもとづく後方への統合（backward vertical integration：たとえば，卸売，輸入，製造，農業）

③　小売関連業種（たとえば，不動産，運輸，保管，広告，ビル清掃管理，警備保安）

④　消費関連を通しての成長市場分野への進出（外食，レジャー，スポーツ，旅行，ホテル，保険，出版，教育・教養）

⑵　資本提携グループ

　①　株式の一方的保有あるいは両者による株式の相互持ち合い

　②　共同出資による新規企業の設立

⑶　業務提携グループ

　①　商品提携・共同商品企画・共同配送

　②　販売技術提携・経営指導・経営ノウハウの交流

この類型の特徴は，⑴から⑵へ，⑵から⑶へ下がるにつれて小売企業本体からグループ構成企業へのコントロールは弱くなるといえる。

3　グループ化の効果

それでは，このような小売企業の多角化とグループ化の効果とはどのようなものが期待できるのであろうか。これにはいくつかのメリットを指摘できる。まず，①店舗のレベルでの総合化だけでは実現し得ない，グループ企業によってさまざまな業種・業態にまたがる小売業や関連企業群を抱えるという意味で，消費者ニーズの個性化・多様化をカバーする全需要対応が期待できる。したがってこれは，小売業での生活総合産業や生活提案というキャッチフレーズが，この多角化とグループ化によってより現実味を帯びることになる。②いくつかの成長市場を巧みに取り込むことによって，ある市場が成熟に直面していたとしても，単一の市場対応では回避することのむずかしいリスクを分散でき，経営を安定させることに役立つ。③資本の効率的運用であり，グループ内企業の需要を対象とした取引も可能であり（たとえば，グループに不動産会社をもっている場合には，グループ企業内の小売企業の出店先に関する土地・建物の手当が内部需要として扱える），グループ内での取引によって，相対的に低コストで事業の運営をはかることができる。さらに，④グループ内に顧客や取引の情報を共有しあうことで，さまざまな利用が可能である（いわゆる範囲の経済性の効果）。もし仮に，グループ内に結婚仲介業を抱えている場合，その結婚情報は，その後に，結婚式場，不動産，引越し，新婚旅行，家庭用品・家具・家電製品，ベビー用品，カルチャーセンター，ジャズダンス教室などさまざまな派生需要を予測するための基本となろう。このように最も早く商品やサービスの顧客が出現する市場を，イニシャル・マーケットと呼ぶと[25]，グループ内にこのようなマーケットを対象にした企業をいくつか抱えておくことは，後に顧客データ・ベースの形成にも有益であり，顧客の購買履歴の分析を通してグループ内企業のビジネス・チャンスとして利用したり，次の商品やサービスの開発あるいは多角化戦略の展開にも活用できるというメリットがある。

こうしたメリットを最大限に発揮するためには，持株会社を中心にグループにおける目標設定や経営戦略が策定され，グループ企業群を組織し，縦横に調整（グループ企業間の競合や企業イメージの調整など）するための，グループ統括本部や中核企業によるグループ・マネジメント（集団経営）が適切に展開される必要がある。

注

1)　田中利見「都市型生活文化に対応する新小売業態への転換」日本商業学会『都市と商業』研究会編『都市と商業』ダイヤモンド社，1986年，pp. 14-18。

2)　大須賀明「小売業の主要形態」宇野政雄編著『新小売マーケティング』実教出版，1986年，pp. 248-250。

3)　佐藤肇著『流通産業革命』有斐閣選書，1971年，pp. 202-222。

4)　K. L. Bryant, Jr. and H. C. Dethloff, *A History of American Business,* Prentice-Hall, 1983, pp. 330-331.

5)　M. Levy and B. A. Weitz, *Retailing Management,* Irwin McGraw-Hill, 1998, pp. 34-35.

6)　R. E. Weigand, “The Gray Market Comes to Japan,” *Columbia Journal of World Business,* Fall 1989, pp. 18-24.

7)　最近の開発輸入の具体的な事例としては，小売業者の視点で売れ筋商品の企画開発を実施し，生産をできるだけローコストで実現するために，海外企業を含む生産者や物流業者との戦略的な提携や同盟を通して展開する場合である。時には，PB 商品の開発と販売，さらにはアパレルの流通にみられるように，小売企業独自の商品コンセプトを特徴とした販売のために，原料の調達から製造さらには販売に至るプロセスを小売企業のリーダーシップのもとで行なうSPA（Specialty Store Retailer of Private Label Apparel）がその発展型といえる。米国では，GAPのカジュアル衣料のケース，わが国ではユニクロ（ファーストリテイリング）それに無印良品（良品計画）などのチェーンベースの専門店がSPAによる海外生産を実現し高い成長を達成してきた。田口冬樹「日本の小売企業の国際化」『専修経営学論集』第47号，1989年，pp. 59-65。および，同「わが国における小売業の構造変化と流通イノベーションの展開」『専修経営学論集』第72号，2001年，p. 172，pp. 184-186。

8）P. Kotler, *Marketing Essentials,* Prentice-Hall，1984（宮沢永光・十合晄・浦郷義郎共訳『マーケティング・エッセンシャルズ』東海大学出版会，1986年，pp. 362-363）. カレンは，クローガー（当時，食料品チェーン・ストア，後に同じくスーパーマーケットとして発展する）の社員であったが，自らのアイデアを実現するためにあえてクローガーを辞職し，食料品スーパーマーケットのキング・カレン（King Kullen）をオープンしたが，スーパーという名称は，彼が最初に使ったわけではない。1933年にクローガーの社長であったアルバースがクローガーを辞任して，やはり自らもカレンと同じ方式で総合食料品店を開店して，そこではじめてスーパーマーケットいう表現を使用したのが始まりといわれている。スーパーという呼び方は，当時のハリウッド映画で超大作という使い方をして売り込んでいた表現からとられた。なおこの点の詳細は，佐藤肇著，前掲書，第5章参照されたい。

9）この説については，徳永豊著『アメリカの流通業の歴史に学ぶ』中央経済社，1990年，pp. 58-62において詳しく述べられている。

10）今日では，正当な理由がないのに，仕入原価を著しく下回った場合やそれによって他の小売店に長期にわたって大きな影響を与える場合には，「不公正な取引方法」の不当廉売とみなされ，わが国でも独禁法上問題となる。原価を割っても不当廉売にならないケースとは，生鮮食料品，ファッション商品，季節商品，旧型品についての処分，店じまいのためのクリアランス・セールなどが正当なものとして認められている。

11）日経MJ（流通新聞）編『流通・消費2015　勝者の法則』日本経済新聞出版社，2014年，p. 397。

12）スーパーマーケットの競争相手は，同業のスーパーマーケットだけではなく，ファーストフード店やファミリー・レストランなどの外食産業であるという異業態（形態）間競争の認識は，他の商品やサービスにも当てはまり，米国ではガソリンを販売するルートは，ガソリンスタンドだけでなく，スーパーマーケット，ドラッグストアやコンビニエンス・ストアなどにもみられ，セブン-イレブン（7-Eleven）が最大のガソリン販売の小売業者であるとみられている。こうした異業態（形態）間競争についての認識は，C. A. Ingene, "Intertype Competition : Restaurants versus Grocery Stores", *Journal of Retailing*, Vol. 59, Fall 1983, pp. 49-75に詳しい。

13）日経 MJ（流通新聞）編，前掲書，p. 314。

14）この点の詳細は，流通経済研究所編『アメリカ流通概要：資料集1990年』流通経済研究所，1990年，および川辺信雄著『セブン-イレブンの経営史』有斐閣，1994年を参照されたい。

15）阿部幸男「日本のコンビニエンス・ストアの過去・現在・未来」商業界編『コンビニエンス・ストアのすべて』商業界，1985年，pp. 10-15。

16）矢作敏行著『コンビニエンス・ストア・システムの革新性』有斐閣，1994年，pp. 341-342。

17）B. Berman and J. R. Evance, *op. cit.*, pp. 144-145.

18）P. M. Dunne and R. F. Lusch, *Retailing,* 3rd ed., Harcourt College Pub., 1999, pp. 126-127. および M. Levy and B. A. Weitz, *Retailing Management*, Irwin Mc Graw-Hill, 2004, p. 43.

19）Michael Levy and Barton A. Weitz, 2004, *Ibit.,* pp. 43-44.

20）田口冬樹「総合スーパーによる企業グループの形成について」『流通政策』No. 8，1981年，pp. 44-51.

21）イオングループについては，http://www.jusco.jp/koho/aeon-group/index.html，楽天グループについては http://www.rakuten.co.jp/sitemap/inquiry.html を参考にした。

22）R. Tillman, "Rise of the Conglomerchant", *Harvard Business Review*, Vol. 49, 1971, pp. 44-51.

23）サウスランド社が経営危機に陥った理由には，カナダ人投資家の敵対的買収に対抗して，オーナーのトンプソン一族が LBO（買収先企業の資産を担保にして買収を行なう方法）を行なったものの，ニューヨーク証券取引所の株価暴落にあい，LBO の資金調達が困難になったことによる。しかも，その後のジャンク債発行にともなう高い金利負担，米国経済の景気後退による販売不振，さらには石油会社（ガソリンスタンド）のコンビニ業界への参入やスーパーマーケットの長時間営業の浸透などの競争激化を背景として，負債返済に必要な資金難に陥り，セブン-イレブン・ジャパンに対しても1989年12月にはハワイ事業部を切り売りしていた。1991年３月６日には，イトーヨーカ堂グループが，サウスランド社の株式69. 98%を４億３千万ドル（560億円）で取得して買収を完了し，本格的な経営再建に乗り出した。『日経流通新聞』1990年３月24日，1991年３月７日。

24）　この類型把握は，中野安「日本の小売企業集団」大阪市立大学『経済学雑誌』第74巻第１号，1976年，pp. 30-38を参考にしている。

25）　この点は，田村正紀「複合化戦略——多角型グループ経営」日本経済新聞社編『新・産業論』日本経済新聞社，1987年，pp. 370-373。森彰「小売業の多角化と業態複合」宇野政雄・流通政策研究所『流通新世紀』日本経済新聞社，1989年，pp. 199-214。

第11章 小売形態の発展をめぐる諸仮説と構造変化

第1節　小売形態の形成と発展に関する諸仮説

これまで小売業の形態に関する種類と特徴を考察してきたが，ここではこうしたさまざまな小売形態の全体的な発展の姿をとらえるための方法について検討してみよう。

小売業の発展の姿は，時代とともに変化し，また国によっても異なったパターンを示している。これまで，小売業がもっとも華々しく発展してきたのはすでにふれたように，米国においてである。そこでは，1860―70年代に，百貨店が従来のよろずや（ゼネラル・ストア）や旅商人に対して，都市での拡大する需要を対象に，近代的な営業方法を確立することで低価格参入を実現した。ファッショナブルなメーシー（R. H. Macy）百貨店の先駆者は，ハバーヒル・チープ・ストア（Haverhill Cheap Store）と呼ばれていた。1870―80年代には，鉄道網や郵便制度の発展を基礎に，農村の需要を対象に通信販売が参入してきた。1910―20年代には，食料品，衣料品，日用雑貨などの分野でチェーン・ストアの発展がみられ，チェーンストア・ムーブメントという言葉が用いられるほどさまざまな業種にチェーン・ストアが採用され，多店舗展開が浸透する。1930年代には，大恐慌と大量失業を背景に，食料品の低価格・大量販売のためのスーパーマーケットが出現する。

1940―50年代には，非食料品の低価格・大量販売のディスカウント・ストアと，人口の郊外移動にともなう新しい大型商業施設の開発としてショッピング・センターが登場する。また，大型商業施設の郊外出店にともなう不便をカバーするために住宅地に立地する長時間営業のコンビニエンス・ストアも発展してくる。60年代初期には，ファーストフード・ストアの顕著な展開がみられる。60年代半ばに入って，ホーム・インプルーブメント・センター，カタログ・ショールーム，コンビネーション・ストアが登場し，80年代にはオフプライス・ストア，アップスケール・ディスカウント・ストアが登場する。さらに90年代に入るとアウトレット・ストア（モール），会員制のホールセールクラブ，カテゴリー・キラー，これらを中心に構成されるパワー・センターさらにはIT 革命を背景にインターネット通販などの発展が注目されている。このように，米国の小売業はそれぞれの時代の環境変化に適用するように，次々に新しい小売形態を生み出し，きわめてダイナミックな動きを示してきた。

こうしたさまざまな小売業の形態の創出と発展に共通するメカニズムを解明するために，これまでいくつかの仮説の開発が試みられてきた。その代表的な仮説の特徴を検討してみよう。

1　小売の輪の仮説（wheel of retailing hypothesis）

これは，小売業の革新的な形態がどのようにして登場し発展するのかを説明するために，マルコム・マクネア（Malcolm P. McNair）によって提唱された仮説であり，次のような過程をたどるとみられる（図11-1参照）[1]。

① 小売業における形態上の革新（innovation）は，価格訴求を基礎にして小売機構に新しく登場する。新しい形態を特徴づける低価格は粗末な店舗，安価な立地，低マージン，サービスの廃止・限定などのコスト抑制によって可能になったものである。新形態は，既存形態に対して，低価格販売の経営技術を有しているので，需要対応と競争対応において優位に立ち，創業者利益を得る。

② この創業者利益に注目した追随者が現われ，新形態を採用する小売業者間の競争が激化し，新形態の武器である低価格販売のメリットが発揮

図 11-1　小売の輪の仮説

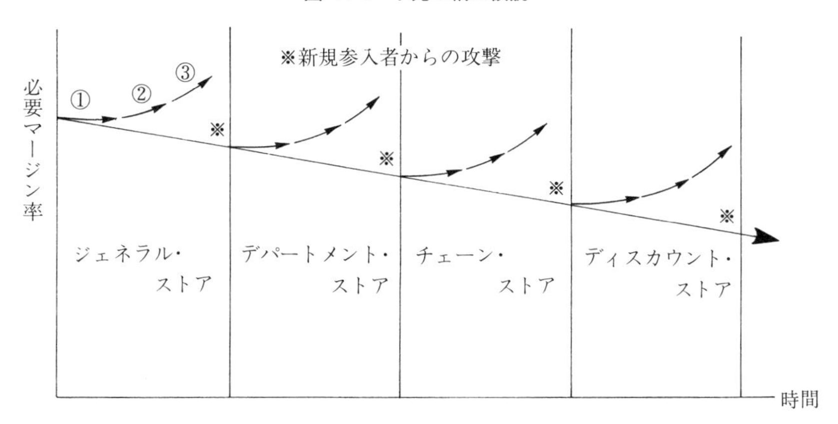

①低価格戦略
○低価格で参入
○限定されたサービスと簡素な店舗施設
○価格に敏感な消費者層に訴求

②中価格戦略
○中位の価格水準へシフト
○店舗施設の改善
○価値やサービスを重視した消費者からの支持

③高価格戦略
○高価格水準で安定
○豪華な店舗施設と各種のサービスの提供
○高所得・高級化志向の消費者に訴求

できなくなる。しかも，より多くの顧客を確保しようとなると，トレーディング・アップ（高級化：trading up）の過程を歩むようになり，競争手段が価格競争から非価格競争に移行する。競争手段は，繁華街立地，魅力的な店舗設備・装飾，豊富な品揃え，各種消費者サービスをめぐってハイ・ステータスを強調した高級化路線をたどる。

③　価格競争力の低下は，次の新しいタイプの革新的小売業に参入を許すようになっていく。それは結果的に次の新しい低価格，低マージンの競争業者によって満たされるようになる。

米国において，百貨店，チェーン・ストア，スーパーマーケット，ディスカウント・ストア，ハイパー・マーケットそれにカテゴリー・キラーといった小売業者は，一様に低マージンと低価格を強調して登場してきた。しかも，それぞれの形態の普及とともに，こうした小売業者の多くは，サービスを付加することで，価格水準を徐々に上昇させてきた。

この仮説によって，米国の小売業の形成と発展の一部を説明してきたが，これは新しく登場するすべての小売形態を説明するものではない。問題点として，ⓐ高マージン，高価格で参入する形態を説明できない（自動販売機，ショッピング・センター，コンビニエンス・ストアのケース）。ⓑ国によって形態の発展パターンが同じではない（発展途上国での新形態の導入にはしばしば高価格展開がみられる）。また，ⓒ多角化した小売業のように，消費者への訴求点の複合化，異形態ミックスの可能性について十分な説明ができない（コングロマーチャント／小売複合体のケース）。

2　真空地帯仮説

デンマークのオーラ・ニールセン（Orla Nielsen）によって提唱された仮説であり，既存の小売店が提供するサービスと顧客が示す選好分布との関係から新しい小売業の出現を予測しようとするものである[2)]。

まず，図11-2のように，小売店A，B，Cの3つの店舗の存在を仮定し，それらの店が提供するサービス量と価格の関係をサービス量が少ないほど低価格であり，サービス量が多いほど高価格と対応づける。これに顧客の選好分布曲線をあてはめると，図では，B店が選好分布の中心に位置し，最も多くの顧客を吸引していることになる。これに対してAは低価格・低サービス店，Cは高価格・高サービス店に位置している。

図 11-2　真空地帯の発生

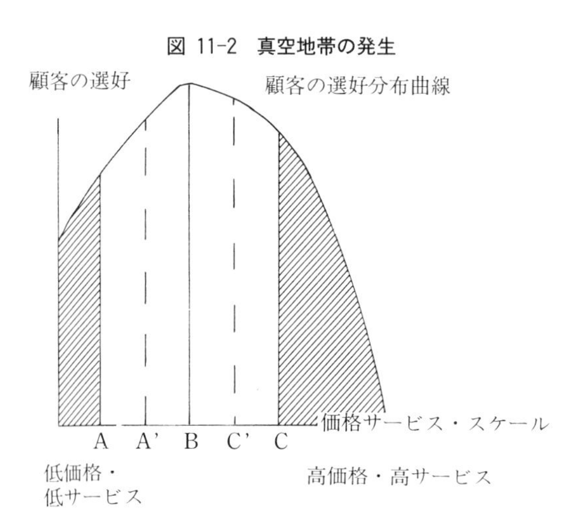

ここでの仮定は，小売店A，B，C同士の競争は，顧客の選好分布の重心に向かって移動することを意味す

る。そこで，A店はできるだけ多くの顧客を引き付けるために価格サービス・スケールをA→A'へ移動させようとし，Cも同じねらいからC→C'へ移行させようとする。AとCは，完全にBに一致させるのではなく，相互の差別的優位性が発揮できる範囲まで接近する。その結果，左右に限界顧客（図の斜線の部分）を発生させ，この規模が新規参入の小売業を維持できるほどの需要規模をもつとすれば，このような間隙をねらって新たな小売業が革新者として登場する。革新者は，先のマクネア仮説のように低価格・低サービス・サイドだけでなく，高価格・高サービス・サイドのいずれにも登場する可能性がある。

このように顧客の選好分布に小売店がどのように対応するかによって，既存の小売店では充足されない顧客層を明らかにし，その未充足な顧客層を真空地帯と呼び，そこへの新型店の出現を予測する。

しかし，この仮説では，顧客の選好分布を事前に予測することがむずかしいことや新規に参入する小売業は必ずしも，新しい小売形態とは限らず，むしろ既存の業態や業種を含めた小売業の参入一般を論じたにすぎないという批判もある。

3　弁証法仮説（dialectic hypothesis）

小売発展の弁証法的仮説は，既存の形態が新しいかつ反対の種類の制度・機関によって絶えず挑戦を受けるという論法にもとづいている。この考え方のもとになるものは，ドイツの哲学者ヘーゲル（G. W. Hegel）によって提唱され，さまざまな状況にあてはまるパターンとして，変化に関する論理的なものの見方を反映している。彼は，既存のテーゼ（正：thesis：一定の命題）はアンチ・テーゼ（反：antithesis：その反対の命題）に絶えず直面すると推論する。この相互作用がジン・テーゼ（合：synthesis：両者の結合）を生み出す。つまりそれは既存のテーゼと対照的なアンチ・テーゼの双方をもっている。次に，そのジン・テーゼが新しいアンチ・テーゼによって挑戦を受ける。小売業も，このようなパターンの発展としてとらえることができる。こ

表 11-1　弁証法的過程

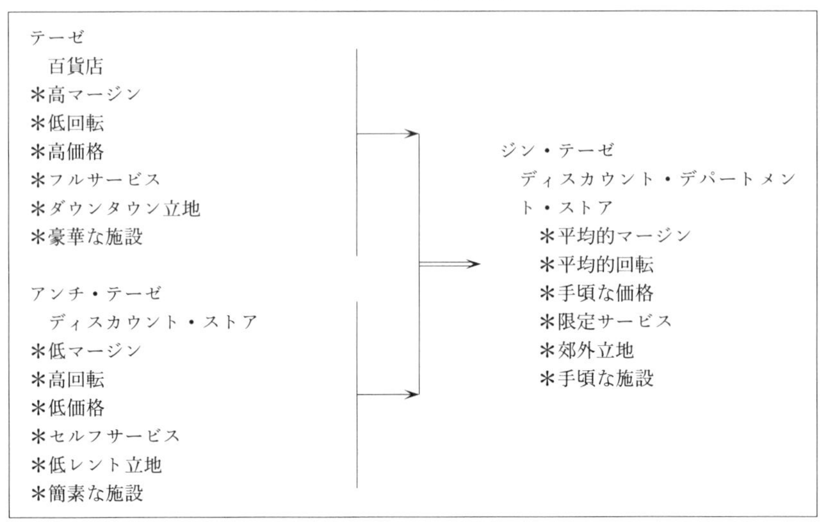

（出所）D. Lewison and W. Delozier, *Retailing*, Charles E. Merrill Publishing, 1982. 一部修正。

うした対立関係から進化する小売業には，両方の要素を結合した新しい種類の制度が生まれる。

たとえば，百貨店は，本来，ハード・グッズとソフト・グッズの両方，広範囲なサービス，それに魅力的な施設を提供する制度として発展してきた（テーゼ）（表11-1参照）。これに挑戦した制度がディスカウント・ストアであった（アンチ・テーゼ）。ディスカウント・ストアは百貨店の場合と同じような範囲の商品を提供しているが，店舗施設や品揃えなどにおいて，百貨店のように魅力的ではないし，低コストであり，クレジットや配達のサービスを行なわない。その後に，ディスカウント（プロモーショナル）・デパートメント・ストアが百貨店とディスカウント・ストア双方の強さ（strength）の合成体として出現した。米国では，Kマート（Kmart）がディスカウント・デパートメント・ストアの例である。また食料品小売市場では，近隣の伝統的な食料品店（テーゼ）に対して，スーパーマーケット（アンチ・テーゼ）が出現し，さらに両者のメリットを兼ね備えた形で，コンビニエンス・ストアがジン・テーゼとして発展してきたというとらえ方ができる[3]。

4　小売アコーディオン（retail accordion）／ゼネラル-スペスフィック-ゼネラル仮説（general-specific-general hypothesis）

この仮説の提案者は，価格やマージンではなく，マーチャンダイジング・ミックスや小売機能の変化が小売形態の変化をよりよく説明すると考えている。これは，小売制度が広い品揃えや多数の小売機能をもった広範な小売業から専門的な，狭いラインを提供する小売業へと時間的経過につれて進化し，さらに時間を経ることで，再び広い品揃えやさまざまな小売機能を提供する小売業が登場するという循環を想定する。このようにして商品構成や小売機能に関する総合化―専門化―総合化のパターンが確立するところから，小売アコーディオンもしくはゼネラル―スペスフィック―ゼネラル仮説と呼ばれる。それは商品ラインや小売機能に関する縮小（contraction）と拡大（expansion）の循環を反映している[4]。

米国の近代小売業の歴史は，ゼネラル・ストア（よろずや）からはじまったが，消費財分野の食料品や靴から生産財分野の農機具類に至る広範囲な品揃えが準備され，ワンストップ・ショッピング機能を提供していた。ゼネラル・ストアは，人口が希薄な状態にあるところで一般にみられた。この仮説は，コミュニティーの規模がそこに立地する小売業者のタイプの重要な決定要因であることを示唆している。また南北戦争以後には，消費財の量と種類の増大によって，このようなよろずや式の品揃えと販売方法を困難にし，特定の商品分野に専門化した品揃えと販売方法が登場する。単一ラインもしくは限定ラインの専門店が登場し，特定ラインの中で深い品揃えを提供する専門店が発展した。さらに，人口の増加と都市化の進展は百貨店の登場を可能とした。コミュニティーが大都市のステータスを手に入れると，百貨店を発展させるほどの需要規模をもち，多くの商品ラインにおいて深さと幅の双方を提供できるようになる。

1950年代はじめからは，特定の市場セグメントを対象にした書籍，レコー

図 11-3 小売アコーディオン

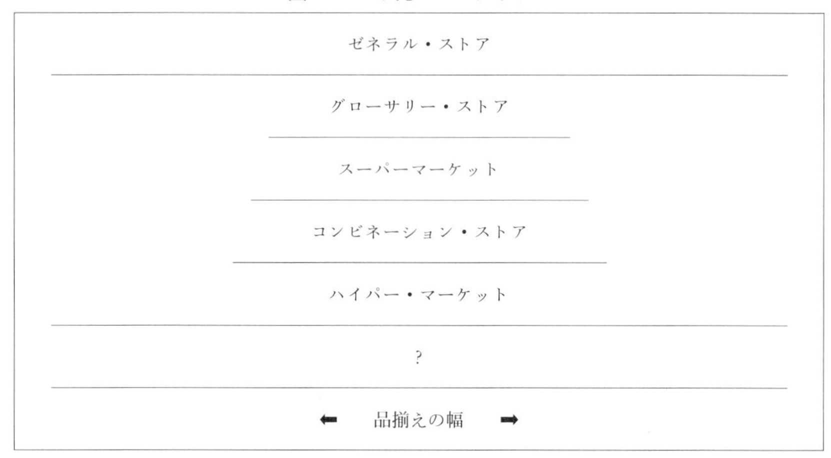

(出所) W. H. Bolen, *Contemporary Retailing*, 3rd ed., Prentice-Hall, 1983, p. 16.

ド，健康食品，ガーデン用品などの専門店の成長が目立つようになり，その後再び，広範囲な商品構成をとる小売業の進出がみられる。米国の小売業では，スーパーマーケットにおいて化粧品や医薬品などの非食品の品目を追加してきたように，かつては単一ラインの小売業でもっぱら扱われていた商品を次々に追加し，伝統的な商品ラインに高回転商品を加える動きが顕著である。これはスクランブルド・マーチャンダイジングの採用によって活発化している。

食料品市場をめぐっても，図11-3のように，ゼネラル・ストア→グローサリー・ストア→スーパーマーケット→コンビネーション・ストア→ハイパー・マーケットという形で，小売アコーディオンの展開が観察される。

5 適応行動（adaptive behavior）／自然淘汰仮説（natural selection hypothesis）

これらの仮説は，環境の必要からある特定の種類の小売形態の存在を正当化し，また環境の変化に最もよく適応できた小売形態が存続・発展できるという見解である。英国の生物学者ダーウィン（Charles Robert Darwin）は，生物進化説をまとめ，適者生存の原理をあらわしたが，これを小売業の形態変化に応用したものである。これは，小売業に特有の仮説というより，企業組織一般や個人にも当てはまる見解であり，企業や個人はその環境の変化に的確に適応していないと，存続できないという生態史観である。

小売業は消費者行動，技術，競争行動，さらには法律的環境などの変化に絶えず直面しており，これらの変化は小売業の存続と成長に大きな影響力をもっている。これらの変化に迅速・的確に適応してはじめて，小売業として生き残ることができる。米国でのショッピング・センターの発展は，都心部での買物環境の悪化と人口の郊外移動にともなって，郊外に発生した消費者ニーズに適応した結果であり，わが国でのコンビニエンス・ストアの発展は，大型店規制の影響，女性の社会進出の増加，単身世帯の増加，若者の深夜の買物・飲食行動の増加，労働形態の弾力化，24時間ビジネスの登場など，消費者のライフスタイルの変化への適応とみることができる。小売業は，変化適応業といわれることがあるが，まさにこの仮説の意図するところである。

6　小売のライフサイクル（retail life cycle）

小売業の形態が新しく登場してから，衰退するまでの一連の発展のプロセスを小売のライフサイクルとしてとらえることができる。このとらえ方は，製品のライフサイクルを小売形態に応用したものといえる[5)]。

小売業のライフサイクルは，主としてイノベーション期，加速的発展期，成熟期それに衰退期という４つの段階からなり，それぞれの期においてはマーケティング戦略に独自の対応を要求する。

(1)　イノベーション期では，新しく登場する形態はまだそれほど知られていないだけに競争が存在せず，売上高が非常に急速に成長するが，消費者への関心と理解を獲得するためにマーケティング支出が多く求められ，利益はささやかである。わが国でのインターネットによるショッピング，アウトレット・ストア，米国ではインターネット・ショッピングやスーパー・センターがこの期にあたる。

⑵　加速的発展期では，拡大する市場をめぐって，小規模ではあるが攻撃的な競争者が現われるが，全体としては売上高が伸びしかも利益が高い。わが国でのコンビニエンス・ストアや総合商品のディスカウント・ストアはこれにあたる。とくに地方都市への出店ではその感が強い。

⑶　成熟期では，多くの直接的なまたいくつかの間接的な競争が現われ，全国的な店舗過剰現象がみられたり，売上高の成長が緩やかになり，また利益がほどほどになる。総合スーパー（大型量販店）や百貨店がこれにあたる。

⑷　衰退期では，市場の支持を失うことで，直接的な競争者の数が減少し，間接的な競争者の数だけが増加し，売上高の伸びが停止し，また利益がほとんど消える。マーケティング支出もほとんどみられなくなる。米国でのバラエティ・ストアがこれにあたる。

小売のライフサイクルは小売ビジネスの発展に対してより的確な展望を与え，小売業者に適切なマーケティング戦略を開発させるのに役立つといえる。そうした小売業のオペレーションを慎重に分析することで，ライフサイクルのそれぞれの段階にフィットした適切な行動を決定でき，売上高や利益を強化するのに貢献する。

図11-4のように，小売形態の収益額は加速的発展期の終わりのところでピークになっており，また販売額シェアは成熟期を通してピークになっている。ある小売業者の形態が衰退期にある場合は，その事業を段階的に廃止するか，あるいは市場においてそれを位置づけし直す（リポジショニング）かのいずれかの選択に迫られる。たとえば，S. S. クレスギ（S. S. Kresge）のバラエティ・ストア・チェーンは，ディスカウント・ストアが伝統的な市場に侵入しはじめる1950年代まではまだ有効に機能する組織であった。1960年代における，クレスギの経営陣は，バラエティ・ストアが衰退期にあり，それに対してディスカウント・ストアは加速的発展局面におかれていると認識していた。結果として，クレスギは，バラエティ・ストアからディスカウント・ストアへの業態転換と社名をKマート・コーポレーション（K mart Cor-

図 11-4　小売ライフサイクルの各段階

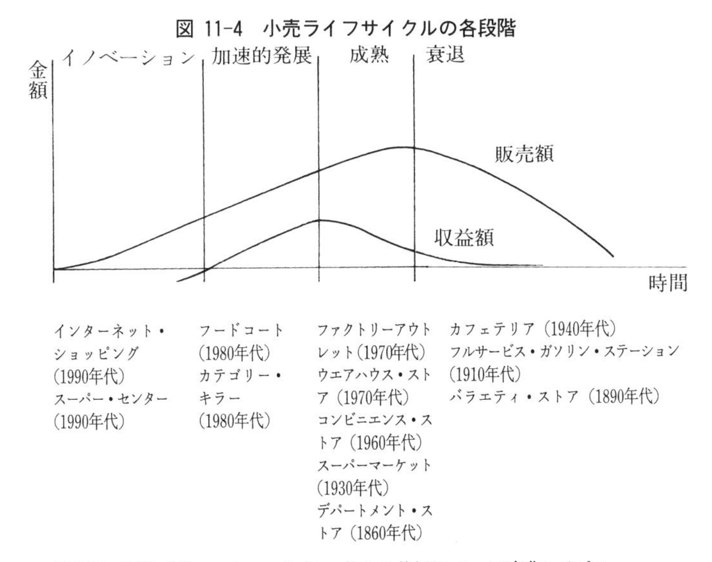

＊各段階の期間（横のスケール）は，多くの状況によって変化しやすい。

＊＊米国での例：（　）は誕生の年代

（出所）　W. R. Davidson, A. D. Bates and S. J. Bass, “The Retail Life Cycle”, *Harvard Business Review,* Vol. 54, 1976. 各ライフサイクルに該当する業態については，P. M. Dunne and R. F. Lusch, *Retailing*, 3rd ed., Harcourt College Pub., 1999, p. 123を参考に作成。

poration）と変更することで，難局を乗り切り，ライフサイクルの飛躍をはかったといえる。ところで，百貨店は成熟に達するのにほぼ80年近くを要した（表11-2参照）。それに対して，ショッピング・センターでは40年，ウエアハウス小売業，具体的には家具のウエアハウス・ショールームはわずか10年でこの段階に達している。小売形態のライフサイクルは，年ごとに短縮化される傾向にある。

これまで取り上げてきた小売形態の発生や発展に関する仮説は，歴史的な関連性のもとで考察することによって，小売業者に過去のパターンにもとづいた経営的判断を行なうことを可能にする。米国の小売形態の発展と変化を表11-2で一覧表に示してある。しかし，ひとつの仮説で小売業の形態発展の全体が説明できるというものではなく，小売業の形態創出のある局面に焦

表 11-2　米国における小売形態の発展とライフサイクル

形態の種類	最も早い成長の期間	導入から成熟までの期間	ライフ・サイクルの段階	説明に相応しい仮説例	代表的企業*
ゼネラル・ストア	1800—40年	100年	衰退／退化	小売アコーディオン	地方にみられる店舗
単一ライン	1820—40	100	成熟	適応行動	Hickory Farms
百貨店	1860—1940	80	成熟	弁証法的過程	Marshall Field's
バラエティ・ストア	1870—1930	50	衰退／退化	適応行動	Morgan-Lindsay
通信販売	1915—50	50	成熟	適応行動	Spiegel
コーポレート・チェーン	1920—30	50	成熟	適応行動	Sears
ディスカウント・ストア	1955—75	20	成熟	適応行動・弁証法的過程	Kmart
伝統的スーパーマーケット	1935—65	35	成熟／衰退	弁証法的過程	Winn Dixie
ショッピング・センター	1950—65	40	成熟	適応行動	Paramus
コーペラティブ	1930—50	40	成熟	適応行動	Ace Hardware
ガソリン・ステーション	1930—50	45	成熟	弁証法的過程	Texaco
コンビニエンス・ストア	1965—75	20	成熟	小売アコーディオン	7-Eleven
ファーストフード販売店	1960—75	15	成長末期	弁証法的過程	McDonald's
ホームインプルーブメント・センター	1965—80	15	成長末期	小売アコーディオン	Lowes
スーパー・スペシャリスト	1975—85	10	成長	小売アコーディオン	Sock Shop
ウエアハウス小売業	1970—80	10	成熟	小売の輪	Levitz
コンピュータ・ストア	1980—85	5	成長	小売アコーディオン	Computerland
エレクトロニクス・スーパーストア	1980—	?	成長	小売アコーディオン	Circuit City Stores
オフプライス小売業 ファクトリー・アウトレット	1980—	?	成長	弁証法的過程	Burlington Coat Factory
メガ・モールズ	1985—	?	成長	適応行動	West Edmonton Mall
ウエアハウスクラブ	1985—	?	成長	小売の輪	Sam's Wholesale Club
エレクトロニック・ショッピング	1990—	?	成長	適応行動	Home Shopping Network

*これらの企業はそれぞれの形態の代表であり，またこうした企業は全体としての形態グループでは特定化されるライフサイクルの段階に必ずしも位置してはいない。

（出所）　J. B. ason and M. L. Mayer, *Modern Retailing : Theory and Practice*, 5th ed., Richard D. Irwin, 1990, p. 25.

点を当てた部分的な説明を特徴としており，各仮説はこの意味で相互補完的な性格のものである。

第2節　小売構造の分析

1　小売構造と分析レベル

さまざまな小売形態の発展は，その国での小売業のあり方や発展方向を規定し，消費者が小売店を選択する範囲を作り出す。一国の小売流通がどのような特徴をもっているかは，これ以外にもいくつかの要素から観察することができる。たとえば，小売業がどのような規模のもので編成されているか，いかなる業種によって占められているか，あるいはどのような空間的な立地分布をもっているかによっても小売業の特徴を知ることができる。このような条件から考察される小売業の発展の全体的な姿を小売構造としてとらえることができる。小売構造は，その国や地域の経済や文化と密接に関連して編成されるものであり，その国や地域の小売流通の全体的な姿や性格を形成しており，代表的な要素として，小売業の規模，業種，業態それに空間の各条件から考察できる[6)]。

ところで，小売構造を構成する個々の単位をどのレベルから分析するかということが問題になる。わが国の商業統計調査や事業所統計調査の集計の仕方は，店舗としての事業所レベルを単位としており，小売商店数という場合には，企業レベルの統計ではなく，各店舗単位の集計である。この点で，店舗としての事業所レベルの動きが分析の対象となることが多いといえる。以下でもこの分析単位が利用される。しかし，小売業は，チェーン展開しているタイプにみられるように，複数の地域に多数の店舗のネットワークを抱えて運営されている場合がある。あるいはこれと対照的に，ショッピング・センターのように同一建物の中に，経営主体の異なる多数のテナントが入っている場合もある。前者は一企業で多数の店舗を抱えた状態であり，後者は同一店舗に多数の企業を抱えた状態であるが，後者はそれぞれ別個の店舗として数えられる。さらに，近年では，経営多角化によって，同一企業系列でありながら，別法人や関連会社という形のグループを単位として行動する場合も起こっている。

このことは，小売業の活動を評価するうえで，３つの視点を必要とする。ひとつは，ある特定の地域でのその店舗の活動や成果を問題にする場合である。もうひとつは，ある特定の企業組織としての戦略や成果を問題にする場合であり，さらに３つ目としてはある特定の企業を中核として編成される関連企業グループの総合的な戦略の形成や，一企業やその店舗のみでは得られない複数企業による総合的効果の達成を問題にすることが求められる。つまり，ある店舗の立地は，単にその地域での店舗事業所の行動として問題になるだけでなく，一企業としてのトータルな戦略的判断の結果であり，ときには所属する企業グループの一部として，総合的なグループ戦略のもとで生み出される問題でもあり，各店舗事業所レベルの細かな動きにとどまらず，その小売企業や企業グループのトータルな動向を絡めて把握する必要がある。それだけに，それぞれの段階での小売業の評価と同時に，３つの視点を同時に関連づけて評価を進めなければならない。このことは，有店舗小売業の場合では，一国やある県における小売流通を考える場合にも，事業所レベルでの商店の動向と，さらに企業レベルやグループ・レベルでの動向を相互に絡めて考えることが大切となる。

2　規 模 構 造

⑴　中小零細小売店の減少と大型店のシェアの増加

小売業の特徴を規模の指標から観察しようとすることは，かなり一般的に試みられている。規模の指標としては，従業者数，店舗面積，売上高，資本金，店舗数などが利用される。

わが国における小売構造は，これまで店舗数の過多性に加えて店舗規模の零細性によって特徴づけられることが多かった。国際比較をする限り，わが国の小売構造は，まだ店舗数の多さと規模の零細性を強く残しているとはいえ，近年，店舗数に関しても，店舗規模に関しても，こうした特徴が着実に変質している。店舗数は，従来かなりの規模で開業・廃業が繰り広げられてきたが，近年では，退出数が参入数を上回る状況となり，結果的には店舗総数が減少する傾向を生んでいる。2014年（平成26年）に集計された商業統計調査をベースにこの傾向を確認してみよう。ただし，これ以前の商業統計調査は2007年（平成19年）が最後であり，その後に既存の大規模統計調査の枠組みの見直しが行なわれ，従来の商業統計調査（簡易調査）で把握すべき事項は新しく創設された「経済センサス―活動調査（総務省所管）」で把握することになり，2012年に経済センサスとして調査が行なわれているが，結果的に大幅な調査の空白が生じており，以前の調査と直接リンクすることは調査設計の大幅変更・分類基準の改訂などでむずかしい面をもっている。あくまで大枠のトレンドとして評価するにとどめたい。かつて小売商店は1982年に172.1万店をピークにして，2007年に113.7万店，2014年には77.5万店と急速にしかも大幅に減少している。2007年からでも36万店以上が激減してきた。

1998年からは，調査対象が構内事業所（官公庁，学校，会社の売店など）および無店舗販売の事業所を加えることになったり，2014年にはもち帰り飲食サービス，配達飲食サービス，自動販売機による小売業などについて分類を新設し捕捉しやすい条件を設定しているにもかかわらず，全体の小売事業所数の衰退は止まらない。中小小売業の規模指数を従業者数49人以下のラインに求めると，従業者規模別事業所数では，49人以下の従業者規模が全体の98.2%を占めており，わが国の小売流通が圧倒的多数の中小零細な小売店によって担われていることになる。とくに，そのうち２人以下が40.8%（2007年43.9%）を占めている。これに対して50人以上の大規模事業所はシェアではわずか1.7%である（表11-３参照）。しかしこの点を従業者規模別年間販売額のシェアで比較すると，全体の122兆１千億円の年間販売額について，先ほど見たシェアではわずか1.7%でしかなかった大規模事業所の従業者規模別事業所数は，販売額シェアでは29.8%と３割近くも獲得していることがわ

表 11-3　小売業の従業者規模別の事業所数と年間販売額（2014年）

従業者規模	事業所数		年間商品販売額（億円）	
	平成26年	構成比（%）	平成26年	構成比（%）
小売業計	775, 196	100. 0	1, 221, 767	100. 0
2　人　以　下	316, 650	40. 8	55, 768	4. 6
3　人　～　4　人	168, 619	21. 8	92, 955	7. 6
5　人　～　9　人	145, 984	18. 8	208, 630	17. 1
10　人　～　19　人	87, 987	11. 4	255, 243	20. 9
20　人　～　29　人	27, 333	3. 5	127, 778	10. 5
30　人　～　49　人	14, 998	1. 9	117, 815	9. 6
50　人　～　99　人	9, 525	1. 2	147, 727	12. 1
100　人　以　上	4, 100	0. 5	215, 850	17. 7

（出所）経済産業省『商業統計表』2014年（平成26年）商業統計概要から。

かる。それとは対照的に，49人以下の従業者規模別事業所数はシェアでは98. 2%も示しながら，年間販売額シェアでは70. 3%にとどまっている。このことは，それだけ大規模事業所に年間販売額が集中していることを意味している。時系列の動きで見ても，2007年では49人以下の事業所数のシェアは99%であり，獲得する年間販売額のシェアは74. 7%，それに対して大規模事業所数のシェアは0. 8%であるが，獲得する年間販売額のシェアは25. 3%であったことから，2014年の大規模事業所への販売額シェアの集中が一段と進んできたことが推定できる。さらにこの間，経営組織別の事業所数の推移でも，2007年にはまだ個人事業所50. 3%で法人事業所49. 7%をかろうじて上回っていたが，2014年には法人事業所57. 9%となり，個人事業所42. 1%と逆転しており，個人経営の存立基盤が変質していることも無視できない。

⑵　規模構造を変化させる要因

わが国の小売業が零細過多として成り立ってきたのには一定の背景がある。

①　高度成長による需要拡大要因：世界に類例をみないほどの高度成長によって，経済全体のパイを大きくし，伝統的小売業と新しいタイプの小売業との併存を可能にし，小売店舗や卸売店舗の数を増やすことになった。

②　消費者行動要因：日本人の購買消費行動には，いくつかの特徴的な面

がみられ，このことが店舗数の増加に関与している。まず，これまで主婦を中心に生鮮食料品に代表される鮮度を重視した購買行動が支配的であり，保管スペースの制約もあって，最寄品の多頻度小口購買が一般にみられた。店舗選択の動機として，食料品・日用雑貨の場合の購買は，家の近くで買い求められ，顔馴染みの店から購入される割合が高かった。このことは，後でふれる業種構成で食料品店がこれまで多かったことと関係している。しかし車による買物の普及とともに，郊外商業施設への買物出向やまとめ買いが生まれ，上記の購買パターンは大きく変化する。

③　兼業・副業による小売店の営業：土地・建物が自己所有である場合は，地代・家賃が不要で，家族労働に全面依存する場合は，人件費が少なくて済み，他の就業とあわせて兼業・副業として小売店を営業できる。

④　寡占メーカーによる流通系列化：戦後，家電，自動車，化粧品などに代表される産業において，寡占メーカーは自社製品の安定的な供給ルートの確保と希望小売価格の維持のために川下への販売ルートの組織化を展開し，多数の小売店を系列化し，販売店援助やリベートなどのインセンティブを供与しながら育成してきた。

⑤　政府規制の存在：かつては，大店法，酒税法，食管法，たばこ事業法，薬事法などの規制は，その本来の目的とは別に，結果的には競争制限的な作用をもち，中小小売業者を保護し，温存する基盤を提供してきた[7]。

近年ではこうした背景が大きく転換しつつあり，小売業における店舗数の過多性と店舗規模の零細性を支えてきた条件が崩れつつある。いくつかの特徴的な状況が店舗数や経営規模に大きなインパクトを及ぼすようになっている。

ⓐ　わが国の社会経済の成熟化にともなって，産業や企業の中でサービスやソフトウェアの役割の重要性が高まり，消費生活の面でも家計消費支出の中でサービス支出の割合が高くなり，結果として物販に限定された

小売業種の衰退とサービスを取り込んだ小売業の発展という傾向が現われている。つまり物よりもサービスの販売に関心が移ってきたといえる。

ⓑ バブル経済がはじけたとはいえ，依然として大都市を中心とした高地価，相続税負担，小売商店の経営者の高齢化，後継者難，商圏の郊外移動といった問題は，中心市街地の商店や商店街の衰退を加速しており，空き店舗の増加と相関して街から活気が失われつつある。

ⓒ 女性の社会進出の活発化と有職主婦の増加は伝統的な買物の行動パターンを変化させており，職場や通勤帰りの買物など買回り範囲を拡大し，また若者のライフスタイルの変化によっても買物時間帯の拡大がみられる。さらには，若い女性層が中心になって海外旅行などを通して体験する買物や生活感覚は，新しいライフスタイルの提案となって，わが国での外資系小売店舗に対して，あるいは低価格でも品質の良いファッションセンスの高い商品に対する購買を促進してきた。逆にいえば，規制緩和を背景に，わが国の消費市場に外資系小売企業の店舗が多数進出し成長できるのもこうした消費者側の購買行動が背景にある。

ⓓ 住宅の郊外への拡大によって，車による買物を定着させており，駐車場を備えたロードサイドの店舗立地を発展させている。郊外生活や働く主婦の増加は，大型冷凍・冷蔵庫の利用や冷凍食品・加工食品への嗜好を強め，伝統的な買物のパターンを変えつつある。

ⓔ 寡占メーカーによる流通系列化は，今日さまざまな限界や課題に直面している。その主たる要因は，消費者側の車やインターネットを利用した比較購買の影響，ディスカウント・ストアや量販型専門店に代表されるチェーンベースの小売企業における情報処理能力の向上，そのグローバルな大量購買力の実現や価格決定権取得の影響，および公正取引委員会における流通系列化規制の運用強化の影響を受け，さらにはメーカー自身が系列化を維持することのコスト上昇に直面し（オープン価格への移行やリベート体系の廃止・簡素化），これまでのように多数の中小小売

店を抱えた系列化の枠組みを維持することが困難になっている。メーカーは少子高齢化の時代を迎え新たなチャネル政策を模索している。

ⓕ　大店法や個々の小売業種に対する各種の規制行政に対して，国の内外から批判が起こり，規制緩和が実施されてきた。大店法の撤廃は，中小小売店の保護よりも流通市場に競争原理の貫徹を促進し，これまで中小小売業の保護に傾きがちであった行政の対応を変質させている。それと合わせて，大店法に代わって施行された大店立地法は，大規模小売店の出店にあたり周辺地域の環境への配慮を求めるようになっており，このことは流通業全体に環境・騒音・ごみ処理・リサイクルなどへの対策を徹底させる気運を高めている。

3　業種構造

(1)　飲食料品小売店数の多さとその減少傾向

多数の小売業がそれぞれいかなる商品を主として販売するかを中心とした分類は，業種別小売業として，わが国の商業統計調査が採用してきた代表的な方法である。時代によって，地域や国によって，どのような業種の小売業がどの程度分布しているか，あるいは業種の増減傾向を通して，われわれはそこから流通に関する多くの動きを知ることができる。小売業の業種分類は，取扱い商品の類似性によって区分されるが，商業統計調査では日本標準産業分類に依拠している。

ちなみに，「流通革命」がいわれ出した1962年の時点で，わが国の小売業の業種構成において最大のシェアを占めていたのは「飲食料品小売業」である。これは，商店数，就業者数そして年間販売額のいずれの構成比についても共通してトップを占めている。しかもこのパターンは変動の激しい小売業界において今日でも妥当している（表11-4参照）。

わが国の場合，業種別小売構造において食料品系小売業がかなり多数を占める傾向は現在でも変わってはいない。2014（平成26）年にこれまで「飲食料品小売業」の分類は改訂され，細分化された分類となったので直接の比較

表 11-4　小売業の業種構成（2004年・2007年および2014年〔次頁表示〕）

業種	事業所数				
	2004年（平成16年）	2007年（平成19年）	構成比（%）		前回比（%）
			平成16年	平成19年	19年／16年
小売業計	1,238,049	1,137,859	100.0	100.0	▲8.1
各種商品小売業	5,556	4,742	0.4	0.4	▲14.7
織物・衣服・身の回り品小売業	177,851	166,732	14.4	14.7	▲6.3
飲食料品小売業	444,596	389,832	35.9	34.3	▲12.3
自動車・自転車小売業	86,993	82,984	7.0	7.3	▲4.6
家具・じゅう器・機械器具小売業	115,132	98,927	9.3	8.7	▲14.1
その他の小売業	407,921	394,642	32.9	34.7	▲3.3
医薬品・化粧品小売業	86,684	84,051	7.0	7.4	▲3.0
農耕用品小売業	15,042	13,911	1.2	1.2	▲7.5
燃料小売業	62,546	58,002	5.1	5.1	▲7.3
書籍・文房具小売業	54,329	48,120	4.4	4.2	▲11.4
スポーツ用品・がん具・娯楽用品・楽器小売業	33,114	29,156	2.7	2.6	▲12.0
写真機・写真材料小売業	4,307	3,508	0.3	0.3	▲18.6
時計・眼鏡・光学機械小売業	21,405	20,410	1.7	1.8	▲4.6
他に分類されない小売業	130,494	137,484	10.5	12.1	5.4

（注）　平成19年調査より，駅改札内及び有料道路内事業所を調査対象に加えた。
（出所）　経済産業省『商業統計表』（2004年，2007年）。

産　業　小　分　類	事　業　所　数	
	2014年（平成26年）	構成比（%）
小売業計	775, 196	100. 0
百貨店，総合スーパー	1, 608	0. 2
その他の各種商品小売業(従事者が常時50人未満のもの)	2, 064	0. 3
呉服・服地・寝具小売業	12, 865	1. 7
男子服小売業	13, 262	1. 7
婦人・子供服小売業	49, 074	6. 3
靴・履物小売業	8, 771	1. 1
その他の織物・衣服・身の回り品小売業	26, 623	3. 4
各種食料品小売業	22, 116	2. 9
野菜・果実小売業	15, 220	2. 0
食肉小売業	9, 467	1. 2
鮮魚小売業	11, 118	1. 4
酒小売業	28, 287	3. 6
菓子・パン小売業	47, 095	6. 1
その他の飲食料品小売業	103, 422	13. 3
自動車小売業	56, 981	7. 4
自転車小売業	9, 185	1. 2
機械器具小売業（自動車，自転車を除く）	35, 836	4. 6
家具・建具・畳小売業	15, 816	2. 0
じゅう器小売業	11, 081	1. 4
医薬品・化粧品小売業	70, 471	9. 1
農耕用品小売業	10, 736	1. 4
燃料小売業	41, 653	5. 4
書籍・文房具小売業	29, 115	3. 8
スポーツ用品・がん具・娯楽用品・楽器小売業	17, 092	2. 2
写真機・時計・眼鏡小売業	17, 753	2. 3
他に分類されない小売業	79, 803	10. 3
通信販売・訪問販売小売業	21, 476	2. 8
自動販売機による小売業	2, 830	0. 4
その他の無店舗小売業	4, 376	0. 6

（出所）　経済産業省『商業統計表』(2014年)。

はできないが，それでも全体の事業所数の中で30%のシェアをもっており，年間販売額でのシェアも25.8%と他の業種を凌駕している。各種食料品小売業だけでも12.1%と自動車小売業を抜いてトップである（表11-5参照）。しかし，時系列のトレンドとしては，食料品系事業所数は減少傾向（2007年の飲食料品小売業が389,832事業所数に対して，2014年の飲食系小売業の事業所数は236,725事業所数）にある。

表 11-5　小売業の業種構成の上位ランキング2014（平成26）年

	事業所数	構成比（%）
①その他の飲食料品小売業	103,422	13
②他に分類されない小売業	79,803	10
③医薬品・化粧品小売業	70,471	9.1
④自動車小売業	56,981	7.4
⑤婦人・子供服小売業	49,074	6.3

	従業者数	構成比（%）
①その他の飲食料品小売業	963,971	16.6
②各種食料品小売業	740,080	12.7
③医薬品・化粧品小売業	448,547	7.7
④他に分類されない小売業	430,301	7.4
⑤自動車小売業	419,418	7.2

	年間販売額	構成比（%）
①各種食料品小売業	148,339	12.1
②自動車小売業	145,118	11.9
③燃料小売業	134,308	11
④その他の飲食料品小売業	121,388	9.9
⑤医薬品・化粧品小売業	99,503	8.1

	売場面積（㎡）	構成比（%）
①他に分類されない小売業	21,194,621	15.7
②各種食料品小売業	17,964,420	13.3
③百貨店・総合スーパー	17,308,526	12.8
④その他の飲食料品小売業	11,801,694	8.8
⑤機械器具小売業（自動車・自転車を除く）	8,934,736	6.6

（出所）　経済産業省『商業統計表』2014年，商業統計概要から。

こうした傾向は，所得水準の上昇とともに，家計消費支出の中で食費に向ける支出の割合が低下し（エンゲル係数の低下），雑費やサービス関連の支出が増加することと関連している。さらに，所得水準（消費水準）が上昇し，また流通の生産性が向上することで，人口比でみたときの小売店舗数が業種によって増加と減少という異なったパターンを表わすようになる。とくに食料品のような必需性の高い業種の店舗数が減少を示し，買回品のような奢侈性の高い業種の店舗数は増加を表わすようになる。こうした動きをフォード効果としてとらえることができる。これは，英国のフォード（P. Ford）によって20世紀初頭に英国で観察された経験法則であるが，同じく英国のホール（M. Hall）によって1930―50年までの米国とカナダでの業種別店舗数の変動分析から確認され，フォード効果と命名されたものである。わが国においても，いくつかの例外を含みながらもこうした傾向を読み取ることができる[8)]。

⑵　業種の盛衰の条件

業種の増減傾向について，特徴的なことは，商業統計調査における増加業種の中に，①「他に分類されない」や「その他」という形で従来の分類枠におさまらない新しいタイプの業種が成長するようになっていること，②当然のことであるが，消費者の便益性（コンビニエンス）志向，バリュー志向，ファッション性志向，高級化志向，レジャー志向，健康志向など，消費者の意識やライフスタイルの変化を反映した関連業種が成長していることである。これらは，独自のカテゴリー提案にもとづく店舗コンセプトや品揃え形式それに新しい販売方法（業態）の導入をともなっていることが多い。

逆に，減少業種に共通した特徴点は，①最近の消費者の志向やライフスタイルにあわない伝統的な商品に固執していること，②ニーズの個性化・多様化・短サイクル化によって，最近の消費者の購入する商品・サービスの内容，購入場所，それに購入方法が大きく変化しているにもかかわらず，相変わらず保守的で旧態依然たる売り方で対処しようとする業種に減少傾向がみられる。

この場合，問題となるのは，従来の業種分類におさまらない新しい販売方法を導入した小売店の出現は，業種分類では十分にとらえることができず，その他の小売業や他に分類できないという形に処理されてしまう点である。消費者ニーズの個性化やライフスタイルの多様化を商品構成面に反映させようとするほど，各種商品や各種食料品という複合的な小売業を増加させたり，また各小売店の実際の品揃えが従来の業種以外の商品分野にも取扱いを拡大する傾向がますます高められる。小売業の経営が業種中心から業態を軸とした商品構成に移行しつつある状況においては，業種別に分類された商業統計調査では十分実態を反映しておらず，この点で統計調査への批判を生んでおり，業種構造の動向のみならず，業態構造の分析が重視されるようになっている。

4 業態構造

(1) 業態の多様な発展

営業方法や販売方法を単位として小売業の姿をとらえようとしたものを，業態構造と呼ぶ。これまで，わが国での小売業は，特定商品を中心に扱う業種別小売店で構成されており，伝統的な専門店や一般小売店の多くは取扱い商品種類ごとに社会的分業を形成し，それだけ商店数の過多性や経営規模の零細性を生み出してきた。しかし，戦後になってから徐々に，小売業の編成が業種を基礎とした行き方から業態を中心とした発展に転換している。それまでは業態としてとらえられる主な小売業は百貨店ぐらいであり，残りの圧倒的多数は業種を基礎に成り立つ一般小売店で占められていた。戦後，とくにスーパーマーケットの登場と発展は，食料品の総合的な品揃えによってワンストップ・ショッピングを可能とし，消費者の買物行動や伝統的な一般小売店の経営に大きなインパクトを与え，その後の新業態導入への先駆けとなったといえる。近年のように，小売企業が消費者ニーズの多様化・個性化に応えようとするほど，また営業規模の拡張や小売競争での優位性を発揮しようとするほど，小売業での業種を超えた業態コンセプトが重要になってい

表 11-6　小売業の業態別，年次別の事業所数，従業者数，年間商品販売額，売場面積，構成比及び増減率（2014/2012）

業態別	事業所数				従業者数				年間商品販売額				売場面積			
	平成24年	平成26年	構成比(%)	26年/24年(%)	平成24年(人)	平成26年(人)	構成比(%)	26年/24年(%)	平成24年(百万円)	平成26年(百万円)	構成比(%)	26年/24年(%)	平成24年(m²)	平成26年(m²)	構成比(%)	26年/24年(%)
小売業計	782, 862	780, 719	100. 0	▲0. 3	5, 535, 790	5, 868, 417	100. 0	6. 0	110, 489, 863	127, 894, 888	100. 0	15. 8	132, 917, 692	145, 742, 034	100. 0	9. 6
1. 百貨店	228	212	0. 0	▲7. 0	85, 306	69, 498	1. 2	▲18. 5	5, 487, 978	5, 023, 164	3. 9	▲8. 5	5, 958, 725	6, 241, 711	4. 3	4. 7
(1)大型百貨店	224	201	0. 0	▲10. 3	84, 899	68, 192	1. 2	▲19. 7	5, 480, 454	4, 991, 446	3. 9	▲8. 9	5, 957, 155	6, 231, 450	4. 3	4. 6
(2)その他の百貨店	4	11	0. 0	175. 0	407	1, 306	0. 0	220. 9	7, 524	31, 718	0. 0	321. 6	1, 570	10, 261	0. 0	553. 6
2. 総合スーパー	1, 122	1, 387	0. 2	23. 6	232, 698	263, 827	4. 5	13. 4	5, 322, 537	6, 074, 292	4. 7	14. 1	11, 482, 788	13, 031, 603	8. 9	13. 5
(1)大型総合スーパー	1, 009	1, 145	0. 1	13. 5	222, 936	238, 508	4. 1	7. 0	5, 033, 993	5, 335, 496	4. 2	6. 0	11, 189, 233	12, 471, 688	8. 6	11. 5
(2)中型総合スーパー	113	242	0. 0	114. 2	9, 762	25, 319	0. 4	159. 4	288, 544	738, 796	0. 6	156. 0	293, 555	559, 915	0. 4	90. 7
3. 専門スーパー	35, 052	31, 674	4. 1	▲9. 6	1, 224, 731	1, 081, 250	18. 4	▲11. 7	24, 088, 672	22, 263, 733	17. 4	▲7. 6	45, 144, 835	45, 118, 749	31. 0	▲0. 1
(1)衣料品スーパー	7, 855	8, 144	1. 0	3. 7	107, 256	125, 311	2. 1	16. 8	2, 078, 965	2, 080, 234	1. 6	0. 1	5, 905, 758	6, 885, 030	4. 7	16. 6
(2)食料品スーパー	16, 290	14, 043	1. 8	▲13. 8	870, 974	708, 036	12. 1	▲18. 7	16, 828, 614	14, 536, 101	11. 4	▲13. 6	20, 716, 235	18, 673, 161	12. 8	▲9. 9
(3)住関連スーパー	10, 907	9, 487	1. 2	▲13. 0	246, 501	247, 903	4. 2	0. 6	5, 181, 093	5, 647, 399	4. 4	9. 0	18, 522, 842	19, 560, 558	13. 4	5. 6
うちホームセンター	4, 570	4, 433	0. 6	▲3. 0	125, 415	136, 205	2. 3	8. 6	3, 111, 729	3, 468, 294	2. 7	11. 5	12, 179, 832	14, 181, 650	9. 7	16. 4
4. コンビニエンスストア	30, 598	33, 505	4. 3	9. 5	439, 337	513, 814	8. 8	17. 0	5, 490, 078	6, 221, 637	4. 9	13. 3	3, 602, 422	4, 134, 426	2. 8	14. 8
うち終日営業店	25, 349	28, 770	3. 7	13. 5	389, 062	456, 737	7. 8	17. 4	4, 900, 932	5, 599, 089	4. 4	14. 2	3, 104, 292	3, 675, 824	2. 5	18. 4
5. 広義ドラッグストア	14, 872	13, 255	1. 7	▲10. 9	171, 332	169, 118	2. 9	▲1. 3	3, 803, 587	3, 865, 444	3. 0	1. 6	6, 458, 247	6, 192, 170	4. 2	▲4. 1
うちドラッグストア	14, 326	12, 050	1. 5	▲15. 9	164, 181	144, 321	2. 5	▲12. 1	3, 643, 964	3, 392, 491	2. 7	▲6. 9	6, 188, 321	5, 136, 365	3. 5	▲17. 0
6. その他のスーパー	52, 409	45, 835	5. 9	▲12. 5	342, 695	345, 746	5. 9	0. 9	4, 407, 643	4, 815, 834	3. 8	9. 3	6, 728, 151	7, 757, 479	5. 3	15. 3
うち各種商品取扱店	507	722	0. 1	42. 4	4, 933	9, 346	0. 2	89. 5	110, 432	264, 311	0. 2	139. 3	263, 189	590, 865	0. 4	124. 5
7. 専門店	425, 438	434, 856	55. 7	2. 2	1, 919, 144	2, 130, 974	36. 3	11. 0	35, 167, 616	44, 801, 079	35. 0	27. 4	28, 192, 192	32, 610, 485	22. 4	15. 7
(1)衣料品専門店	53, 279	54, 244	6. 9	1. 8	170, 977	181, 809	3. 1	6. 3	2, 206, 936	2, 691, 846	2. 1	22. 0	4, 541, 595	4, 576, 502	3. 1	0. 8
(2)食料品専門店	96, 837	95, 763	12. 3	▲1. 1	364, 957	420, 245	7. 2	15. 1	3, 153, 188	3, 987, 551	3. 1	26. 5	3, 913, 013	4, 623, 353	3. 2	18. 2
(3)住関連専門店	275, 322	284, 849	36. 5	3. 5	1, 383, 210	1, 528, 920	26. 1	10. 5	29, 807, 492	38, 121, 682	29. 8	27. 9	19, 737, 584	23, 410, 630	16. 1	18. 6
8. 家電大型専門店	2, 237	2, 373	0. 3	6. 1	72, 299	80, 442	1. 4	11. 3	5, 350, 099	4, 399, 675	3. 4	▲17. 8	6, 268, 140	6, 554, 097	4. 5	4. 6
9. 中心店	197, 618	193, 530	24. 8	▲2. 1	877, 785	1, 025, 870	17. 5	16. 9	15, 664, 354	20, 768, 574	16. 2	32. 6	18, 938, 631	23, 836, 795	16. 4	25. 9
(1)衣料品中心店	40, 315	41, 891	5. 4	3. 9	156, 273	191, 449	3. 3	22. 5	2, 609, 973	3, 456, 411	2. 7	32. 4	6, 023, 370	7, 081, 684	4. 9	17. 6
(2)食料品中心店	62, 970	60, 974	7. 8	▲3. 2	228, 582	332, 787	5. 7	45. 6	2, 807, 286	5, 075, 687	4. 0	80. 8	4, 190, 644	5, 651, 542	3. 9	34. 9
(3)住関連中心店	94, 333	90, 665	11. 6	▲3. 9	492, 930	501, 634	8. 5	1. 8	10, 247, 094	12, 236, 476	9. 6	19. 4	8, 724, 617	11, 103, 569	7. 6	27. 3
10. その他の小売店	1, 214	1, 065	0. 1	▲12. 3	4, 916	5, 167	0. 1	5. 1	77, 705	264, 732	0. 2	240. . 7	143, 561	264, 519	0. 2	84. 3
うち各種商品取扱店	756	972	0. 1	28. 6	3, 511	4, 523	0. 1	28. 8	58, 359	231, 457	0. 2	296. 6	111, 149	205, 042	0. 1	84. 5
11. 無店舗販売	22, 074	23, 027	2. 9	4. 3	165, 547	182, 711	3. 1	10. 4	5, 629, 594	9, 396, 724	7. 3	66. 9	―	―	―	―
うち通信・カタログ販売，インターネット販売	4, 835	5, 745	0. 7	18. 8	67, 515	74, 032	1. 3	9. 7	3, 222, 308	3, 608, 420	2. 8	12. 0	―	―	―	―

（出所）　経済産業省『商業統計表』2014年，速報データから。

る。

小売業態の成長という面からみても，戦後は百貨店以外の分野でチェーン化（レギュラー・チェーンに限らず，フランチャイズ・チェーンやボランタリー・チェーンにおいても）をベースに大企業が形成されつつあるが，つい最近までは売上高上位企業のベスト4社がすべて総合スーパーという戦後型の業態によって独占されていた。しかしこのところ，上位500社の業態別構成は総合スーパーや百貨店が高い成長を誇った時代が終わり，コンビニエンス・ストアの躍進や量販型専門店およびディスカウント・ストアの増加が目立っており，さらに生協や無店舗販売など多様な業態が相互に競い合う時代へと移行しつつある。

わが国の商業統計調査では，1982年から業態別の小売業の動向を把握するようになった。そこでは，百貨店，総合スーパー，専門スーパー，コンビニエンス・ストア，広義ドラッグストア，その他のスーパー，専門店，家電大型専門店，中心店，その他の小売店，無店舗販売に区分されて集計される。全体の中で，商店数の業態別シェアの高いのは，専門店であり，その中でも住関連専門店と食料品専門店が目立って多い。次に大きなシェアをもつのは中心店であり，やはり住関連と食料品中心店のウェイトが高い（表11-6参照)。ここで，2012（平成24）年と2014（平成26）年の期間で，商店（事業所数）と年間販売額の増減率という2つの指標で，その特徴的な動きを見てみると，その他のカテゴリーに成長業態が集中しているのが顕著である。事業所数も，年間販売額もともに増加している業態には，①その他の百貨店，②中型総合スーパー，③その他のスーパー，うち各種商品取扱店が従業者数と売場面積でもともに高い成長を示している。すでに業種の動向でもふれたように，消費者のライフスタイルや購買行動を察知した形での従来の業態にとらわれない，中規模から小型化した店舗規模でコンパクトな売り場づくりで用途に応じたワンストップショッピング機能を提供できる生活提案型の小売業の成長が特徴となっている。これに対して，逆に両指標とも減少しているのは，①食料品スーパー，②ドラッグストア，③大型百貨店がランクされる

図 11-5　小売業態の盛衰（2014年/2012年増減率比較）

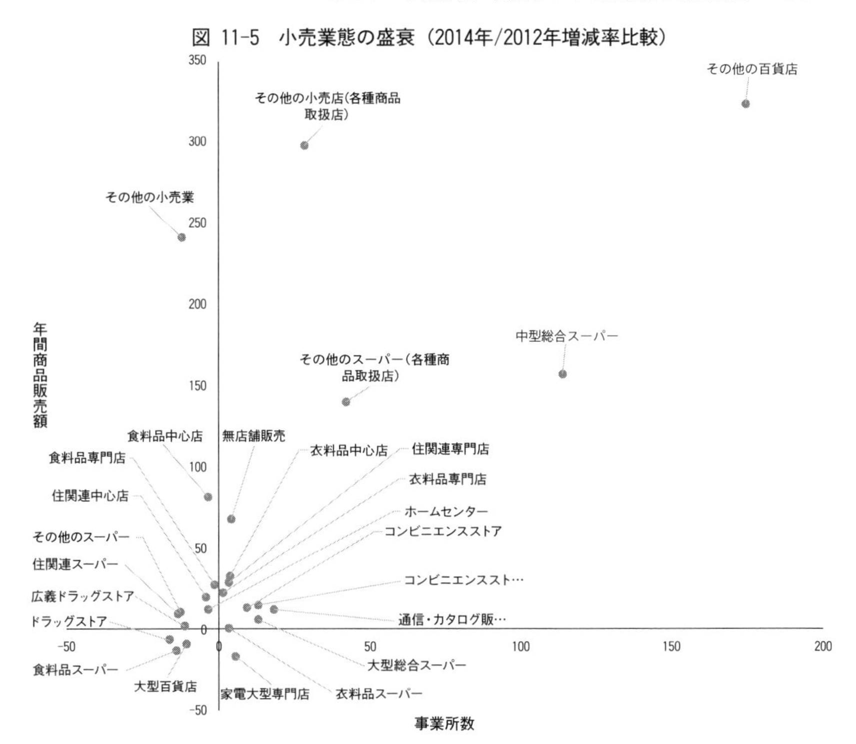

＊事業所数（増減率：%）　年間販売額（増減率：%）
（出所）　経済産業省『商業統計表』2014年，速報データから。

（図11-5参照)。従来は①食料品スーパーも，②ドラッグストアも成長が堅調な業態として見られてきたが，結果は決して期待されたものではなく，競争の激しさと顧客の選別が働いている。業態型の小売業というよりも業種型の小売業という位置にある中心店（衣食住のいずれかの商品カテゴリーに中心がある）の住関連や食料品中心店も大きく店舗数を減少させている。これらの多くはまだ業態というほど明確な営業方法や売り方の特徴を確立した小売業ではなく，むしろ従来の専門的な商品の取り扱いを中心に発展してきた伝統的な小売業種に属している。中心市街地の商店街に多く位置し，駐車場の不備や経営者の高齢化，商圏人口の高齢化に直面して，あらためて伝統的な業種店のコアコンピタンスの確立が問われている。それと同時に，多数の業種店が少数の業態店によって急速に代替・淘汰されている過程が発生していることを示している[9)]。

⑵ 異業態間競争：スーパーマーケット vs レストラン

さらに，商業統計調査の商品販売形態（業態）別の年間商品販売額の割合をみると，2014年では，店頭販売84.5%，訪問販売5.5%，通信・カタログ販売2.6%，インターネット販売2.1%，自動販売機による販売1.0，その他（共同購入・月極め購入）4.3%となっており，店頭販売が圧倒的に多いが，かつては商業統計分類では項目のなかったインターネット販売2.1%が通信・カタログ販売とは別個の項目で集計されており，通信・カタログ販売と並ぶ規模であることが確認できる。

かつては，小売業は業種を基礎に構成されており，競争は主として同業種間の小売競争が中心であった。これに対して，主に戦後，同一の商品をさまざまな販売方法や営業方式で提供する小売業の登場は，同じ商品を扱う業種間（婦人服専門店 vs 婦人服専門店）の競争を生み出すだけでなく，同業態間（たとえば，百貨店 vs 百貨店）さらには異業態間競争（百貨店 vs 総合スーパー vs 専門店チェーン vs インターネット販売）を促進している。

さらに，異業態間競争は，産業の枠を超えて競争関係を複雑・多次元的に繰り広げることとなる。例を食料品の販売でみると，消費者の食品市場に対する認識が流動化しており，それだけ競争関係を複雑にしている。食材の提供が課題である，一般の食料品店，スーパーマーケット，百貨店の食料品売場，食料品の通信販売の競争関係に加えて，消費者にとっての料理の時間，加工度，雰囲気，さらに味に対するこだわりの点から，食材のケータリングサービス，ファーストフードや外食レストラン，コンビニエンス・ストアのイートインコーナー，弁当おにぎり等のテイクアウト産業の中から選択が可能であり，直接・間接に競争関係が異業態間において繰り広げられている。ある一定の消費者の可処分所得は，消費支出の形態を取りながら，これらの業態のどれに振り向けるのかをめぐって競争関係にある。こうした競争関係の流動化は，小売業の世界においてますます拡大することが予想される。すでにセブン-イレブン・ジャパンの店舗内にはセブン銀行が設置され，その多数の店舗で24時間・年中無休の普通預金の入出金・振込みなどの金融サービスを提供しているように，銀行をはじめ他の産業との業際化・融合化が進行しており，異業態間競争が小売業とサービス業など産業の枠を超えたところでも発生している。それだけに小売企業にとっての現在の競争者，将来の有力な競争者の認定がいっそうむずかしくなっている。

5　空間構造

(1)　商業集積と都市間競争

小売業は，一般に，店舗を単位として地域的に分布しており，その分布の状態は空間構造としてとらえられる。小売業は，有店舗小売業の場合，店舗がどのような地域や場所に立地するかによって，その店舗への顧客吸引の程度が左右されるだけに，立地産業としての性格を示す。

小売業の地域的集中・集積は，小売業者とその対象とする地域のさまざまな条件によって多様な展開を表わしているのが通例である。小売業の店舗立地は，地域における人口の分布や増減，所得構成，交通機関などのインフラストラクチャー発展の程度，モータリゼーションの程度，地価の高低，競合店の有無，飲食・娯楽施設などの充実度などの要因によって，さまざまな展開パターンを示し，地域の商業集積にさまざまな差を生み出す。小売業が店舗の立地選定にあたっては，こうした要因を十分に考慮していくことはいうまでもない。小売業の空間構造の把握には，こうした地域的な分布に加えて，商業集積の内容を明らかにするために規模，業種，業態の構成を関連づけて検討することになる。

さまざまな小売業の店舗立地の集合状態は，商業集積と呼ばれ，地域によってはほんの数店の，よろずや式の小規模な商店から，大都市圏にみられる多数の，大規模で，しかもさまざまな業種・業態から編成された商店群の形成にまで及んでいる。一般に，集積の規模が大きいほど販売額の大きい，より大規模な小売店舗，それに専門性の高い店舗を抱えることになり，百貨店，総合スーパーあるいは高級専門店の構成割合が増大し，それだけより遠方からの顧客を引きつけることができ，対象とする商圏も広いといえる[10]。商圏とは，特定の店舗や商業施設が引きつける顧客の地域的広がりを意味する。

小売業の店舗立地は，かつては，繁華街ほど有利といわれてきた。しかし人の流れが時代とともに変化しており，必ずしもこのパターンは通用しなくなってきた。わが国の場合，歴史的にみて，とくに，戦後の都市化の進行は，多数の人口を東京，大阪，名古屋の３大都市圏を中心に集中させ，核家族化と所得水準の上昇をともなって消費者のライフスタイルを変化させてきた。都市への人口集中は，都心部での居住適地の不足と地価の高騰に直面し，人口の郊外移動を加速してきた。つまり地方から都市圏への人口の集中は，ほぼ同時に都市郊外への人口のオーバーフローをともなって，住宅地の郊外への拡大（スプロール現象）を生んできた。こうした人口の都市への集中と並行して，モータリゼーションの進展は，高速道路網の拡張と自動車保有台数の拡大に支えられ急激に行なわれた。都市化とモータリゼーションの進行は，小売業の店舗立地にも大きな影響を与えてきた。これらは，既存の商業集積の存在に対して，これまでの商店街での安定していた関係をつき崩すように作用してきた。具体的には既存商店街は，都心部での人口の空洞化，出店コストの増大，車を利用した顧客の買回範囲の拡大などによって衰退傾向を示している。それとともに，人口の郊外移動と買回範囲の拡大によって，小売競争のレベルを個々の小売商店間競争から，特定の商業集積をベースとした商店街同士，さらには都市間競争へと発展させ，地域によっては個別的な小売商店の対応のみならず，地域における商業集積の充実や商店街の活性化といった組織的な対応が求められている。

⑵　小売中心地の移動

わが国の商業集積形成は３つのパターンで大づかみにとらえてみることができる[11]。まず第１に，旧来の商店街は，旧街道沿いや城下・寺社門前それに住宅地を拠点に発展してきた。これらの商店街は，自然発生的に形成され，住宅地の商店街は最寄品を中心に生活に密着した商品を提供するような形で発展し，街道沿いや宗教的祭事の場に面した商店街では，比較的高級品や観光物産品を提供する商店が発展してきた。こうした商店街は，人や馬車の流れを中心に発展してきただけに，道路自体が曲折しており，道幅も狭く，また人々の生活圏が限定されていたこともあって，店舗面積も品揃えも制約されている。

第2に，鉄道網の発展は，商店の駅前立地を定着させ，繁華街の形成を導いた。まず，東京，大阪，名古屋のような大都市の場合，人口の郊外移動が活発になると，都心と郊外を結びつける私鉄を参入させ，そこでの私鉄と他の鉄道との接続ターミナルに百貨店（ターミナル・デパート）を発展させた。私鉄は，その沿線の土地を取得し，宅地開発を行なうことで，沿線住民の購買力をターミナル・デパートに吸収しようとした。接続ターミナルは，副都心として新たな繁華街を形成し，私鉄沿線の各駅には，スーパーマーケットや総合スーパーを中心とした豊富な品揃えの最寄品や一部買回品を扱う商店群が創出された。ターミナル・デパートの成功は，伝統的百貨店にもターミナル志向を促進し，郊外の中規模都市での駅前立地を加速した。また，わが国の百貨店の地方都市での発展は，明治末期から大正にかけて地方都市への鉄道網の整備によって可能になったといわれる[12)]。一般に，鉄道の駅が設置される場所は，従来の都市の中心ではなく，市街地の外延部であることが多かった。こうした駅を中心に，人々の往来が生まれ，それを当て込んで多数の店舗が開設されるようになる。従来の市街地の商店街に対抗するような，第2の商業集積が形成されるようになる。

第3に，人口の郊外への移動，都心部の地価高騰，それにいっそうのモータリゼーションの進行は，消費者の買物習慣を変化させ，駅周辺とは別の場所にある，郊外の幹線道路沿い（ロードサイド），工場跡地あるいは低地価の未利用地などに新たに出店を促進している。これは，逆にいえば従来の商店街が，交通渋滞・駐車場難，高地価・高テナント料それに狭い店舗・売場などによって空洞化し，郊外消費者のニーズに適応できなくなり，人口の郊外拡散に積極的な対応をはかるためにショッピング・センター，ホームセンター，靴・紳士服・書籍などの専門店，コンビニエンス・ストア，ディスカウント・ストアの展開，アウトレット・モールあるいはファミリー・レストランやガソリンスタンドと小売店舗との複合展開などが目につくようになってきた。

人口の郊外化の動きは，地域の商業集積を大きく変化させ，既存の小売中心地を衰退させる危険を抱えている。ただし，これまで検討してきた3つの商業集積は，競合関係をもちながらも，緩やかな形ではあるが一定の役割分担が形成されている面もある。

住宅地や旧街道に隣接した地域の商店街は，生活に密着した日用品を中心に品揃えする商店街が形成されており，都心部や駅前の商店街では，ファッション性の高い，高級品の多い買回品や専門品を揃える商店群が多く存在する。これに対して，郊外の幹線道路沿いやこれまで低地価の未利用地であったところでは，総合スーパー，専門店，ファミリー・レストランなどを複合させることで，ワンストップ・ショッピングを強調した小型の商店街形成の方向か，特定の分野での品揃えの総合性を強調する方向か，あるいは低価格訴求を強調するディスカウント・ストアの展開かのいずれかの方向が，郊外居住者の車客にターゲットを設定した小売店で展開されるようになっている[13)]。

商業集積の規模が大きいほど，最寄品中心から買回性・専門性の強い業種のウェイトが高まり，多様な業種や業態を発展させることになる。しかも，商業集積は，より大規模なものから，より小規模なものまで，階層構造が存在しており，人口の多い都市圏ほど，大規模な商業集積を形成し，それを頂点にしてさまざまな規模の集積の階層を形成し，都市の衰退につれて集積の規模も弱体化していく。

小売業の動きを空間構造からとらえると以下の点がまとめとして指摘できる。①これまでの大都市圏の都市部における人口は，地価の高騰，夜間人口の減少，大店立地法の大型店の出店コスト負担などが影響し，昼間人口とのかい離を大きくし，生鮮食料品を中心とした伝統的商店街に大きな打撃を与えてきた。②人口の郊外移動や車による買回範囲の拡大は，先にもふれたように徒歩や公共交通機によって形成された商業空間を飛び越え，広域の商業施設を買い回ることで，既存の中心市街地の商店街を衰退させ，郊外型の商業施設を発展させてきた。その結果，人口の郊外移動や車による買回範囲の拡大は小売競争のレベルを地域の商店街間競争や都市間競争にまで発展させた。③しかし近年では郊外への大型店の出店規制（都市計画法の改正）やバブル崩壊以降の地価の低迷，人口の都心回帰などによって，都市部での小型店の出店の展開が試みられるようになってきた。④高齢化と人口減少を背景に，地方の過疎地や都市部の団地やニュータウンなどを中心に，店舗の撤退や体力的に移動に困難を感じる人々を中心に，店舗へのアクセス面で買物難民や買物弱者が社会問題となっている。こうした立地を中心とした有店舗小売業の動向に対して，インターネットによる通信販売の出現は，店舗立地，買物の距離や時間に制約されない販売方法を発展させており，小売企業にとっても，消費者にとっても，商圏や買物の場所が複雑に変化しており，このことが小売販売の空間的な範囲を拡大していることにも注目すべきである。

かくして，時代とともに消費者のニーズやライフスタイルが変わり，それを先導もしくはそれらに適応する形を取りながら，小売業の対応方法が，規模，業種，業態それに立地のそれぞれの面においても，ダイナミックに変動してきていることが理解できる。

注

1）M. P. McNair, “Significant Trends and Developments in the Postwar Period”, in A. B. Smith ed., *Competitive Distribution in a High-Level Economy and Its Implications for the University*, University of Pittsburgh Press, 1958, pp. 1-25. M. P. McNair and E. G. May, *The Evolution of Retail Institutions in The United States*, Marketing Science Institute, 1976（清水猛訳『“小売の輪”は回る』有斐閣選書R，1982年）.

2）O. Nielsen, “Development in Retailing”, in M. Kjaer-Hansen ed.,

Readings in Danish Theory of Marketing, North-Holland, 1966, pp. 101-105. なおこの仮説の解釈は，主として，以下の文献を参考にしている。荒川祐吉「現代小売流通」久保村隆祐・荒川祐吉編『商業学』有斐閣大学双書，1974年，pp. 351-352。白石善章著『流通構造と小売行動』千倉書房，1987年，pp. 126-130。

3) S. W. Husted, D. L. Varble and J. R. Lowry, *Principles of Modern Marketing*, Allyn And Bacon, 1989, p. 385. J. B. Mason and M. L. Mayer, *Modern Retailing : Theory and Practice*, 5th ed., Richard D. Irwin, 1990, pp. 22-23.

4) *Ibid.*, pp. 22-23.

5) W. R. Davidson, A. D. Bates and S. J. Bass, "The Retail Life Cycle", *Harvard Business Review*, Vol. 54, 1976, pp. 89-96. なお小売のライフサイクルは，小売の輪の仮説の延長線上に位置していながら，小売の輪の仮説よりもすぐれている点として，①小売の輪の仮説では不十分な非価格訴求の新型店の展開，②格上げから格下げへの行動に関する説明，それに③サイクルの各段階のマーケティング戦略の策定に貢献できると評価されている。これを踏まえて，小売のライフサイクルを業態のライフサイクルとして，わが国でのコンビニエンス・ストアのケースで検証した研究としては，関根孝著『小売競争の視点』同文舘出版，2000年，pp. 48－73に詳しい。

6) 鈴木安昭・田村正紀著『商業論』有斐閣新書，1980年，pp. 140-151。石原武政・池尾恭一・佐藤善信著『商業学』有斐閣Sシリーズ，1989年，pp. 161-171。

7) 1990年以降の規制緩和や法律の変更は，本書第15章においても検討されている。個別業種の規制緩和と法律の変更の詳細は，総務庁編『2000年版　規制緩和白書』2000年12月を参照されたい。

8) 田村正紀著『日本型流通システム』千倉書房，1986年，pp. 51-66，とくにp. 54の表２-11の国際比較を参照されたい。ただし，フォード効果を考える場合，「飲食料品小売業」の中でも，これまでのセルフサービスでの食料品スーパーやコンビニエンス・ストアの成長に見られるように，業種店としての飲食料品小売店は減少しても（同じことは，伝統的な対面販売方式による衣料品専門店や玩具店は商店数が減少しているが），食料品を中心に他の商品も合わせてセルフ方式で販売するコンビニエンス・ストアや顧客のライフスタイルを切り口に豊富な品揃えで低価格セルフ販売を強調した業態店は増加してきた。フォード効果には，この業種店から業態店への転換による影響や競争の結果が含まれていると理解することもできる。

9) 田口冬樹「わが国における小売業の構造変化と流通イノベーションの展

開」『専修経営学論集』第72号，2001年，pp. 168-173。田口冬樹著『流通イノベーションへの挑戦』白桃書房，2016年，p.37。

10）鈴木安昭・田村正紀著，前掲書，pp. 146-147。

11）伊藤元重・松島茂「日本の流通――その構造と変化」『ビジネスレビュー』Vol. 37，No. 1，1990年，pp. 14-32。岡田康司著『百貨店業界』教育社新書，1985年，pp. 24-39。以下の論点は，伊藤元重・松島茂「日本の流通――その構造と変化」に負うところが多い。

12）伊藤元重・松島茂，前掲論文，p. 20。

13）同上論文，p. 22。

第12章
卸売業の概念と卸売形態

第1節　卸売概念と卸売機能

1　卸売概念と卸売業者

卸売業（wholesaling／wholesale trade）とは，商品およびそれに付随するサービスを生産，再販売もしくは業務用使用の目的で購買する人々（企業）に対し販売することであり，小売取引を除くすべてが含まれる。そこで取引される対象も消費財のみならず，原材料・エネルギー資源，生産設備もしくは部品などの産業財（ビジネス財）をも内容としている。これらの取引にかかわる活動を主とし，かつ継続的な業として営む主体を卸売業者（wholesaler）と呼ぶ。

すでに小売業のところでもふれたように，卸売と小売の区分は，販売の相手が誰であるかによっており，仕入先，価格の低さあるいは取扱い量の多寡によって判断されるものではない。小売業の販売先が一般家庭や個人消費者であるのに対して，卸売業の販売先とは，小売業者，卸売業者，生産者（農業者・製造業者など），業務用使用者（病院，レストラン，学校など），政府などである。小売取引は，流通過程の中では常に一段階の取引であるが，卸売取引の場合は生産や消費の条件によっては数段階から構成されることも珍しくない。したがって，流通段階の長さはもっぱらこの卸売段階の多段階性によって規定されるという性質をもつ。また卸売業の基本的動機は，小売業のように最終消費者や家庭の個人的な欲求充足とは異なって，特定の事業目的のために購買されるものであり，生産活動や再販売を通して商品やサービスに付加価値をつけ，より多くの利益を獲得し，それによって費用をカバーしつつ再投資するという動機にもとづいている。購買動機も，最終消費者を対象とした場合に比べ，はるかに合理的であり，組織的な購買行動が一般的である。

なお，卸売機能（行為・活動）と卸売制度（業者・機関）とは，ひとまず区分して考えなければならない。つまり卸売機能は，卸売業者だけが担当するとは限らず，生産者，物流業者，小売業者ときには消費者（いわゆる消費生活協同組合による）などの非卸売制度によっても遂行される。たとえば，卸売業者を通さずに生産者と小売業者が直接に取引するような場合は，そこで必要となる収集や分散，標準化，リスク負担，保管などの機能は生産者か小売業者のどちらかが負担しなければならない。最広義で卸売行為を定義すれば，生産者の販売行為も，そのほとんどは卸売としてとらえられる。しかし，生産者や小売業者が卸売行為を行なうからといって，あえてそれらを卸売業者と呼ぶわけにはいかない。卸売業者とは，卸売活動を主たる事業（メインの原則：卸売取引から50%以上の売上高を達成するもしくは卸売取引の割合が相対的に大きいもの）として継続的に遂行する主体である。卸売機能を担当する主体が多様に存在する状況において，適切な卸売機能の効率的遂行をめぐる競争関係が本来の卸売業者はもちろん，非卸売制度を含めて展開されている。

2　卸売業者の起源：そうは問屋が卸さない

ところで，卸売業者の歴史的な起源は，ヨーロッパ史では中世後期に求められ，その頃に卸売業と小売業の分化が発生したといわれる。それまでは，小売と卸売は未分化のままであり，大規模な商業活動となると卸売活動に限定されず，国際貿易，金融，製造，鉱業などの各種事業を含めて幅広く特定の商人のもとで遂行されるのがみられた。これらの展開は，中世に活躍した富裕な商人としてフッガー家やメディチ家がよく知られている。

日本の歴史においては，荘園経済の発展にともなって，鎌倉時代あたりから，年貢米や地方の特産品を荘園領地から荘園領主に輸送する必要が増大し，荘園に所属していた荘民・荘官（農民）にその取扱いの特権が与えられた。荘園の年貢輸送のために設けられた荘官のことを問（とい）と呼び，後に輸送と保管を専門的につかさどる問丸（といまる）を生み出した。問丸は，それまでの領主の委託を受けて年貢輸送・保管に従事するだけでなく，鎌倉時代も末になると海上交通が盛んになり，港湾が開放的になるのにあわせて，特定領主に所属することを離れて，他の荘園領主の要求にも応じ，次第に委託販売を中心とした一般物資の輸送や保管の専門業者として独立するまでになった。つまり問丸は，荘官から商人への転換をはかったといえる。この問丸は，輸送・保管・商取引を未分化のまま抱えていたが，やがてそれらの機能が分化・純化していくことによって問屋と呼ばれるようになっていく。中世末にはすでに問屋という言葉が使用されていたという[1)]。

江戸時代には，商品流通の発達によって，松前問屋・諸国問屋など荷受地域別の専門・分化に加えて，積荷問屋・荷受問屋・廻船問屋といった問屋機能も分化し，また米問屋・油問屋・炭問屋という商品別の専門問屋を発展させている。さらに，問屋は仲間を組織し，大阪から江戸への物資を独占し，輸送を菱垣廻船で行なった大阪の二十四組問屋や大阪から送られた商品を扱う江戸の十組問屋などが代表的である。

問屋は卸売業者の前身ということができるが，商法の551条の規定に示されているように，「問屋とは，自己の名を以て他人の為に物品の販売または買入を為すを業とする者」とし，委託による販売ないし買付け業者としての問屋の歴史的性格を反映している。今日では，問屋と卸売業者とは区分なく同じものとして使用されているが，卸売業者は，委託業務が中心の手数料商人ではなく，自らのリスクで商品を仕入れ，販売する差益商人である。こうした問屋機能の転換は，明治の産業革命の時代に，産業資本による工業化をバックアップする形で生み出されたとみられている[2)]。今日，問屋という場合，このような内容の卸売業者を指している場合が多い。そこで卸問屋という言葉さえ使用されるようになっている。明治時代においても，流通における卸売業者支配の構造は変わらず，昭和に入った頃から産業資本の成長や，小売業における百貨店の発展，戦後における耐久消費財メーカーの成長やスーパーマーケットの導入によって徐々にその構造が変質してきた。かつては，「そうは問屋が卸さない」という諺に出てくるほど当時の問屋の勢力は強大であったが，時代とともに，問屋や卸売業者の立場は変化してきた。今日では，「そうは問屋に卸さない」というほど卸売業者以外の者のパワーが増大してきている。

3 卸売機能と卸売業者利用の理論的根拠

(1) 卸売機能の内容

卸売業者は，流通過程の川中に位置づけられ，小売業者とともに流通の中間業者（middlemen／intermediaries）を構成している。卸売業者は，消費財の場合には生産者と小売業者（あるいは生産者間や卸売業者間），産業財の場合には生産者と生産者（あるいは業務用使用者）とのそれぞれの供給条件と需要条件を適切に結合する重要な役割を演じている。すでに，流通機能のところでもふれたように，流通機能には多くの種類が存在するが，卸売段階でもその必要に応じてさまざまな機能が遂行される。そうした機能遂行を通して，卸売業者は生産者と需要者に対してそれぞれ次のような対応を果たすことになる。これらの役割は，必ずしも専業の卸売業者にのみ限られる行為ではなく，他の非卸売制度によって多様に果たされる可能性をもっているが，ここでは卸売業者が果たしてきた代表的な卸売機能の内容を考察してみよう。

(a) 商的流通機能

卸売機能は，流通過程での需給結合を本質としている。この需給結合機能を除いては，卸売業者は成り立たないというほど前提的な機能である。卸売業者はさまざまな生産者から多様な商品を収集し，それによって多数の小売業者，生産者や業務用使用者に供給することで，経済循環を促進している。より具体的にいえば，卸売業者は，国内はもとより外国との取引を通して，多種多様な商品を買い集め，需要の規模と内容に応じて質・量の調整を行ない，全国の市場や世界の市場に流通させる収集（集荷）・中継・分散（分荷）の機能を果たしている。

したがって，生産者や需要者（小売業者や業務用使用者）の経営資源が弱体である場合，生産者の販売欲求・数量それに需要者の購入欲求・数量に質的・量的格差が生じる場合，あるいはいずれの側かで自己の機能を限定（たとえば，生産のみに特化するというように）し確実な成長を志向する場合などは，卸売機能を専門の卸売業者に任せた方が効率的であることが多い。小規模な生産者は，人材や資金に限界があり，直接販売組織をもつことができない例が多く，規模の大きな生産者の場合でも，卸売活動に投資するより，研究開発や生産能力の拡大に投資の関心をもつ例がある。多くの中小小売業者では大量仕入よりも，多品種・少量・多頻度の仕入を求めることが多く，卸売業者がさまざまな生産者から大量に仕入れ，多様な商品を少量で小売業者に販売してくれる機能は小売段階の品揃え形成に大きな魅力となる。

(b)　物流機能

生産者や小売業者にとって，輸送手段が不十分である場合，あるいは保管施設が完備されていない場合，卸売業者の物流手段に依存する方が経済的である。後にもふれるように，わが国のスーパーが戦後登場して急速に成長できた理由のひとつとして，この物流機能を既存の卸売業者に依存し，物流投資を抑え，それによって多店舗化，大型化に専念でき，資金不足を補ったことがいえる。

一般に，保管機能は需給変動に対するバッファー（buffer）の役割を果たしている。生産者も，小売業者も，できるだけ在庫コストを節約し，保有在庫を最少化しようとする場合，卸売業者の保管機能が重要となる。今日でも，スーパーやコンビニエンス・ストアの成長は，多品種・少量・多頻度配送を実現できる卸売業者（ベンダー）の物流能力に依存している場合が少なくない。

(c)　情報流通機能

伝統的に，卸売業者は生産者に対しては小売業者やユーザーのニーズおよび技術・競争者の動向を伝え，小売業者やユーザーには生産者の新製品開発の動きおよび製品ラインの変更に関する諸情報を伝達してきた。これによって生産者には生産すべき商品のタイプ，品質，それにデザインなどをアドバイスし，需要者には仕入先ルート，品揃え，店舗設計，市場開拓などの経営指導・援助を行なってきた。しかしこれまでは，売れ筋商品に関する情報は，卸売業者に集中していたといえるが，近年の小売業での POS システムや EDI の導入によって，状況が大きく変化してきた。卸売業者の改革にとって，情報機能の強化，リテール・サポート機能の強化，コンサルティング機能の強化が不可欠の課題となっている。

(d) 補助的流通機能

卸売業者の介在が，生産者や小売業者にとっては新たな資本投下を抑える効果をもっている。卸売業者の物流施設を活用するというのは，その典型例である。また卸売業者が，信用取引に介入することによって，生産者には販売代金の前払い・即時払い，小売業者にはその支払い期間の猶予を与えるといった，それぞれに信用を供与し金融機能を提供する。商社金融はその良い例であるが，戦後は外部の金融機関の充実によって，卸売業者の金融機能に依存する割合は減少し，むしろ生産者や小売業者の規模拡大や自己資本の充実によって逆転現象が生じている。

また，危険は，取引のあらゆる面で発生する可能性があり，商流・物流・情報流通・流通金融のすべての機能と関連して生起する。百貨店に対して，商品納入業者としての卸売業者が返品制や派遣店員制を認めることで，小売業者の売れ残りのリスクをカバーしてきた。生産者に対しては，一括買い取り制や購入価格の保証により，生産活動に専念させる態勢の確立がみられるなど，卸売業者の果たす危険負担機能もさまざまな形で発展してきている。

(e) その他

生産者や小売業者に対する人材育成・教育，人材派遣，立地選定・店舗設計の指導，経営管理の指導，会計システムの整備・助言，値札・包装作業な

図 12-1　中間業者利用のメリット

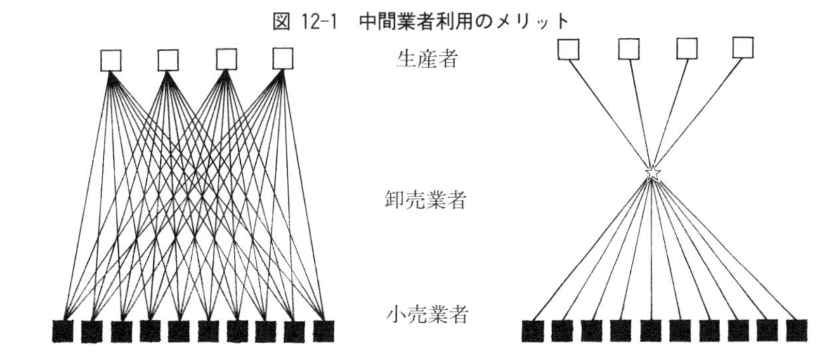

どが果たされている。

⑵　**卸売業者介在の効果**

流通過程において卸売業者が利用される前提には，生産者，小売業者あるいは業務用使用者が卸売機能をそれぞれ自ら遂行するよりも，卸売業者に任せた方が低コストを実現できるという条件が必要であろう。ここで，卸売業者の利用を基礎づける論拠を考察しておこう。

卸売業者の介在が商品流通の社会的コストを節約できるという点は，次の3つの原理に示されている[3)]。

①　取引総数最少化の原理：卸売業者の介在によって，生産者が小売業者と直接取引する場合に比べて，取引総数を減少させることができる。このことを図示すると図12-1のようになる。4人の生産者が10人の小売業者と直接取引をすると，4×10で40回の取引となるが，これに1人の卸売業者を介在させると，4＋10で14回の取引で済むことになり，積から和への転換によって，取引回数は40－14＝26回が節約されたことになる。いたって単純な論理ではあるが，流通コストが取引回数の関数であるとみなすと，中間業者としての卸売業者の役割が明確にできる。

②　集中準備の原理・不確実性プールの原理：生産と消費に発生する不確実性に対処するための在庫保有の必要量は，個々に小売業者が分散的に保有する場合よりも，卸売業者が集中的に保有する場合の方が，全体としてその

必要量が小さくて済み，在庫費用が節約される。つまり生産者と小売業者がそれぞれの在庫を最大限保持しようとすると，小売業だけでみても，各小売業者ごとの在庫数と小売業者の数の積だけが要求されるが，卸売業者に在庫を肩代わりさせることによって，各小売業者が同時に在庫を要求する確率は小さく，個別にもつよりは少なくて済むという論理から社会的な在庫コストの低下を主張する。

③　使用価値整合化の原理：生産と消費の間で，質・量的な格差が大きい場合，生産者と消費者が直結することに困難がともなう。商業組織として，段階分化（収集・中継・分散）が発生する理由が出てくるが，生鮮食料品の場合のように個々の商品の使用価値に格差が存在する場合，また最終消費のニーズの小規模，分散，個別的特性に的確に対応するうえでは，選別・標準化・取揃え・小分けを卸売段階で集中的に行なっていく方が効果的である。

卸売業者は，さまざまな生産者の多種多様な商品を取揃えすることによって，自社製品の販売にとらわれた生産者や地域的に限定された行動をとりやすい小売業者には十分できない，社会的な品揃えを達成できる位置におかれている。

第2節　卸売業の形態

一口に卸売業といっても，さまざまな種類の形態が存在する。ここでは，卸売業の形態を整理する基準や枠組みとして，⑴取扱い商品を基準にしたもの，⑵立地・商圏を基準としたもの，⑶流通段階の位置を基準にしたもの，⑷所有権および遂行機能を基準にしたもの，⑸経営主体を基準にしたもの，さらに⑹その他の卸売機関，なおこの⑹は卸売業者が集合した施設として存在するところに特徴をおくものであり，以上の6つの基準を取り上げて考察を進めたい。これらを一覧表にしたのが，表12-1である。実際には，卸売業者や卸売機能遂行者がこうした基準を複数兼ね備えることによって，流通過程で多様な役割を果たしており，同時にさまざまな種類の卸売業者や卸売

表 12-1　卸売業の形態分類

(1)取扱い商品を基準にしたもの
- ①取扱い商品構成基準
  - a．単品卸
  - b．専門卸
  - c．複合卸
  - d．総合卸
- ②産業分類基準
  - 大分類・中分類・小分類・細分類

(2)立地・商圏を基準にしたもの
- ①立地基準
  - a．産地卸（収集卸）
  - b．集散地卸（中継卸）
  - c．消費地卸（分散卸）
- ②商圏基準
  - a．地方卸
  - b．広域・地域卸
  - c．全国卸
- ③集合性基準
  - a．単独立地
  - b．集団立地；自然発生的：問屋街
計画的：卸商業団地，卸総合センター

(3)流通段階の位置を基準にしたもの
- a．直取引卸
- b．元卸
- c．中間卸
- d．最終卸

(4)所有権および遂行機能を基準にしたもの
- ①所有権基準
  - イ．所有権をもつ場合
  - ロ．所有権をもたない場合
    - a．仲立業
    - b．代理業
- ②機能遂行基準
  - イ．全機能卸売業者
  - ロ．限定機能卸売業者
    - a．現金持帰り卸売業者／現金問屋
    - b．注文取次卸売業者
    - c．通信販売卸売業者
    - d．車積み卸売業者
    - e．ラック・ジョッバー/サービス・マーチャンダイザー

(5)経営主体を基準にしたもの
- a．総合商社
- b．兼業卸売業
- c．製造業者の販売会社
- d．小規模生産者の協同組合
- e．小売業者の共同仕入機関

(6)その他の卸売機関
- a．卸売市場；中央卸売市場，地方卸売市場
- b．商品取引所

機能遂行者が縦横に流通分業の網の目を創出することで，社会的な卸売機構を形成している。

1　取扱い商品を基準にしたもの

(1)　取扱い商品構成基準

取扱い商品の幅からとらえて，①単品卸：ある特定の単一品目群を扱う。たとえば，漬物卸，乾物卸，茶卸があり，昔はこの種の卸売業者が多かったが，近年では，生産と需要両面の変化を受けて減少している。②専門卸：同一の業種に限って商品を扱う。食料品卸，金物卸，化粧品卸，医薬品卸，鉄

鋼の専門商社，電子部品や電子機器の専門商社などがある。近年では，特定のテーマや一定の切り口で商品を品揃えするケースもあり，次の複合卸や総合卸との境界が不鮮明になっている。③複合卸：複数の業種の商品群を扱う。家具卸が衣料品を，食料品卸が雑貨を取扱う。小売業の異業種にまたがる品揃えの拡大に対応しようとすると，こうした形が生まれる。④総合卸：あらゆる業種にわたる商品群を取扱う総合商社がその代表例である。総合商社はわが国独特の存在といえるが，その取扱いの部門編成をみると，エネルギー，機械，金属，食料，化学，繊維，建設，不動産，物流など，実に多様で，相互関連性のない業種によって占められる。

⑵ 産業分類基準

これは商業統計調査の分類であり，調査の基準は日本標準産業分類にもとづいている。わが国の卸売業の動向を知るうえで全国規模での全数調査であり，この分類は４つの水準（４ケタ分類）をもっている。①大分類：卸売業，②中分類：一般卸売業（この水準では，代理・仲立業は別個の範疇を構成して集計される），③小分類：各種商品卸売業や医薬品・化粧品卸売業，④細分類：医薬品卸売業や医療用品卸売業，といった形で卸売業の業種が大分類から細分類までの範囲に及び，取扱い商品の共通した業種の動向が知り得るようになっている。この特徴は，取扱い商品の売上高の高いもの（メインの原則）を基準に分類し，総合商社のように多くの商品を扱っていて，売上高が多数の商品部門に分散していずれも過半数を占めないような場合は，各種商品卸売業という形で分類する。

2 立地・商圏を基準にしたもの

⑴ 立地基準

流通過程でどの段階に立地し，しかもいかなる役割を果たすかによって区分される。

① 産地卸（収集〈集荷〉卸）：産地に所在し，消費地への出荷を生産者に代わって行なう卸売業者である。これには，伝統的には，小規模分散生

産された商品を集荷する役割を果たす集荷卸商，さらに小規模生産者を歴訪して商品を集め，選別・格付け・加工・包装を行なう産地問屋や産地仲買人などが存在する。しかし近年では，生鮮食料品の場合のように，農業協同組合や漁業協同組合の共同出荷の発展によって，上記の介在者を排除するようになった。

② 集散地卸（中継卸）：交通の要衝や商業の中心に立地し，散在する生産地の商品を集荷し，多様に散在する消費地までの仲介・取次を担当する。中央卸売市場での荷受機関としての卸売業者や，都市における荷受問屋，貿易会社がこれにあたる。

③ 消費地卸（分散〈分荷〉卸）：消費地にあって，消費地の地域的に分散した小売業者や地方の卸売業者・大量購入顧客などに販売する卸売業者。中央卸売市場での仲卸業者（仲買人）がそれであり，売買参加者である小売業者，業務用購買者などに分割販売する。

⑵ 商圏基準

卸売業者の対象とする商圏から区分したものである。

① 地方卸（local wholesaler）：一県内，一都市という限定された地区の商圏を対象とする。その県内にある小売業者などを中心にスピーディな配送や小売店支援を行なうことで存在理由を発揮する。

② 広域・地域卸（regional or sectional wholesaler）：商圏が複数の県にまたがっており，顧客の地域的分散の程度がより高くなる。

③ 全国卸（national wholesaler）：一般に大都市に卸売業者の本社を設置し（したがって，中央卸という呼び方もされる），その業界では通常トップクラスに位置づけられ，地方都市に支店や営業所網を開設している。全国の商圏をくまなく対象とすることによって，全国的な名声をもつ有名ブランド品を扱い，さらにプライベート・ブランドを開発している。

⑶ 集合性基準

小売業でみたものとほぼ同じように，卸売業の店舗の集積の程度から区分したものである。

① 単独立地：1つの店舗の立地にとどまっているか，もしくは店舗同士の関連がまったく考慮されていない状態。

② 集団立地：集合状態によって，顧客としての小売業者などにワンストップ・ショッピングの効果が提供されたり，集合している側の卸売企業には，事業の共同化，経営合理化への意識を高める効果が期待できる。

ⓐ（自然発生的）問屋街：交通の要衝を中心に産地問屋や消費地問屋の問屋街が発展してきた。たとえば，東京では日本橋横山町や馬喰町の繊維・雑貨，本町の医薬品，浅草橋や蔵前の玩具，御徒町の貴金属，合羽橋の食器・厨房器具，大阪では船場にある丼池の繊維，道修町の薬，日本橋の電気器具，家具，道具屋筋の食器・厨房器具などの問屋街がみられる。またそれぞれの地方においても，地域を支える伝統商業が数多く発展しており，とくに地場産業を中心にして産地問屋の発展がみられ，問屋街が形成されている場合が多い。

ⓑ（計画的）卸商業団地・卸総合センター・流通団地：この種のものは，地域によって，市街地再開発や地域開発との関連で，さまざまな呼び方がされている。多くの場合，中小卸売業者が協同組合を結成して，特定の場所に集積して，事業を共同化し，規模の経済性の追求や機能強化をはかろうとするものである。これらの多くは，通産省（現，経済産業省）・中小企業庁の助成を受けて，中小卸売業近代化対策として進められてきた。副都心高層型としては，TOC（東京卸売センター）やOMM（大阪マーチャンダイズマート）があり，都市周辺型としては，東京流通センターがある。他に大阪の船場のセンタービルも計画的に集合配置されたものである。

このタイプには，同一業種の卸売業者によって編成されるものや異業種卸による場合などがあり，また集合状態によっては，ひとつの建物の中に卸売企業を入居させるものや一定の敷地内に多数の卸売企業を立地させるものがある。これらのタイプは，いずれも人口の都市への集中，交通事情の悪化，地価高騰と適地の不足などによって，都心立地の卸売業者の機能低下に対応しようとして，開発されてきたものである。卸商業団地の場合は，立地そのものを郊外に移転することによって，地域の流通拠点としての地位を確立し，共同化事業の推進（受注・配送・保管・計算処理・福利厚生施設・教育研修などの共同化），物流機能の強化と経営の合理化をめざすものとなっている。

3　流通段階の位置を基準にしたもの

これは，経済産業省の商業統計表の流通経路別統計で示された分類であり，卸売業者が流通段階において，どこから仕入れ，誰に販売しているかを基準に卸売業者の種類を明らかにしたものである。ここでの卸売業者は，代理・仲立業を除く，法人組織の卸売商店を対象として，仕入先別割合と販売先別割合を組み合わせ，「1次卸」，「2次卸」などの流通段階別と，さらにこれを基に「生産者から仕入れ，卸売業者へ販売」などの流通経路別に分類し，商店数，年間販売額などをまとめて統計表としたものである。とくに，わが国での流通の多段階性が問題になるが，多段階性を作り出すこの部分（1次卸，2次卸，3次卸）がどのように構成されているか，どう変化するかが注目される（図12-2参照）。

図 12-2　流通段階にもとづく卸売業者の種類

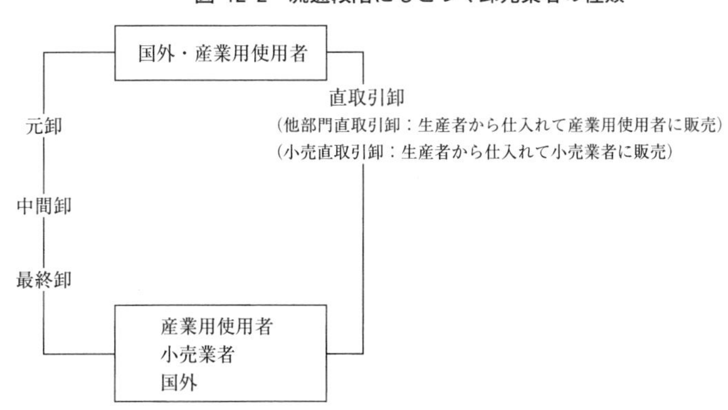

（出所）　経済産業省「商業統計表：流通経路別統計」。

① 直取引卸：生産者や外国から商品を仕入れ，産業使用者や小売業者や国外に直接販売している卸売業者。商店数・販売額において，このウェイトが高いほど短い流通経路を形成していることになる。このタイプの卸売業者は，さらに2つの種類に分けられる。ひとつは，他部門直取引卸であり，生産者から仕入れて産業用使用者に販売するものである。もうひとつは，小売直取引卸であり，生産者から仕入れて小売業者に販売するものである。

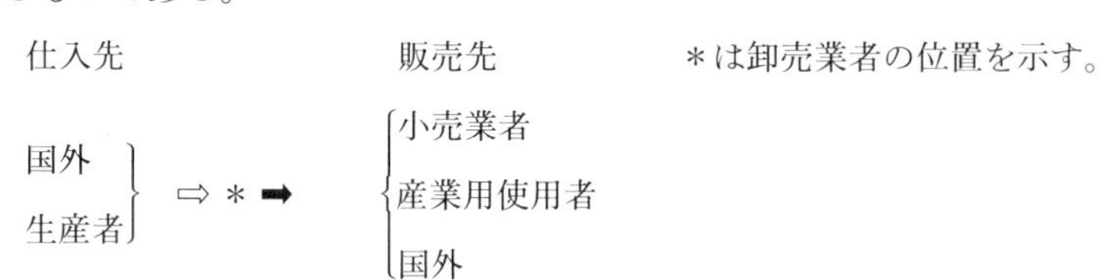

② 元卸：生産者や外国から商品を仕入れ，卸売業者に販売している卸売業者。

③ 中間卸：卸売業者から商品を仕入れ，卸売業者に販売している卸売業者。

仕入先　　　　　　　販売先

卸売業者　⇨ ＊ ➡　卸売業者

④ 最終卸：卸売業者から仕入れ，産業用使用者や小売業者や国外に販売している卸売業者。

仕入先　　　　　　　販売先

卸売業者　⇨ ＊ ➡ ｛産業用使用者／小売業者／国外｝

ここでは，②，③，④の3つの商店数・販売額のウェイトが高いほど長い流通経路が形成されていることになる。

4　所有権および遂行機能を基準にしたもの

(1)　所有権基準

商品に対する法的所有の有無から分類される。

①　所有権をもつ場合：わが国では，単に卸売業者と区分なく呼ばれるが，米国では，merchant wholesalers と呼ばれる。多くの卸売業者はこのタイプに属し，自己の利益計算にもとづいて危険を負担するため，直接商業や差益商人とも称される。

②　所有権をもたない場合：商品の買付けや販売を委託され，仲介活動を行ない，売買活動を代行することで，報酬としての手数料を得る。米国では，functional middlemenやcommission merchants と呼ばれる。そのため商品の所有権に対しては間接的なかかわりをもつにすぎず，間接商業や手数料商人と呼ばれる。

　このタイプには，仲立業と代理業が属する。日本の伝統的な問屋とは，商法の551条の規定にあるように，他人の委託を受けて商品の買付けもしくは販売を行なうものであり，自己名義ではあるが，商品の所有権をもたず，他人計算（取引による損益は委託者に属する）にもとづいて行動する。つまり，受託者である問屋が買付けたり，販売したりする商品は問屋の商品ではない。これまで，中央卸売市場での卸売業者（荷受会社）がそれにあたっていた。今日，問屋という場合には，伝統的な委託売買活動に加えて，商品買取りにもとづく自己計算を行なうようになっており，これが委託機関としての問屋と，自己売買による卸売業者とを世間的に混同させるようにしてきた。したがって，伝統的な問屋という場合には，今日ではその実態は仲立業や代理業を意味し，今日的な問屋とは卸売業者のことを意味する。

ⓐ　仲立業（broker）とは，「他人間の商行為の媒介を為すを業とする者」（商法543条）と規定され，問屋の場合と同じく，商品の所有権をもたないが，問屋とは異なって，商品の物理的な取扱いをせず，あくまで売買のための斡旋をすることで，手数料を得る卸売業者である。商品

の売買の斡旋が中心であるという意味では，売買の促進のために売手と買手それに商品についての情報収集・提供が重要な役割を演じる。米国では，食品ブローカーがよく知られており，コミッションとしては，製品や扱い量にもよるが，平均して売上高の３～４％が平均といわれる[4)]。

ⓑ　代理業（商）（agent）とは，「使用人に非ずして一定の商人の為に平常其の営業の部類に属する取引の代理または媒介をなす者」（商法46条）をいう。わかりやすくいうと，特定の営業者の委託を受けて特定の期間継続して取引の代理ないし媒介を行なう者のことで，ある特定者のために常時，販売や購買を代行し，また売買の斡旋を行なう卸売業者のことである。売買の代理人であることは，前に述べた２つの者と同じであるが，代理商は，依頼側の使用人以外の者が行なうこと，また多数者のための共同代理人ではなく，特定者のための専属代理人という形をとる。

⑵　**機能遂行基準**

卸売機能担当の程度と内容によって，その形態を区分しようとするものである。卸売業者の機能遂行の範囲と種類は，市場ニーズを反映して広範囲なものから，少数に限定されたものまで多様に存在する。

⒜　全機能卸売業者（full function or service wholesaler）：このタイプは，顧客のために商的流通，物流，情報流通，補助的流通に至る卸売に関するすべて，もしくはそのほとんどの機能を遂行する。しかも，商品に対する所有権を取得し，自己計算と危険負担を行なう。

⒝　限定機能卸売業者（limited function wholesaler）：このタイプは，遂行する卸売機能を自らに相応しいもの，あるいは得意なものに限定することで，営業コストを抑え，卸売業態（卸売業における販売方法・営業形態）としての特徴を出そうとするものである。限定機能からみた卸売業者の種類としては次のようなものが指摘できる。

①　現金持帰り卸売業者：現金問屋（cash and carry wholesaler）：小売業

者のような顧客が現金で購入し，自分でもち帰ることを原則としている。配送とセールス担当者の訪問それにクレジットでの販売を排除したところにこの名称の由来がある。このタイプは，米国では，1920年代後半に，A＆Pやクローガー（Kroger）といった食料品チェーンの競争的脅威の増大に対抗して発展してきた歴史がある。現金販売により貸し倒れを防止し，人件費や配送コストの節約により，低価格販売を実現し，商品の回転率を高めようとする方法である。わが国では，繊維，菓子，医薬品などの現金問屋が発展してきた。

② 注文取次卸売業者（drop shipper or desk jobber—直送卸売業者）：商品に対する在庫や輸送機能はもたず，直接に生産者の工場や倉庫から小売店に送られる。しかし商品に対する所有権は取得しているので，ブローカーとは異なっており，リスクの一部を負担し，金融機能も遂行する。通常，彼らは，主として，石炭，木材，金属製品それに建設資材といった物流経費の高い分野に集中している。この種の卸売業者は，物流機能を排除することによって低コストを実現しようとするものである。

③ 通信販売卸売業者（mail order wholesaler）：カタログ，インターネット，DM送付，マス媒体などで広告することで，注文を電話や郵便もしくは電子メールやインターネット上で受け，商品や部品を送付する方法である。この種の卸売業者は，人的販売活動を排除し，とくに店舗を必要としない。

④ 車積み卸売業者（truck wholesaler or wagon distributor）：トラックに商品を積み，運転手兼販売員が小売業者や業務用購買者を定期的に巡回する方法である。販売と配送が同時に行なわれ，現金販売が中心となり，クレジットも認められる。トラックに積み込む量に制約があり，商品の限定された品揃えになりがちで，巡回の範囲が広くかつ販売量が少ないと営業コストが高くなる。

⑤ ラック・ジョッバー／サービス・マーチャンダイザー（rack jobber／service merchandiser）：米国で普及している形態で，スーパーマーケッ

トやグローサリー・ストアの非食品部門の仕入・価格設定・陳列・在庫管理を委託されて行なう卸売業者である。委託販売であるから，小売業者への請求は消費者に販売できた商品の売上に限定される。このタイプは，米国で1930年代に，スーパーマーケットがスクランブルド・マーチャンダイジングに着手し，以前取扱っていなかった化粧品や他の非食品を販売するために採用した形態である。近年では，POSを活用した高度な発注管理やインストア・マーチャンダイジングが展開されている。一般に，米国のスーパーマーケットは高回転商品の食料品以外は，効率が低くなりがちで，直営を避け，ラック・ジョッバーに委託する例がみられる。粗利益の高い商品は，商品回転率が低下するため，食料品を販売するのとは異なった営業技術が要求され，ラック・ジョッバーはこうした営業上のノウハウやマーチャンダイジング能力を通して，専門の販売員が売場を巡回し，賃貸した棚を管理する。

わが国では，スーパーの出現自体がかつて衣料品や医薬品といった非食料品小売業からの参入であったこともあり，この種の卸売業者は米国と同じレベルでは発展してきていないが，それでも最近は日用雑貨，食品（菓子・珍味など）の分野で一部採用されるようになってきている。また百貨店やスーパーでも売場やコーナーをメーカー，卸売業者あるいは他の専門店などに貸与し，商品供給・人材の派遣・催事（イベント）の開催などを受け入れているが，そこでの卸売業者は売場委託というそれ自体の形態を常時，専門とするものではない。

5　経営主体を基準にしたもの

(1)　総合商社

総合商社は他国には例をみない存在ともいえる。総合商社は，卸売活動に拠点をおいているが，その活動内容や対象とする事業の広がりからみて，卸売業の枠にはおさまり切れない特徴をもっている。

(a)　まず，国内取引以上に，貿易取引の占める割合が高い。貿易取引の中には，わが国の商品流通には必ずしも直接関連をもたない，三国間貿易といった外国間貿易を行なっている場合も含んでいる。大手7社の総取扱い高は，わが国のGDPの約15％に及び，輸入と輸出に寄与する割合は依然として高い。

(b)　取扱い商品に広がりがあり，「ミネラルウォーターから通信衛星まで」のうたい文句のように多種多様である。この点はすでに，本章第2節1の取扱い商品構成基準で述べたところである。事業としてみても，プラント，航空機，ライフケア，海外の製造業との合弁企業の設立，小売企業との資本提携などが含まれている。

(c)　機能的な遂行範囲からみても，販売，金融，情報，開発（ディベロッパー），組織化（オルガナイザー）などを軸としながら，国内外の多数の企業を相手に，生産・流通・消費のあらゆる分野に文字どおり総合的な機能を縦横に駆使して発展している。

なぜ，わが国において総合商社が発展するようになったのかにはいくつかの要因がある。とくに，明治以降，わが国は列強の中で遅れて工業化をスタートさせたが，殖産興業の急速な実現のためには，資源小国という制約を踏まえ，海外から原料を輸入し，国内で製造加工し，海外に製品を輸出するという加工貿易形態を取りながら，煩雑な貿易取引の部分を商社に任せることが合理的であり，そこに総合商社が存立する基盤があったとみることができる。総合商社は，最初から総合商社として成立したわけではなく，それぞれの時代の先端産業を支援する形で，また所属するグループ企業の購買と販売の担当窓口となり，産業の発展をリードしながら，自らの活動や扱い商品を総合化して今日の姿になったといえる。総合商社の形成には3つの流れがあり，①旧財閥系商社（三井物産・三菱商事・戦後からは住友商事），②繊維系の専門商社（綿花輸入：日綿実業・兼松江商，綿糸問屋：伊藤忠商事・丸紅・トーメン），③鉄鋼系の専門商社（日商岩井）を経由して総合商社が実現された[5)]。

戦後，総合商社は，産業の重化学工業化を背景に，重厚長大型産業を資源エネルギー・原材料輸入および製品輸出の両サイドからバックアップして発展してきた。しかし近年のエレクトロニクスを中心とした軽薄短小型産業の成長に対して，総合商社の新たな適応力が求められている。なぜなら，近年では，メーカー自らが海外でも市場開拓や販売網の設置，情報収集や財務力の充実を通して，マーケティング機能を積極的に担当するようになっており，かつてのような産業間の代行取引を生むような余地がしだいに狭められてきているからである。したがって，最近では新たなビジネス・チャンスを求めて，宇宙航空，エネルギー，情報通信，ナノテクノロジー，環境関連分野，小売業支援など成長が予想される分野の市場開発に積極的に取り組んでいる。

⑵　兼業卸売業

卸売業務と他の事業の業務を兼ねて営業しているタイプである。これには，本来の卸売業者から他の事業分野である製造や小売に参入したもの，製造業者から参入したもの（製造卸売業）と小売業者から参入したもの（小売卸売業）のタイプがある。紳士服・婦人服・玩具・文具・家具などの分野では，卸部門をもつメーカーや自家工場をもつ卸売業者が存在し，卸売業者での販売か小売業者での販売かでいずれかの部門の売上高の多い方（メインの原則）に準じて事業分類をしている[6)]。製造業者による卸売部門への参入は，前方垂直統合（forward vertical integration）を意味し，小売業者による卸売部門への参入は後方垂直統合（backward vertical integration）を意味する。

⑶　製造業者の販売会社

わが国では，卸売業者がメーカーの流通系列化政策の一環として，特約店になる例が消費財のみならず，産業財や業務用財の分野でもみられ，複数のメーカーの特約店になるケースも珍しいことではない。しかし，力をつけてきたメーカーによっては，他企業との競争を回避しながら，自社製品を大量に，迅速にかつ安定的に供給できるように，卸売段階に自社専属の販売会社を設置してきた。

これは，大規模なメーカーが自らのマーケティング政策を市場に貫徹させ，自社商品を末端にまで浸透させるための手段として採用する形態である。この種のメーカーは，大量生産とブランド付与を特徴にしており，消費財のみならず，産業財の分野でも発展している。販売会社は取引関係をもつ卸売業者や小売業者に対して，経営指導や技術的サービスなどを展開し，分散機能にウェイトがある。販売会社を設立する方法として，出資や役員派遣が利用され，製造業者が直接100％資本投下する場合と，既存の卸売業者と共同出資によって作る場合がある。後者のケースとしては，家電製品，化粧品，洗剤などのメーカーによって採用されてきた。実質的には，人員の派遣を含めてメーカーの子会社という性格が強い。

⑷　小規模生産者の協同組合

農業者，漁業者，地場産業の中小製造業者が，共同出資により協同組合を設立する。協同組合の編成によって，生産者は組合員として，彼らの経済的利益を守るために，共同出荷を試みる。小規模分散的になりがちな生産物を，大規模な扱い量にまとめるための収集機能を強化し，他の生産者や流通業者に供給量，価格，品質やブランド面で対抗力を発揮できるようにしている。

⑸　小売業者の共同仕入機関

小売業におけるチェーン化とセントラル・バイイング・システム（本部集中仕入）は，それ自体に卸売機能の吸収・統合を含んでいる。この限りでは小売業者が卸売機能を部分的であれ，大幅であれ，常に遂行することを意味している。また最近では，百貨店，総合スーパー，コンビニエンス・ストアで開発されたPB商品を提携グループ内のみならず，非系列の小売企業にまで卸販売する例もみられる。

ここでは，小売業者同士の常設的な卸売機能の遂行の機関を取り上げる。複数の小売業者は，仕入の共同化を試みることで，大量仕入を実現し，仕入コストの引下げやPB商品の共同開発を実現しようとする。これは，ボランタリー・チェーンやコーペラティブ・チェーンの本部での共同仕入機構，さらには百貨店同士やスーパー同士でも，バイイング・オフィスやバイイング・グループという形で展開されている。これらは，国内における商品の共同仕入に限らず，海外商品の仕入にも共同仕入機構が設立されており，そこで卸売機能が遂行されている。

6　その他の卸売機関：卸売市場

この特徴は，特定の業者を指すのではなく，複数のそれぞれ役割を持った主体によって構成される集合的な概念である卸売施設に焦点を当てている。とくに，取引が公正かつ円滑に推進されるように，あらかじめ取引の対象，主体それに方法が定められているところにこれまでみてきた卸売業者の特徴とは異なった局面がある。

ここでは卸売市場について取り上げる。生鮮食料品の大多数は，さまざまな産地から卸売市場という独特のルートを通して集められ，セリや入札を通して小売業者や業務用購買者に流通される（図12-３参照）。卸売市場は，1923（大正12）年制定された「中央卸売市場法」によって基盤が確立されたが，中央卸売市場以外の卸売市場を含め統一的な法制の整備を目指して，新たに「卸売市場法」が1971（昭和46）年に制定された。その後，時代の状況に適合するように，1999（平成11）年，2004（平成16）年，さらに2018（平成30）年と改正を重ねてきた。

まず，なぜ生鮮食料品の流通に卸売市場が必要なのだろうか。生鮮食料品は，多くの人々の食生活を支えるために不可欠なものであるだけに，価格の安定が望まれ，数量的にも，商品種類の面でもまた品質・鮮度の面でも安定していること，さらに言えば迅速かつ安全な供給が求められている。しかし実際には，生産の段階では，自然条件に影響されやすく，時間が経つほど質の劣化や腐敗が避けられない。それと合わせて，生産者も需要者も，多数の小零細業者によって構成される割合が多く，生産地の遠隔化が進み，品質やサイズにバラツキのある商品の小規模・分散生産が存在している。他方，需要の段階では消費者のきめ細かいニーズを反映して多品種・少量・多頻度購買が求められており，価格の不安定性や質・量の不一致が発生しやすい構造になっている。そのため，生鮮食料品の流通が円滑に行われるように卸売市場では共通のルールとして，取引数量の大小等によって卸売業者は生鮮食料

図 12-3　生鮮食料品の流通の仕組み

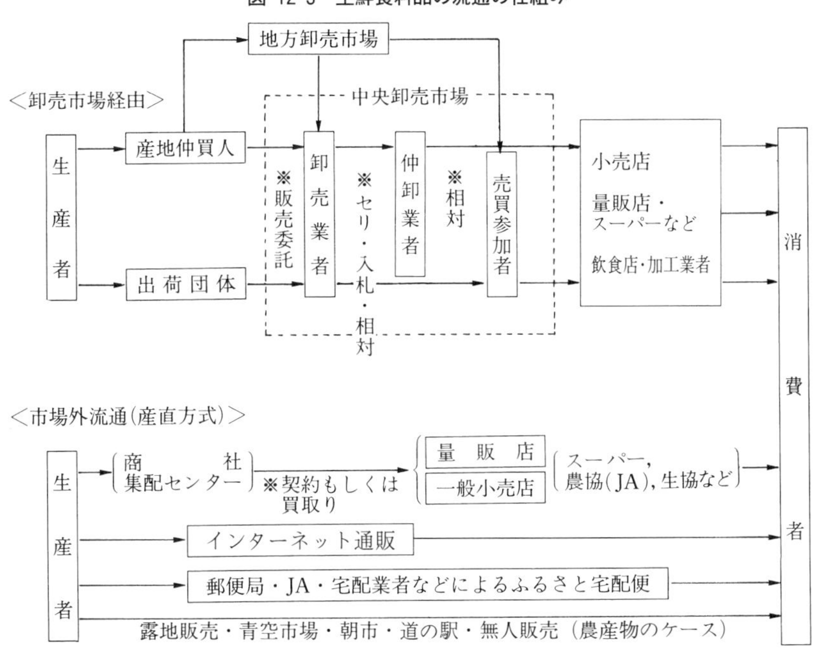

品の出荷者を差別することが（差別的取り扱い）禁止されている。また，卸売業者は正当な理由がなく出荷者からの販売委託を拒否すること（受託拒否）を禁止している。これによって生産と需要の両者の格差を適切に調整し，多種多様な生鮮食料品を短時間で大量に，しかも公正に取引させるための機関として卸売市場が発展してきたといえる。

卸売市場では，対象商品として青果物，水産物，食肉，生花（花卉：観賞用の植物の総称）が取引され，それぞれ商品別に卸売市場を構成している。卸売市場には，中央卸売市場と地方卸売市場の2つのタイプが存在する。前者はこれまで人口20万人以上の都市に開設されるものであり，農林水産大臣の許可が求められ，地方自治体が開設者になる。それ以外の市場が地方卸売市場であり，都道府県知事の許可が求められた。2018年の卸売市場法の改正により，両市場の開設はそれぞれ農林水産大臣や都道府県知事の認定を受ける形の認定制に変更された。中央卸売市場については開設者の要件として人口20万人以上の都市に限る規定が削除された。合わせて，開設区域と公設制の規定が廃止され，公正な取引ルールを守る条件を満たせば中央および地方卸売市場も含めて民間業者の参入による開設（公設市場の民営市場化）も可能になった。

両市場とも，基本的には，卸売市場の構成者として，卸売業者（荷受会社），仲卸業者（仲買人），売買参加者（買参人）の３者が存在する（図12－3参照）。卸売市場の役割には，集荷・中継・分荷を行い，価格を形成することを特徴としている。そのため３者がそれぞれの持ち場で生鮮食料品の円滑な流れを推進するように期待されている。

卸売業者は，散在する生産地から商品を集荷し，仲卸業者や売買参加者にその商品を分荷しながら中継機能を果たしている。具体的には，多数の生産者や農協・漁協などの出荷団体それに伝統的には産地仲買人から委託された生鮮食品を販売するための荷受機関である。彼らは，出荷元と販売先への金融機能それに産地開発機能を発揮することもあり，仲卸業者や売買参加者に対して原則としてセリや入札の方法で販売する。ここで仲卸業者がセリ落とした価格が，以後の生鮮食料品の価格決定の基準を形成する。仲卸業者は，市場内で店舗を構え，セリ落とした商品を取り揃え・陳列して，買出しに来る小売業者や業務用購買者に相対取引という方法で分荷販売する。仲卸業者の役割は，主に選別・取揃え・分荷機能に加えて，販売先に金融機能を果たすこともある。売買参加者は，市場外で営業する小売業者や業務用購買者であり，市場開設者による承認を得て仲卸売業者とともに卸売業者が行うセリや入札に参加できる。このように現在，卸売市場は日本の生鮮食料品の流通を支えるインフラとして大きな役割を発揮している。

しかしその一方で，卸売市場を通さない市場外流通（産地直結）が増加してきていることも否定できない。その背景には，供給サイドの動向として，生産技術，冷凍・冷蔵技術の進歩，それにICT活用による食料品の規格化，長期保管の実現，相場変動に迅速に対応した出荷態勢の確立，これに加えて輸入野菜など輸入物の増加が影響している。さらには小売業の大規模化による買手の交渉力・バイイングパワーの増大により，生鮮食料品を円滑に流通させるため利用されてきた委託出荷・セリ取引による方法が減少傾向にある。さらに近年ではインターネット販売や道の駅などでの直販による市場外流通の拡大が進行しており，われわれの生鮮食料品に対する買物行動や食生活の変化も影響している。需要サイドの動向としては，少子高齢化や女性就業率の増加により，家庭内調理（内食）の減少とその反面で簡易加工食品，中食や外食の割合が増え，食の外部化が進んでいる。このことが業務用・加工用の需要を押し上げており，卸売市場での役割変化や市場外流通を加速している。

2018年の法改正は，こうした状況変化を受けて，市場内での分業関係を見直し，卸売業者と仲卸業者のそれぞれの取引範囲を大幅に拡大したことである。これまで卸売業者の販売先は原則として市場内の仲卸業者や売買参加者に限定されていたが，今回の改正により卸売業者は市場外の大手小売業者や業務用購買者に直接販売できるように規制緩和された。さらに仲卸業者も卸売業者以外からの仕入れが禁止されていたが，直接，産地から商品を仕入れることができるようになり，卸売業者と仲卸業者の垣根が取り払われることになった。それだけではない。卸売業者は市場内にある生鮮食料品等以外の卸売をしてはならないという商物一致の原則も廃止された。市場内の取引は，原則，セリと入札，それに伴う受託集荷や委託販売によっていたが，法改正により買付集荷や相対取引が取り入れられるように変化した。しかも，従来は卸売業者や仲卸業者は一つの卸売市場に限って活動が許されていたが，先に触れたように，開設区域と公設制の規定が廃止され，複数の市場で活動ができるように活動の広域化が認められるようになった。大幅な規制緩和を行い，生鮮食料品の流通合理化を図ろうとする政府の意向に対して，卸売市場が物流センターへと変質し，公共的な機能が低下することを懸念する評価もある。卸売市場の機能の衰退や取扱高の低下が発生していることから，卸売市場を活性化するために現実的にそれぞれの主体に市場創造機能を強化しようとする狙いがある。[7)]

注

1) 宮本又次著『概説日本商業史』新生社，1971年，pp. 81-86。児玉幸多・豊田武編『流通史Ⅰ』山川出版社，1970年，pp. 166-182。

2) 田島義博「卸売文化の伝統と危機」田島義博・宮下正房編著『日本的卸売経営の未来』東洋経済新報社，1986年，pp. 12-13。

3) この点は，①，②については，M. Hall, *Distributive Trading : An Economic Analysis,* The Mayflower Press, 1948, ①―③を含む全体については，風呂勉「卸売流通の意義と特徴」久保村隆祐・荒川祐吉編『商業学』有斐閣大学双書，1974年，pp. 229-251，定村礼士「卸売業の位置とその構造」田島義博・宮下正房編著，前掲書，1986年，pp. 31-32。

4) S. W. Husted, D. L. Varble and J. R. Lowry, *Principles of Modern Marketing,* Allyn and Bacon, 1989, p. 365.

5) 木綿良行「国際流通」久保村隆祐・荒川祐吉編，前掲書，1974年，pp. 475-481。朝日新聞経済部『総合商社』朝日新聞社，1977年，pp. 90-91。大手総合商社としては，三菱商事，三井物産，住友商事，伊藤忠商事，丸紅の５大商社に加えて，2004年に日商岩井・トーメン・ニチメン・兼松が合併してできた双日ホールディングス（HD），さらに豊田通商を加えて，７大商社と呼ぶことがある。最近では，総合商社にとって総合ということがパワーにならず，経営資源の選択と集中によって得意分野に集中する動きも生まれている。

6) アパレルのケースとしては，小山田道弥著『日本のファッション産業』ダイヤモンド社，1984年，pp. 31-32に詳しい。

7) 上原征彦「卸売市場法改正と生鮮流通の変革方向」 http://vegetable.alic.go.jp/yasaijoho/wadai/0408/wadai1.html（2019年９月28日アクセス）木立真直編『卸売市場の現在と未来を考える―流通機能と公共性の観点から―』筑波書房，2019。および細川允史著『改正卸売市場法の解析と展開方向』筑波書房，2019。

第13章 わが国における卸売業存立の基盤変化と経営革新の方向

第1節　わが国における卸売業の発展と新しい流通革命の進展

わが国の流通機構が非関税障壁（NTB）になっているとか，閉鎖的であるとかという批判を海外から受けてきた。このような批判は欧米との貿易摩擦を背景に，1970年代に入ってから繰り返し指摘されてきている。その内容にはさまざまなものがあるが，流通の複雑さを構成する多段階な卸売機構に批判が向けられてきたことも事実である。むしろわが国の流通に対するこうした認識や批判は，すでにそれ以前から国内外で提起されてきた問題でもある。国内でも，すでに1960年代から，高度成長を背景に提唱された流通革命論議をバックに，問屋無用論，卸売商排除論あるいは総合商社斜陽論といった主張を生み出してきた。

近年では，日本の貿易黒字をめぐって，日本の複雑な流通が，海外企業の日本市場への参入や製品輸入をむずかしくしているという認識を生んでいる。同時に，輸入品や国内の商品が高い値段になるのは，消費者のブランド志向や政府の介入といった理由に加えて，卸売機構が多段階に構成されていて流通が複雑化し，多数の業者が介入することで経費が膨らむわりには，ブランド・イメージの保護や仲間取引などで競争が発生しにくい構造をもっているからということがしばしば聞かれる。こうした海外からの批判は，誤解や偏見にもとづくものもあるが，改めてわが国の流通のあり方や卸売多段階性の存在意義を考えるためのチャンスとみる謙虚さも必要である。

わが国の卸売流通に大きな問題があることをセンセーショナルにとらえたのは，1962年提唱された「流通革命」においてである。「流通革命」を提唱した林周二教授は，その中で問屋無用論や小売商店数の激減を大胆に予想し，業界に大きな警告を与えることになった[1)]。

教授は当時の卸売商店数20万店について，それを10分の1以下に圧縮させてもなお多すぎることを強調した。教授は当時，わが国の経済が，生産面での量産体制の確立と消費面での大衆市場の発展を背景に高度成長を持続させるうえで，両者を結びつける流通機構の遅れを問題とし，とりわけ問屋の前近代性を交通，金融，情報通信網などの未整備と絡めて鋭く指摘した。つまりこれらのインフラストラクチャー（とくに物流基盤）の充実と，すでに現実に進行しつつあった消費財寡占メーカーによる流通系列化，それに小売業におけるスーパー企業の登場・その急成長を論拠に，卸売商店数や小売商店数の減少を大胆に予測したわけである。こうした予測は，当時，社会問題化していた物価上昇の解決にも役立つという期待があった。しかし結果は，小売商店数はもとより卸売商店数の減少にも至らなかった。高度成長が経済全体のパイを大きくし，中間業者の数を減らすのではなく，増やすことになった。むしろ，小売商店数の減少や卸売業者の衰退は成熟型経済の定着した近年になって，さまざまな局面に現われるようになってきたといえよう。今日の時代は，消費市場の成熟化（高齢化と人口減少）に加えて，いっそうの情報通信処理技術の進歩それに規制緩和の浸透を受けて，インターネットをベースとしたEC（電子商取引）の発展や外資系小売企業のわが国市場への参入によって従来の卸売業者に依存しない新たな取引の仕組みやルールが生み出され，それだけ卸売構造の変化を引き起こし，新しい流通革命が進展しつつある。

第2節　卸売構造の変化と新たな対応

1　卸売機能の担当主体の多様化

オイルショックを境に形成されたわが国経済社会の成熟化，情報化，国際化，業際化は，卸売流通の世界にも大きな変化を生み出している。まず特徴的なこととして，年々，個人商店より法人商店の割合が高まり，単独店よりも支店を有するタイプが着実に増加し，企業レベルでの規模拡大を裏付けている。

90年代前半までの商業統計には表面上，卸売商店の順調な推移が示されてきたが，90年代半ばからは縮小傾向があらわれている。そこには，業種，規模，商圏，流通段階の位置，それに卸売機能の担当主体などの面で，さまざまな新陳代謝が展開されているとみるのが正しいであろう。

わが国経済社会の成熟化，情報化，国際化，業際化は，生産面でのいっそうの多品種少量生産を発展させ，消費需要面でもこれまで以上にニーズの個性化・多様化・短サイクル化を加速すると予想できる以上，この双方の結合を必要とする商品分野に対して，卸売業者が新しい機能複合化を通してチャレンジしていく機会も高められるものと考えられる。しかし，すでにふれてきたように，卸売業者の利用は自動的には決まらない。むしろ最近の卸売業者を取り巻く環境は，卸売業者利用をますます相対的な位置におくようになってきた。つまり，基本はあくまで卸売業者の機能遂行力の発揮いかんに求められるが，それを取り巻く製造業者や小売業者，物流業者，ときには情報仲介者（infomediary：インターネット上のエージェント等）の他の経営主体の機能遂行力の拡大やイノベーションのインパクトによっても大きく左右されるという競争と駆逐の関係が成立している。逆にいえば，卸売業者以外の経営主体の方が商品力，販売力，情報力それに物流力などの面でイノベーションを積極的に導入することで卸売機能の効果的な遂行を実現してきているからである。こうした不安定な構図は，変動する需要への対応のために効率と有効性の追求をめぐる競争の結果として，卸売機能の担当者を決めるまでであって，伝統的に卸売業者であるという既得権はまったく意味をもたないばかりか，かえって過去の成功や既成観念にとらわれて将来を見通した革新的投資を行なううえでの障害となりかねない。

2　卸売業者利用条件の変質

これまでの卸売業者利用度を高めてきた事情も徐々に変質しつつある。それには，生産，小売など他の産業サイドの条件変化やインフラストラクチャーの発展に加えて，卸売業者自身の条件変化にももとづいている。

(1)　大手メーカーによるチャネル短縮化と取引慣行の見直し：

これは単純にメーカーと小売が直結するという意味ではなく，卸売業への再選別によって集約化が行なわれるようになってきた。流通の効率化や情報オンライン化の視点から，小売店や消費者の要求に柔軟にかつ迅速に対応するねらいから，直系販売会社の設置，販社の合併・統廃合，あるいは特約店の見直しを内容とした販売網の再編成が進んでいる。これは過剰在庫を減らし，売上高の迅速な把握，それに店頭支援活動を軸としたマーケティング力の強化を達成しようとして行なわれる。メーカーサイドの最近の動きとしては，小売店や消費者との直接の結びつきをはかるために，インターネットを活用して，企業間でも，企業と消費者間でも，卸売業者を通さない新たな取引の仕組みを生み出す動きが増えてきた。

また，メーカーではチャネルの短縮化の動きと合わさって，建値制やリベート制などの伝統的な取引慣行の見直しも行ない，オープン価格への移行の動きも強まってきた。オープン価格の普及は，リベートの簡素化や廃止となって，建値制の崩壊につながり，それだけ卸売業者や小売業者の安定的な利益分配を保証してきた建値制を崩壊させることにもなり，卸売業者の存続に揺さぶりをかけている。

(2)　中小小売商店数の減少と大手小売企業におけるバイイングパワーにもとづくマーケティングの展開が進行している：

すでに小売業の章で検討したように，近年，中小零細小売商店の減少が傾向的に持続しており，伝統的な販売方法に依存する商店数の減少が目立っている。大店法の廃止とそれに代わって登場した大店立地法は，周辺環境への保全条件をクリアできる大型店の出店は増加するので，いずれ中小小売店の競争環境はこれまで以上に厳しくなるであろう。飲食店の場合も，近年店舗数の減少傾向が続いており，とくに１～２人の零細層の実質減が目立っている。こうした中小零細小売店や飲食店を存立基盤としてきた中小零細卸売業者も売上高の停頓，場合によっては事業転換や廃業が避けられない。

大手小売企業は，多店舗展開による大量販売力を実現し，仕入交渉に際しては大量仕入力（バイイングパワー）をバックに卸売業者に価格，品揃え，種々のサービスを要求し，卸売業者はその独自性が弱められ，収益性が圧迫されている。そのうえ，近年の小売業は，POS や EDI といった情報処理システムの展開によって，売れ筋商品や店頭在庫を的確に把握し，ムダな在庫を抱えないように，きめの細かいインストア・マーチャンダイジングを行ない，卸売業者に多品種・多頻度・小口・指定時間配送を厳しく要求している。またスーパーやコンビニエンス・ストアの成長を卸売業者が品揃え面で支えるとなると，卸売業者自らが取扱い商品の範囲を総合化する必要に迫られ，一括受注・一括配送への対応が課題となる。

大手のスーパー，コンビニエンス・ストアや専門型量販店チェーンを中心に，自社で商品の企画・開発（PB 商品，自主 MD および SPA）や商品の仕入ルートの開拓に努め，国内のみならず，海外からのさまざまな商品調達ルートを確立しつつある。大型物流センターの自前での設置などの動きが目立つようになった。これによって，大規模小売業者が，リスク負担意欲を高め，流通コストの削減のための努力をするようになってきた。また，外資系小売企業の日本市場への参入が活発化しているが，メーカーとの直接取引の動きは卸売業者の中抜きを加速する要因でもある。

(3)　物流業者，情報仲介業者（インターネット上のエージェント），不動産業者などの異業種企業による物流機能や情報機能の統合が既存卸売業者との競争の激化を発生しやすくしている：

メーカーと小売業者双方が自らの物流機能を強化する動きに加えて，近年では，運送業者，保管業者あるいは情報仲介業者などから卸売活動の分野に参入するケースが出てきた。小口化し，鮮度を重視する商品の場合，多様な発注をまとめ，コスト的に採算のとれる配送システムを組むとなると，どの卸売業者でも対応できるというわけにはいかない。

長年，卸売業者や小売業者と取引経験のある物流業者は，混載システムや情報ネットワークを開発したり，流通加工機能を拡張して物販を手がけるまでになり，次第に物流業者と卸売業者の境界がなくなりつつある[2)]。宅配業者の場合は，産直販売の全国展開に乗り出し，単に商品を配送するという販売補助から，自ら販売の主体となって，地方の特産品を各家庭に販売する小売機能まで備えているところもある。

(4) 規制緩和やインフラストラクチャーの整備が卸売構造を変化させる：

日米構造協議以降，大店法の規制緩和とその後の廃止，さらに独禁法の不公正な取引方法の運用強化は，これまで安定していた卸売構造の変化を促進する要因である。規制緩和が卸売業者にとっても，新たな事業への進出を可能にしビジネスチャンスともなっているが，反面では，従来の伝統的な取引方法に頼りきっている卸売企業にとっては，厳しい環境となっている。大店法の規制緩和やその後の廃止は，取引先である中小小売店の減少に拍車をかけ，大型店の出店増加とそれに伴う価格競争の活発化により，自ら付加価値を生み出す機能強化やコスト分析にもとづいた提案型営業のできない卸売業者には価格競争がコスト割れを生む致命的な問題となる。

これと同時に，公正取引委員会は，独禁法の不公正な取引方法の運用を強化し，メーカーによる再販売価格維持行為の徹底排除，建値制やリベートなどの流通系列化の問題行為を厳しく監視するようになった。メーカーはこうした事情に加えて，すでにコスト負担の増大を回避するためにも，希望小売価格からオープン価格への転換を行なっており，これまで建値制やリベートによって保証してきた卸売業者や小売店との安定的な流通系列関係を崩壊させようとしている。

さらに，高速道路網や新幹線網の整備拡張，橋梁やトンネルなどの建設，光ファイバー，ケーブルテレビおよびデジタル放送，それにインターネットやGPSなどの情報通信網の整備，あるいは都市再開発・地域開発なども，地域間格差をなくし，中央と地方，日本と世界の商圏を融合させ，広域的な物流活動を可能にしている。これによって中央の卸売業者が地方への進出や再編を加速し，逆にブロードバンドを利用したインターネットの大量高速情報通信により地方の卸売業者の中央やグローバルな市場への進出を可能にしており，従来の商圏構造を激変させる。

(5)　卸売業者同士の競争激化が進行する：

これまでみてきた動きは，既存の卸売業者に対する新たな競争や代替関係を意味する。それによって，今まで卸売業界を支えてきた垂直的および水平的分業の秩序を解体させるようになるといえよう。たとえば，取扱い商品別に卸売業者の専門領域が比較的厳格に形成されていた秩序が，総合的な品揃えを要求する川下からの動きによってもろくも崩されることになるだろう。1次卸，2次卸，3次卸という機能にもとづく秩序や，全国卸，広域卸，地方卸という対象商圏にもとづく秩序が川上からの特約店や代理店の集約化・統合化によってつき崩されることが発生している。この意味では卸売業者がまったく利用されなくなるというのではないが，一定の介入は認めながらも，卸売流通の多段階性は次第に解消されることになろう。この動きは川下からも引き起こされる。地域の小売店が従来2次や3次の卸売業者から仕入れていたものを，チェーン店舗網や品揃えの拡大に合わせて1次卸に切り替えることもすでに発生している。

そのことは同時に卸売業者同士の競争をもいっそう活発化させる。既存商圏秩序の激変は，異業種企業から卸売業者にゆさぶりをかけているだけでなく，卸売業者同士での，変動する商圏をめぐっての競争がこれまで以上に厳しく進行するであろう。すでに，広域商圏を対象とした大規模卸売業者は，地方卸売業者の買収・合併・集約化を経て，強力な経営基盤を確立してきた[3)]。

(6) ICT（情報通信技術）の進歩と外資系小売企業の日本市場への進出の影響：

すでに，幾つかのところでもこの動きはふれてあるが，それほどこの2つの影響は卸売業者にとっても甚大である。インターネットによる取引は，小売企業や消費者から商品の注文をメーカーに直接，発する動きを活発にしており，大手メーカーやグローバルリテーラーによって開設された部品や商品調達のマーケットサイトの利用も目立つようになってきた。このようにEC（電子商取引）ではインターネットによるB to BやB to Cにおいて直接取引が行なわれ，卸売業者や商社などの中間流通業者が排除される動きが生まれている。とくに，ユーザー企業がインターネットにより納入業者を選別し，取引のタイプを大量・長期契約とオークションなどで価格を競わせるスポット的なオープン型取引に区分し，目的に応じて取引先の使い分けを行なうようになってきた。卸売業者も1次卸や総合商社レベルでは，取扱い商品の取引サイトを立ち上げており，そのことが2次卸での取扱い量を奪うことになり，中抜きを多発しやすくしている。すでに第5章の情報流通機能のところでもふれたように，JCA手順にもとづくEDIと違って，主として，小売企業サイドが取り組んでいる流通BMSはデータ書式を統一的に標準化することで取引の迅速性・正確性・効率性を実現できるが，この動きを卸売企業も積極的に推進し適合する必要が求められており，いっそうの情報化への取り組みが必要となり，こうした情報化の流れを推進できない卸売企業の淘汰と選別が激しくなることが予想される。さらに商品のカテゴリーの動きとしては，デジタル化した出版物のコンテンツを取次店を通さずに，消費者にダウンロードさせる動きも，小売店も含めた中抜きを加速する。

また，規制緩和を追い風に，外資系小売企業の日本市場への進出が増加している。また外資系小売企業の参入は従来の取引慣行にのみ依存した卸売業者にとって脅威である。外資系小売企業のみならず，外資系メーカーにとっても，卸売業者と取引する条件として，個々の卸売機能に対して費用対効果の透明化をせまる。それだけに，卸売業者にとって，外資系小売企業やメーカーとの取引には，物流，情報や金融などのサービスを機能ごとに切り分けて問題解決策を提案し，それぞれの機能がもたらす経済的効果をメーカーや小売店に納得させるマネジメント手法を確立する必要がある[4)]。

3　卸売業者の経営革新の方向

(1)　卸売業者の立場と機能遂行の再検討

卸売業者は，その活動の仕方や内容の再検討を求められるようになっている。これまで卸売業者が提供してきた各種の機能，つまり商品の在庫を保有し，返品を受け入れ，支払いの融通を与えることで，自らの存在理由を発揮してきた。卸売業者はこれに加えて，人的関係にもとづき義理や人情を尊重した長期的な取引関係をもち込んでわが国独特の商慣行を形成してきた。しかし，メーカーが自らのマーケティング機能を強化し情報収集のシステムを築いたり，小売業が物流投資の積極化，それにPOSやEDIを武器に情報オンライン化の構築に乗りだすことによって，これまで卸売業者の提供してきた機能やその遂行の方法が通用しないような状況が生まれ，活動の縮小や断念まで生まれている。

メーカーも近年，ニーズ志向の製品開発を強化し，過剰生産を回避するための工夫として，従来のような見込み生産ではなく，小売店頭での販売情報をベースに，きめの細かい多品種少量生産を展開しつつある。他方，小売店側にとっても，消費者ニーズの個性化・多様化・短サイクル化を反映して，総合的な品揃え対応や，特定のコンセプトのもとで独自性のある商品カテゴリー提案などを効果的に実現するため，必要なときに，必要な商品を必要な数量仕入れる条件が提起されるようになった。それだけに卸売業者には，小売店とメーカーとの情報共有を通して，欠品や過剰在庫を回避する効果的な物流や小売店での棚割管理，小売店支援が不可欠になっている。

さらに，小売段階でのチェーン化の徹底や新しい業態の成長は，すでにふれたように従来の卸売業者が形成してきた取引秩序や商品範囲の枠組みを突き崩すようにも作用する。そればかりではない。小売段階で消費者ニーズや社会環境の変化についていけない衰退業種の出現，それに競争力をもたない，後継者難に直面した中小零細規模の小売商店の減少は一定のタイムラグを経て卸売業の業種構成や規模構成にも大きなインパクトを及ぼしつつあり，卸売構造全体の変化をいっそう加速するようになった。

今後，卸売業者の機能遂行に大きな影響力を及ぼす動きとしては，情報化と組織化の問題が考えられよう。小売業者は，POS システム，とりわけID-POSの導入，それにEDI とくに流通BMS の採用によっていっそう正確な在庫管理や顧客情報管理を追求しつつある。このような動きは卸売業者に受発注システムの合理化や小ロット多頻度配送のための物流機能の今まで以上の充実を求めており，このような要求に的確に対応できない卸売業者は，逆選別され淘汰の対象とされつつある。それだけに卸売業者自身も情報処理能力の向上をはからざるを得ない。このことは，メーカー，小売業者，物流業者の情報化や新たな情報仲介業者の出現などの多様な動きの中で，卸売業者が中心となって新しい情報ネットワークを構築していくことで成長のルートを創出していかなければならないことを示唆している。

もうひとつの問題である組織化ということについても，小売業での小規模零細層の生き残りの方向としてフランチャイズ・チェーンやボランタリー・チェーンなどの「組織化された小売業」による対応に注目が与えられるようになってきたが，こうした動向に卸売業者がどのように関与し，いかなる役割を果たすのかが検討されなければならない。

⑵　経営革新の課題

ここで，卸売業者がこうした環境変化に積極的に対応していくための経営革新の課題がどのようなものかが問われる。

その第1は，卸売業者の経営革新にあたって重要な点としては，既存の分業体系を需要変動と競争圧力の視点から組み替えていく経営戦略の採用であろう。これは，いい換えるならば，伝統的な卸売業者として既存の制度にとらわれた事業イメージから脱却することである。逆説的ではあるが，卸売業者が卸売業として成長しようとするうえで重要な配慮は，既存の枠組みの中で卸売機能の配分を組み替える程度では，成長が実現できない厳しい競争と需要変動が存在することである。このことは，卸売業にとどまっていては卸売業者として成長できないというパラドックスを示している。なぜなら，これまでに製造業者や小売業のスーパー企業が新しい成長機会を自らのものとした裏には，製造機能と卸売機能との柔軟な関連づけ（前方垂直統合や卸売業者の系列化・販売会社化）による経営革新がベースにあったのであり，また小売機能と卸売機能との柔軟な関連づけ（後方垂直統合や卸売業者への逆選別・窓口問屋制）などが採用された結果であり，その基本には主体的な製品開発，マーチャンダイジング，チェーンストア・オペレーションの展開，それに情報処理能力の強化があってはじめて成功するものであった。これらは総じていえば，マーケティング力を主体的に強化してきた企業の経営努力の一定の成果といえる。

こうした視点に立つと，次の２つの方向が重要となろう。これらの方向は，卸売業者のおかれた立場によってさまざまな判断を必要とするが，しかし基本線としては卸売経営のこれからを考える際には避けて通れない課題と思われる。川上と川下への働きかけの２つの方向で考えられる。つまり①自社商品の企画・開発と，②リテール・サポート機能（コンサルティング機能）の強化である。卸売業者は，流通過程での位置をフルに活用すべきであり，生産や小売・消費との間にあって，他の経営主体以上に広い範囲で，多様な情報を効果的に収集し，データベース機能を発揮すべきである。メーカーにしても，小売の加盟チェーンにしても収集できる情報は，自社の扱っている商品にのみ限られがちであるが，卸売業者の位置上のメリットはそうした制約を越えたところから得られるという広がりがある。こうした情報集約効果を活かして，自ら川上や川下に対しての積極的な働きかけが重要となる。まず川上志向としては，特徴のある商品の取扱いを行なう政策の一環として自社商品の企画・開発を行ない，収益率を向上させることがあげられる。さらに川下志向としては，中小小売店に対して売れ筋商品，品揃え，新製品情報の提供などを含め各種の指導・支援サービスを行なうことが重要性を高めている。このリテール・サポート機能は，小売店運営に関するノウハウを蓄積できる卸売業者ほど効果的といえるが，大型店出店と売上不振に悩む中小小売店に対して，これからの卸売業が存在理由を強化し，生き残りをはかるには従来以上に不可欠な機能といえる。

第2には，卸売機能の高度化による対応である。これには，商流，物流，情流あるいは金融やリスク負担といった各機能を一定の方針の下で選別強化し，機動的な卸売業者主導型の流通システムを構築することである。この点に関して無視できない動きは，最近の情報革命の一翼を担う小売業でのPOSシステムの導入と展開である。小売業でのPOSシステムの展開が直ちに卸売業者の排除をもたらしたわけではないにしても，従来，小売業者が依存してきた卸売業者のマーチャンダイジング，在庫調整あるいは売れ筋情報の提供といった機能遂行に大きなインパクトを与えつつある。情報力という点では，小売業者が卸売業者やメーカーに対し明らかに優位にたつようになってきている。

こうした状況の中では，卸売業者は機能強化の明確な方向づけに迫られている。いかなる機能に力点をおき，どの機能を他の企業に負担させるかは，卸売業の事業コンセプトにかかわる問題であり，経営戦略の基本問題にあたる。機能遂行のあり方いかんが営業方式や販売方法としての卸売業の業態概念を創出するわけであり，卸売業の今後の方向づけに業態創出が重要視されるゆえんである。

また，消費者ニーズの多様化を反映して，メーカー段階では新製品開発競争や製品種類の増加が日常化しており，小売段階でも品揃えや売場の再構成が行なわれている。こうした条件は，卸売経営にとっては，高コスト化や機能代替という意味での脅威であるとともに，卸売業者の立場から情報機能を強化し，きめ細かに在庫や配送を調整できるという大きなビジネスチャンスでもある。

情報機能を強化する必要性はこれらの面からも高められている。卸売業者にとって，情報機能の強化はメリットとして，①受発注業務の迅速化，②事務処理の省力化，③在庫の適正化，④ユーザー・ニーズの的確な把握を可能にする。その反面で，①オンライン情報ネットワークの投資・維持コストの増大，②多頻度小口受発注処理のためのコストや物流コストの増大が発生することに適切に対処しなければならない。しかし，インターネットを活用した情報ネットワークの活用や取引のオープン化，それによる新たな顧客や市場開拓は卸売業者にとっても，大きな投資負担にならず，ビジネスチャンスとなっていることも事実であり，いかに情報技術を駆使しながら顧客の開拓と確保に努めるかが最大の課題となる。

場合によっては，ボランタリー・チェーンを組織し，加盟小売店の活性化を通して，卸売業者自体の売上高を向上させる方向が求められてよい。そのために克服すべき課題は，本部機能として，加盟小売店により多様な品揃えを提供できるように，幅のあるマーチャンダイジングを実行できなければならない。これが単独で実行できない場合は，異業種卸売業者同士の共同化によって，小売店舗の組織化をはかるのも一案である。

さらに，小売業でのPOSデータにもとづく多頻度小口配送の要求に対応するために，卸売業者は従来以上にジャスト・イン・タイム物流を実現するように在庫調整機能を強化しなければならない。このためには物流システムの革新に迫られることになろう。このような機能強化がえてして，大規模な設備投資を必要としたり，人材不足などを反映して，コスト上昇を誘発することがあるとはいえ，卸売業の経営を総合的な角度から見直すことにより，コスト上昇をシステム化，経営ノウハウの革新あるいは共同化を通して吸収していくことが必要となろう。

また，卸売業者の視点から小売業のカテゴリー・マネジメントを支援するために，小売店はもとより，メーカーとの関係においても緊密な縦のパートナーリング（連携や提携関係）を通して，卸売業におけるカテゴリー別の納品や店舗効率を最大にする物流精度・リードタイムやそれのためのEDIの活用が求められる。カテゴリー・マネジメントは，小売業にとって消費者行動にもとづいて商品をグループ化し，カテゴリー単位のコスト分析を活用しながら売場管理を行ない，収益性の向上に結び付けようとするものである。これは小売業の固有の問題とみなされがちであるが，カテゴリー内の商品に精通したメーカーや卸売業の協力なしには成功しないことが多い。卸売業の品揃えは，このカテゴリーをベースとした効率的集合として対応していく必要があり，とくに中堅小売業への卸売業のリテール・サポートとして，商流，物流，情流の総合的な支援を整えた小売業の本部代行が一つの生き方である。これに対して，卸売業の状況によっては，限られた経営資源を得意分野に集中することで，いずれかの機能に特化しながらコア機能の強化とローコストオペレーションを実現しながら提案型営業を行なう方向，さらには異業種商品を含む総合的な品揃えを要求される中で，自社に不足している機能や取扱い商品の得意企業との連携や共同化という横の関係の強化も今後の卸売業者の発展の方向といえる[5)]。すでにふれてきたように，インターネット利用の増加によって，中間業者排除（dis-intermediation）の機会が高まると予想される中で，卸売業者もインターネットを活用したサイトの開設で独自性のある商品情報の提供，注文の獲得，新規顧客の開拓などに積極的に取り組む動きも増えてきた。一方的に中抜きされないために，自らインターネットを使い，情報仲介機能を強化し変化に適応しようとする経営努力の表れでもある。かくして卸売業者の今後を考えるうえで重要なことは，リアルな店舗展開であれ，バーチャルな店舗の開設運営であれ，メーカーや小売業者の抱える問題を発見し，必要な機能とコストの関係を明確に提示しながら，具体的な解決策を提案できるようにすることであり，それを実現するマネジメント手法とシステムの開発を通して，メーカーや小売業者に対していかなる合理性を発揮するのか，この点での経営革新の真価が問われているといえよう。それだけに，こうした経営革新を持続させるうえでリスクに挑戦し，リスクを克服するのに不可欠な若手の人材の採用，育成がこの業界にとって最大の経営課題といえよう。

注

1)　林周二著『流通革命』中公新書，1962年，p. 168。この点の特徴と問題点については，田口冬樹「わが国における流通革命論争」『専修経営学論集』第20号，1976年，pp. 127-168。同「新しい流通革命の時代を迎えて」専修大学経営研究所『経営研究所報』第75号，1988年，最近の第二次流通革命という問題認識については，J. Fahy and F. Taguchi, "Reassessing the Japanese Distribution System", *Sloan Management Review,* 1995, pp. 52-55. およびJ. Fahy and F. Taguchi, "Japan's Second Distribution Revolution : The Penetration of Global Retail Formats", in M. R. Czinkota and M. Kotabe ed., *Japanese Distribution Strategy,* Business Press, 2000, pp. 298-309に詳しい。

2)　中田信哉著『物流論の講義』白桃書房，1990年，pp. 122-126。

3)　宮下正房「変貌する環境と卸売経営」宮下正房・流通政策研究所編『挑戦する卸売業』日本経済新聞社，1997年，pp. 14-19。

4)　『日経ビジネス』2001年２-19，pp. 26-39。および同『日経ビジネス』2000年11-13，pp. 52-56を参考にしている。

5) 東京都商工指導所『平成11年度東京都中小企業白書（卸売業編)』1999年，pp. 246-252。小川進著『稼ぐ仕組み：高収益「卸」の常識破りな新発想』日本経済新聞社，2003年。

第14章
メーカーのマーケティング・チャネルの展開

第1節　メーカーによる流通系列化の進展と特質

1　メーカー主導型流通システムの確立とマーケティング

ある特定のメーカーが自社の製品を最終消費者やユーザーに販売するためのルートをマーケティング・チャネルと呼ぶ。メーカーは，自社製品の円滑な流通を実現するために社会的な存在である流通機構の中に，自社のコントロールできるチャネル部分を作り出す。このチャネル設定の基本的なねらいは，自社製品の販売量と再販売価格の安定を実現できるようにすることであり，消費財メーカーの場合には，卸売段階にこうしたチャネルを確立しているだけでなく，小売段階にもチャネルを設置している場合が多くみられる。

メーカーの生産規模や資本力が弱体な時代には，製品の生産だけで販売や広告に回すだけの経営資源が不足しており，販売や市場開拓はもっぱら卸売業者に頼らざるを得ない状態が続いた。こうした状況では，メーカーは，自ら生産した製品を流通機構という社会的な制度に手渡せば，あとは卸売業者などの中間業者が末端まで流してくれた。ここでは，メーカーよりも卸売業者に発言権があり，製品企画，品質，価格，マージン率などについての決定権を握っており，メーカーは卸売業者の意向に従わざるをえなかった。わが国では，すでに述べたように，戦前・戦後間もない頃までは，商品流通の多くは，卸売業者（卸売企業）主導型であり，生鮮食料品，加工食品それに日用雑貨などの商品分野では今日でも卸売業者のリーダーシップが発揮されているところが少なくない。しかしこうした分野もしだいに，メーカーや小売業者の成長・拡大によって存立の基盤が変質しつつあることはすでに前章で述べたところである。

こうした卸売業者主導型の流通システムに対して，メーカー主導型流通システムが早い時代に成立した国があった。それは米国である。米国は，広大な国土と豊かな資源を有し，古い伝統的な商業組織を強固に発展させていない特質をもち，英国からの独立やフロンティア・スピリットに象徴されるような多くの新しい挑戦が繰り広げられた。南北戦争後に，北部を中心として工業化が急速に進むが，多民族の大量移民による市場の拡大に対して，さまざまな製品開発が行なわれ，やがてそれらは互換性部品制度やアセンブリー・ライン制度という技術的な発展を基礎にして消費財産業に大量生産を定着させる。1870～1880年頃には，マッチ，ビスケット，紙巻き煙草，写真フィルムなどの既存製品だけでなく，タイプライター，ミシン，トラクターといった新製品の大量生産が登場する。19世紀には，米国でも貿易商や国内卸売業者が流通のキャプテンとなっていた。しかし新製品の大量流通となると，それらの販売を卸売業者に期待することはむずかしく，彼らが専門的な知識や意欲を欠いていたことも含めて，メーカー自らが流通過程に介入せざるを得ない状況を生み出していった。メーカーは自社の製品にブランドを付与し，広告やセールスマンを利用して，積極的に市場開拓に乗り出すようになった。大量生産体制は，1910年代の自動車産業（いわゆるT型フォードの生産に象徴される）においてその高度な発展を実現するが，後にGM（General Motors）はディーラーのフランチャイズ化に着手し，今日の自動車流通の原型を築きあげた。ディーラーのフランチャイズ化を例にしてもある程度想像がつくように，巨大な寡占体制を確立した自動車メーカーといえども，全国市場を対象とした販売網を直営で行なったわけではない。

メーカーは自らの製品に対して売れる仕組みを作るために，卸売業者や小売業者を，必要な場合には利用・育成し，そうでない場合には卸売業者のみ排除して大型店と取引したり，場合によっては小売業者まで排除して，小売段階に直接資本投下し直営にするというバリエーションをともなって，結果的にはとくに卸売業者を弱体化させてきた。1910年代の小売段階でのチェーン・ストアの発展が卸売業者の衰退に拍車をかけた1)。メーカーと中間業者の利害は対立することが多く，メーカーが自社の利益に適合するチャネルをもとうとすると，この対立や衝突を生みやすい中間業者を適切に管理し，チャネル内での対立やチャネル・メンバーの不満を最小限に抑えるようにすることが重要な仕事になってきた2)。

マーケティングというと今日では，主体と対象の点で非営利主体やアイディアまで幅広く含めて理解されているが，歴史的には，1900年代の初頭から，こうしたメーカー（生産者）の製品に対しメーカー自らの責任で売れる仕組みを作るという前提のもとに生み出されてきた技法や考え方であったということも理解しておく必要があろう。

2　わが国におけるメーカーの流通系列化

(1)　流通系列化の特質

戦後，わが国においても，メーカー主導型の流通システムが，消費財産業での大量生産体制の確立とマーケティング活動の展開を通して実現されていった。とくにわが国の場合には，メーカーによる流通過程への介入が，消費財寡占メーカーによって流通系列化という形態をとって進められたところに特徴がある。こうした形態がとられた業界には，家庭電器，自動車，楽器，時計，洗剤，化粧品，事務機，ガソリンなどがある。ここで流通系列化という場合，寡占メーカーが特定の販売業者（卸売業者・小売業者を問わず）に対して，他のメーカー以上に緊密な関係を形成して自社製品の販売に協力させることを意味している。これは米国の場合のように，中間業者の排除やメーカーと中間業者とのドライな関係ではなく，メーカーが中間業者を巧妙に組織化したところに米国との違いがみられる。寡占メーカーによる流通系列化は，すでに1950年代の半ばあたりから今日まで続けられている。その展開当初は，スーパーマーケットの導入に先立って，それまで非近代的といわれたわが国の流通機構に近代化・合理化の引き金を提供したと評価できる。しかし系列化が普及した1970年代半ばあたりから，その閉鎖的な性格によって，流通過程での競争のあり方に大きな問題を生むようになり，国内のみならず，海外からも輸入障壁・参入障壁として問題視されている。ここでは当時，なぜ流通の系列化という形態が取られたのかを検討しておこう。

戦後，生産領域でのビッグ・ビジネスの成立，新製品を含む多様な製品開発，大量生産の展開は，他方で消費領域での所得水準の向上とライフスタイルの欧米化を背景に，高度成長を実現していくが，流通領域は，戦前から過剰労働力のプールとして，近代化されない保守的な商業組織が多段階に構成されていた。寡占メーカーにとって，最初から100%自社出資による直営店の構築は，最終消費市場の少量・分散的特質をカバーするうえで，資金効率を悪化させ，その製品特性の面からいってもあらゆる産業に普遍的に適用し得るものではなかった。むしろ，多くの消費財寡占メーカーは，自らの生産部門を急速に近代化していく中で，既存の商業組織を活用しつつ商業部門の立ち遅れた部分にテコ入れをし，次第に資金的・人的介入を深めながらメーカーの意思の下にチャネルを系列化していく過程をたどった。このように戦後には，メーカーと中間業者との蓄積格差は，パワー格差を生み，チャネル・リーダーシップの逆転がはかられた。

寡占メーカーによる流通系列化は，日本の歴史的・文化的条件を背景にもちながら，メーカーのマーケティング展開と不可分の関係で実現されていたと評価できる。メーカーの流通系列化を支える共通点は，①品質の標準化をベースにナショナル・ブランドを確立した製品の量産体制が確立されている。②消費者が購買時点で品質，性能，耐久性についてブランド別の優劣を明確に判断しにくく，実質的であれ，非実質的であれ，製品差別化が浸透している。③大量の広告・販売促進が活発に展開され，自社ブランドへの消費者選好を確立している。④１社によるフルライン生産が追求されやすく，製品の総合化や市場細分化が進行している。さらに⑤代替的なチャネル構築の交渉力をもち，同時に系列店の資金援助・経営指導のための能力をもっている。メーカーにとって，流通系列化は，販売量や再販売価格の安定を実現するための手段であるのみならず，製品によってはアフターサービスやメンテナンスサービスを徹底させるため，末端の消費需要情報をフィードバックするため，また製品の品質管理やトラブル発生時のリコール（回収）システムとしての役割を期待していた。それだけにメーカーと系列店との協調関係が重視されてきた。

メーカーによる流通系列化は，その効果の面で，もうひとつの願いが込められて展開されていたとみることができる。それは，高度成長時代には需要がダイナミックに拡大・変動したために，水平的次元ではメーカー各社が売上高の増加をめざして活発な設備投資競争を繰り広げ，しばしば過剰生産を生み出しやすくし，技術の平準化とともに末端で価格競争（値崩れ）を誘発しやすい体質が常態化したが，流通機構の中に流通系列化という特定メーカーと特定の中間業者との垂直的な独自の組織されたチャネルを確立することによって，価格競争に陥る体質を回避しようとねらっていたとみることができる。これが，競争の単位としてみたときには，価格単位や企業単位だけではなく，マーケティング競争や企業グループ単位での競争を生み出す状況を作ってきたといえる。

⑵　大型小売店のバイイング・パワー増大とチャネル政策の転換

しかし，皮肉にも，メーカーが系列店との協調関係を強めようとするほど，系列化の弊害が浮き出るようになった。優良店を系列化に組み込もうとして，またできるだけ緊密な関係をもとうとすると，系列店に絶えず高マージン・高リベートを保証しなければならず，高価格政策を維持せざるを得ない構造を生み出した。系列店は，メーカーの量産圧力（過剰生産）の下で生み出される押込み販売を受けて，ノルマ達成のためリベートを当て込み，現金問屋やバッタ屋ルートに横流しをするという悪循環を生み出し，ここで同一製品をディスカウント販売する非系列店のルートを発展させていった。

系列店が衰退するのとは対照的に，戦後登場した新しい業態の成長が顕著になるにつれて，寡占メーカーの系列化政策も転換の時代に入った。チェーン展開をベースとした，スーパー，総合スーパー，専門店，ディスカウント・ストアなどの大型小売店は大きな販売力をもつようになり，寡占メーカーのチャネル対象としても無視できなくなっていったからである。かつては寡占メーカーはこのルートにさまざまな圧力をかけて出荷を抑えてきたが，大量販売力の魅力には勝てず量販店向けの専門販売会社を設けるまでになった。非系列のチャネルをメーカーが取り込むほど，系列のチャネルは弱体化するという皮肉な関係が形成されてきた。むしろ，最近では，大型小売店の方がメーカーと直接交渉に乗り出し，バイイングパワーやPOSによる情報力を発揮して，価格，商品企画，納品方法（リードタイム・鮮度基準等）などをめぐって，小売業のペースで交渉が進められるケースが目立っている。小売業サイドでは，POSデータにもとづく仕入計画が採用され，独自の売れ筋把握によってメーカーの意図とは異なる店頭管理を進めるようになっており，メーカー・サイドからの効果のある売場づくりの提案や棚割り管理ができない限り，主導権が取りにくくなってきている[3)]。明らかに大型小売店に対しては，メーカーのチャネル・コントロール力が低下してきている。これは，メーカーが大型小売店に販売依存度を高めてきた結果であり，また情報格差の発生の反映でもある。このことのもつ意味とは，メーカー主導型の流通システムが，今度は大型小売店の側から切り崩されるようになってきている点である。このためメーカー・サイドからは，新製品開発による独自ブランドの強化や建値制からオープン価格制への移行による価格政策の転換などで，小売企業のパワー形成を阻止しようとしているが，大型小売店の勢力拡大の勢いは時代の趨勢となっており，むしろメーカーからも積極的に大型小売店との関係をより緊密化し，戦略的な提携のもとで小売店の有する情報を共有しあいながら効果的な商品開発，小売企業のためのPB商品開発の受託，あるいは専用商品の提案，迅速な物流を実現する取り組みが行なわれている[4)]。

それと同時に，近年の消費者ニーズの多様化・個性化・短サイクル化は，消費者の系列店離れを生み出してきたことも否定できない。特定メーカーとの関係で品揃えを実現しているのが系列店としての特徴であるが，このこと自体が消費者の購買行動の変化に適応しなくなってきたともいえる。消費者自身の商品に対する経験効果や学習効果が蓄積されるにつれて，耐久消費財のように2台目，3台目になるほど，限定された品揃えやブランドから選択するというのではなく，より広い品揃えや複数店舗の中から自分により見合った商品や価格を中心に比較購買するという動きが定着してきた。つまり消費者の購買内容，購買場所，購買方法の変化が従来のような系列店では満足できない消費者層を生み出してきたことも，系列店離れを誘発している要因である。住宅の郊外立地と車による買物客の増加は，郊外のロードサイドにディスカウント・ストアや専門店チェーンを群生させ，比較購買の範囲をいっそう拡大している5)。さらに，インターネットを利用した商品・店舗などの比較情報の収集，それにインターネット通販の発展も，こうした流れをより加速している。すでにこうした動向を察知して，系列小売店も，これまでのメーカー系列にとらわれない幅広い品揃えを進め，独自の店づくりを進める動きもある。メーカーでも，こうした動向に対応して，従来の業種店から，ニーズの多様化・消費者行動のTPOに即応した業態店づくりや系列店を情報ネットワークの視点から，インターネットを活用することで消費者がインターネットで注文した商品を受け取り，決済し，アフターサービスを受ける拠点と位置づける試みなどが行なわれている。

⑶　流通系列化の問題点

これまで，メーカーによる流通系列化と呼ばれるものには，系列店にかなりの自由度を残した相互依存的なものから，実質的に前方垂直統合に発展したものまで，かなりのバリエーションがある。それに，併売を認める場合でも，そこには専売に近いような併売も存在するし，販売方法でもフランチャイズ・チェーン店のようにかなり標準化・規格化が浸透し細かにコントロールされるものまである。このような開きは，メーカーのチャネル政策として，メーカーが販売業者にどのようなことを期待するかによって異なっており，それぞれに採用する系列化手段の多様性を反映している。同時に，これはまた，メーカーの製品力，ブランド力，コスト構造，競争環境，需要の変化，中間業者の依存度，バイイング・パワー，対抗力，法的規制などの影響によって，系列化の進め方にもさまざまなバリエーションが生み出されていく。系列化が，主として卸売段階までのものもあれば，小売段階まで浸透させる場合もあり，卸売段階に共同もしくは単独で販売会社を設けているものもあれば，小売段階をフランチャイズ・チェーン化しているようなものまである。

系列化の問題点としては，消費者選択の範囲を狭め，価格競争を起こりにくくしたり，新規参入企業にとっては参入障壁となりやすく，競争が阻害される恐れがあるということがあげられる。系列店サイドにとっても，経営革新の起こりにくい体質を形成し，系列を主導するリーダー企業にとっても高いコストの負担が求められる。かつて（1980年３月），メーカーによる流通系列化に警告を与えた独占禁止法研究会の報告書では，流通系列化の主な手段として，再販売価格維持行為（メーカーが取引先である販売店の転売する価格を指示して，これを守らせる行為），専売店制（自社製品のみを取扱う販売業者に流通する），テリトリー制（販売業者の営業地域を制限する），１店一帳合制（小売店の仕入先を特定の１卸売店に限定する），店会制（同一メーカーの商品を取扱う販売店同士の店会組織），リベート（占有率リベートや累進的リベートによって販売店を差別的に扱う），委託販売制（販売業者が販売を終了するまでメーカーが商品の所有権を保持している），払込制（メーカーが自社商品の販売代金を回収するに当たり，販売業者の売買差益を預かり後日払い戻す行為），などが不公正な取引方法との関連で問題を生みやすいことを指摘した[6)]。それによって，再販売維持行為はそれ自体で違法であるという判断を明確にし，それ以外の系列化の手段の行使は，当該市場における有力な事業者が行なうことで，競争制限効果が認められる場合，不公正な取引方法として違法となる。90年代に入って，日米構造協議での厳しい要求を反映して，91年７月に策定された「流通・取引慣行に関する独占禁止法上の指針」に象徴されるように，公正取引委員会による流通系列化に対する運用は規制強化されるようになっており，このことはこれまで独禁政策の運用上の不徹底や曖昧さが，流通過程でのメーカーの系列化行為を助長してきたという認識を反映している。

その後，流通環境は大きく変化しており，近年では小売企業の大規模化やインターネットの普及が有力なチャネルとして発展してきている。とくに，近年では小売企業の側からチェーン展開とPOSデータを駆使してバイイングパワーを発揮し，メーカーにさまざまな介入を進めるようになった。またインターネットによる消費者行動はソーシャルメディアをベースにさまざまなネット上の情報やクチコミを通して店舗で現物を確認しても買うのはネットでというショールーミングを生み出してきた。メーカー系列の店舗であれ，独立の小売企業の店舗であれ，店舗の存在意義が問われる時代になっており，改めてリアル店舗とネット販売との分離から融合を目指すオムニチャネルの動きが生み出されてきた。

それだけではない。メーカーから小売企業へのパワーシフトが発生しており，強いメーカーから弱いメーカーへと急速に変質している。これまでは，メーカーのNB商品について，販売店に再販売価格維持を行なうことは違法として禁止し，ブランド内競争を制限するとみなされてきた。店頭での欠品を防ぐため，あるいはブランドイメージを維持するため自社専用の販売網を設置しようとした場合，これまでの指針では競争制限行為とみなされる恐れがあると抽象的に規制が表現されていた。これに対して小売企業のPB商品の開発や提供では逆にメーカーとの特別の緊密な連携がはかられ，価格も小売企業の意図した水準で決定できるためブランド内競争は回避できる。メーカーにとってはブランド内競争を制限できず小売価格を意図した水準で決められないという小売企業とのアンバランスに対して，メーカーのマーケティング担当者や産業界からはガイドラインが抽象的でわかりにくいという不満が出されるようになってきた[7)]。PB商品の価値向上に対して，NB商品の価値向上の戦略は制約されているという評価さえ指摘されている。そのため，2015年3月には，公正取引員会は91年に出された「流通・取引慣行に関する独占禁止法上の指針」の一部改正を行なうことになった。このガイドラインの見直しの内容は，流通政策の次章で取り上げる。

第2節　マーケティング・チャネル政策とパワー基盤

1　マーケティングとチャネル政策

近年では，商品流通において，特定の企業がリーダーとなって，チャネルを組織し，彼らの一定の目的に向かってチャネルを方向づけようとするパターンが多くなってきた。つまりそうした企業が主導するチャネル設定や管理によって商品流通のあり方が大きく影響を受けている。ここでは，議論の焦点を，メーカーによって行なわれるマーケティング・チャネル政策の基本的な枠組みにあてながら検討しておこう。

チャネルは，消費者やユーザーが望む適切な製品やサービスを，適切な時期に，適切な数量，適切な価格，適切な場所で入手できるよう保証することがポイントになる。メーカーのチャネル政策には，すでに流通機能の章や流通機構の章でのチャネル問題でもふれたように，自社の製品をどのようなチャネルを通して販売するかという場合，チャネルの構築と維持の２つの面で課題が生じている。前者のチャネル構築では，①チャネルの長さ（長・短）をどのくらいにするか，②チャネルの広がり（広・狭）を何本のルートにするか，③チャネルの幅（開・閉）をどの程度にするかということが解決されなければならない。後者のチャネル維持では，チャネル・メンバーの協力を得るために，絶えずきめ細かい調整を行なうことが求められており，チャネル・システム内に発生する不満やコンフリクト（衝突・対立）を適切に処理するためのマネジメントが重要になる。とくに対立を制御するためのパワーの行使やパワー資源の蓄積は，そのリーダー企業のおかれた状況によって，さまざまに位置づけられるが，的確な戦略的対応によってチャネルの崩壊を未然に防止し，結合利益と競争優位の最大化が実現されなければならない。

マーケティング・チャネル政策が重要であるからといってそれ自体の手段

で完結できるものではなく，マーケティング政策や戦略の全体的なねらいの一環として活用されるものであり，この全体的マーケティングの中にチャネルの役割をどう位置づけるかが明確にされなければならない。当然，ターゲットが異なれば，チャネルも異なるし，消費者やユーザーに対する新製品の提供やプロモーションとのタイミング，それに中間業者への経済的なインセンティブの程度などは，バラバラな形で試みられても効果が薄い。チャネル利用のサイクルは，製品や広告それに価格の利用サイクルよりはるかに，長期的視点での対応が求められる。通常，チャネル・システムの展開は，チャネル・メンバーとの関係が長期にわたって持続することが想定されている。また土地や店舗（テナント）のリース契約などをとっても，一定期間は拘束される特質をもつ。それだけに，マーケティング担当者は市場条件の変化を絶えずフォローし，流通の効果的な方法や新しい業態を発見しながら，全体的なマーケティング政策の目標の下で，変化にとり残されないためにチャネル・システムをダイナミックに再編成する努力が求められる[8)]。

チャネルが有効に機能するかどうかは，設定されたチャネルが消費者やユーザーにとって利用しやすい条件をもっているかということと，チャネル設定者とメンバー間で安定的な関係をもっているかによっている。有効なチャネル選択とは，チャネル設定者が標的市場とする地理的領域において，メンバーとなる中間業者の最も適切な数とタイプを決めることであるということができるが，実際には設定者とメンバーとの関係のもち方いかんが消費者満足やメンバーの満足の程度に影響を及ぼしているとみられる。このチャネル関係のもち方のタイプを以下にみていこう。

2　チャネル設定の課題

(1)　チャネルの長さ（長・短）をどのくらいにするか

自社商品の販売のためにどのような中間業者（卸売業者・小売業者）の垂直的な連鎖を作るかによっている。中間業者の利用数が多いほど，長いチャネルとなり，まったく利用しない場合や少ない場合に短いチャネルとなる。

(a) 消費財の代表的なチャネル

① 生産者(メーカー)—消費者

② 生産者(メーカー)—小売業者—消費者

③ 生産者(メーカー)—販売会社—卸売業者—小売業者—消費者

④ 生産者(メーカー)—卸売業者(1次・2次・3次)—小売業者—消費者

(b) 産業財の代表的なチャネル

① 生産者(メーカー)—ユーザー

② 生産者(メーカー)—卸売業者—ユーザー

③ 生産者(メーカー)—販売会社または代理店—卸売業者—ユーザー

ここで，生産者（メーカー）—消費者あるいはユーザーのタイプがダイレクト（直接）・チャネルと呼ばれる。それ以外のタイプが，インダイレクト（間接）・チャネルと総称される。たとえば，化粧品の場合，各化粧品メーカーのそれぞれのねらいから，消費財のチャネル・タイプのすべてが現実に利用されている（図14-1参照）。それに時代とともに，化粧品のチャネルの主流も変わってきた。戦前の主流チャネルは独立の卸売業者経由の一般品ルート（後述の開放型チャネルにあたる）であったが，戦後はそのルートは弱体化し，ブランド付与や全国広告を通してチャネル・コントロール力を発揮する販売会社経由の制度品メーカーや訪問販売ルートもしくは通信販売ルートが発展し，同じ化粧品の流通でも企業ごとに異なるルートが採用されるようになった。とくに，制度品メーカーとして知られる企業群は，まず一方で広告，フルライン化それに美容部員の投入によってブランド・イメージを強調した。他方で同時に，卸売段階における既存の卸売業者の整理を進め，自社独自の販売会社を設置し，さらに小売段階に多数の系列店・コーナーを設け，消費者の組織化まで行なうことで，化粧品の主流チャネルを確立してきた。メーカーが系列店の中に一定スペースのコーナーをおくことによって，消費者への美容相談や商品知識の伝達をはかりながら，自社製品の店頭販売状況をきめ細かに把握してきた。

図 14-1　化粧品のチャネル

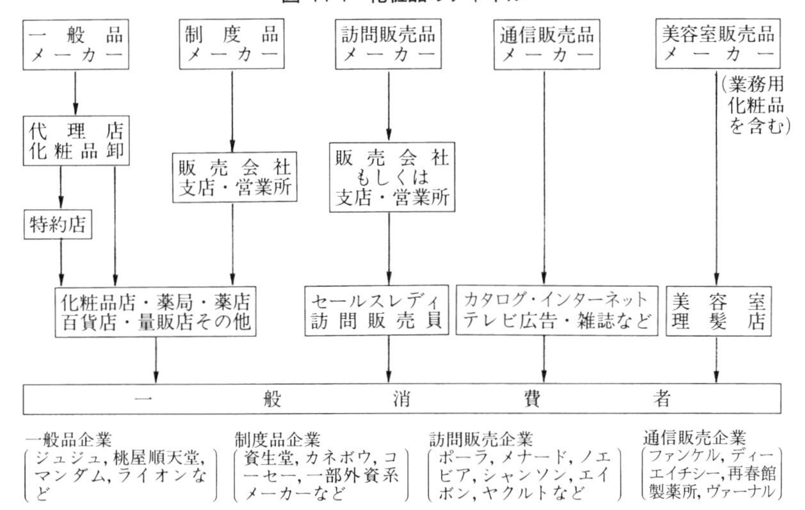

注：なお，通信販売品メーカー以外の有店舗対象メーカーでも，インターネットによる販売が展開されている。
（出所）流通経済研究所『商品流通ハンドブック』日本経済新聞社を参考にデータ追加。

また最近では，化粧品をテレビやインターネットなどの通信販売によって提供しようとする企業が増加してきた。これは，訪問販売と同じく，無店舗販売方式で，消費者に接触しようとするものであり，ダイレクト・マーケティングと呼ばれる。ダイレクト・チャネルは，消費者の態度の変化をいち早く知ることができ，マーケティング・ミックスを素早く調整できるというメリットがある。チャネル・メンバーの同意を取り付ける手間や時間がかからないし，また専門的な技術サービスや積極的な販売努力が必要な場合は，自社の信頼のおける専門スタッフを活用できる。

短いチャネルか，長いチャネルかを選択するときにはいくつかの考慮すべき要因がある（表14-1参照）。ここで，ダイレクト・チャネルと中間業者利用型チャネルのメリットおよびデメリットを比較してみると次のようにいうことができよう。中間業者は，競争する他メーカーの商品も扱っており，自社で求めるような重点的な配慮をしてくれる保証がない。自社の製品も，中間業者にとっては，多数の取扱い商品のひとつにすぎない。ダイレクト・

表 14-1　チャネルの長・短に影響を及ぼす要因

	短いチャネルの特質	長いチャネルの特質
市場要因	産業用ユーザー 地理的に集中 技術的知識および定期的なサービス活動が要請される 大量注文	最終消費者 地理的に分散 技術的知識および定期的なサービス活動は要請されない 小口注文
製品要因	鮮度 複雑さ 高額	耐久性 標準化 低額
生産者要因	製造業者がチャネル機能を遂行するのに適切な資源を有する場合 広い製品ライン チャネル・コントロールが重要な場合	製造業者がチャネル機能を遂行するのに適切な資源を欠いている場合 限定された製品ライン チャネル・コントロールが重要でない場合
競争要因	マーケティング中間業者は製品を適切に販売促進していないと製造業者が感じる場合	マーケティング中間業者は製品を適切に販売促進していると製造業者が感じる場合

（出所） L. E. Boone and D. L. Kurtz, *Contemporary Marketing*, 6th ed., Dryden Press, 1989, p. 425.

チャネルは，産業財でよく利用されている。とくに，受注生産である場合，ユーザーの特殊条件に相応しい生産設備や部品の開発となると，金額も巨額であり，専門的技術が要求されることもあって，ユーザーと一体となった開発体制がとられるため，ダイレクトであることが効果的である。これらの購買者が通常少数であるとか，地域的にも集中している場合には，ダイレクトになりやすい。消費財のケースでも，特定のテリトリーを重点的に対象とする場合や，自社独自の製品コンセプトを顧客に浸透させる場合，商品の鮮度要求（腐敗性商品）や少量生産の場合，ファクトリー・アウトレット・ストアのように自社製品やブランド品の在庫処分の場合などの理由でダイレクト・チャネルが採用される。無店舗販売（通信販売・訪問販売など）やパン・豆腐・菓子類の製造小売はダイレクト・チャネルの利用例である。ただし，ダイレクト・チャネルの設置には，無店舗販売以外には膨大なチャネル投資が求められる。

しかし生産が多品種少量で，生産自体が自然条件に依存して不安定であるとか，汎用性のある見込み生産の場合，あるいは輸出や輸入が必要な場合，それにユーザーの購買要求が多品種で，購買規模が小さい場合（たとえば，最寄品のような例），それにメーカーがチャネルに投資するだけの十分な資金や人材を欠いている場合，中間業者の利用が有利である。わが国で，産業財の流通に卸売業者や代理店が利用されるケースが多いのはこうしたことと関連しているためであろう。すでにふれたように，チャネルは短くなるほど，メーカーにとって管理しやすくなるが，その反面で機能負担能力が問われ，人材，危険それにコストが増加することも避けられない。

⑵　チャネルの広がり（広・狭）を何本のルートにするか

メーカーは，自社の製品をさまざまなチャネルに同時に流すことで，多数の市場接触と購買の機会を作るか，それとも１本のチャネルに限定するかどうか，水平的な市場関連で決定を迫られる課題である。

(a)　単一チャネル

(b)　二重チャネル

(c)　多数・複数チャネル

多数（マルチ）チャネルが利用されるのは，既存のチャネルへの不満，販売力の拡張，最寄品にみられるように購買単価が小さく，購買頻度が高いことからできるだけさまざまな市場に浸透させたいため，あるいは消費者の購買行動の変化・多様化に対応するため，さらには既存チャネルへの意図的な牽制をはかるためなどが考えられる。企業が対象とするターゲットの性質，製品コンセプトと特質，企業規模，マーケティング政策のねらいなどによってその取り組みは異なってくるだろうが，多くの企業では多数チャネルを採用している。チャネルのマルチ化は近年ますます活発化していることも否定できない。

あるリーダー企業によって，多数チャネルが同時に採用されることで，それぞれのチャネルが形成する販売価格の格差（マークアップ率の格差ともいえる）が大きいほど，チャネル間競争やチャネル内のコンフリクト（衝突・対立）の原因を作り出す。戦後わが国でも，新しい業態の成長・拡大とともに，二重チャネルや多数チャネルが採用されることが珍しくなくなった。なかでも，寡占メーカーが量産体制を軌道に乗せるにつれて，伝統的に取引関係を維持してきた一般の中小小売店中心のチャネル以外に，スーパー，ディスカウント・ストア，大型専門店のチェーンを内容とした量販店ルートに注目し，量販店の大量仕入力に引き付けられて安定的な取引関係をもつまでになった。ちなみに，今日の家庭電気製品の流通には次のようなチャネルが形成されている（図14-2参照）。

家庭電気製品だけに限らず，先にふれた化粧品，時計，カメラ，合成洗剤などの市場では，この二重チャネルや多数チャネルの出現が系列店と量販店ルートとの間で販売価格や他の取引条件をめぐる格差となって垂直的衝突（vertical conflict）の原因となった。しかし今日では，その増大する大量販売力ゆえに，寡占メーカーにとって，量販店ルートは不可欠の存在となっており，成熟化時代を迎えて量販店向けの販売会社の体質強化や再編成が進められている。

図 14-2　家電品のチャネル

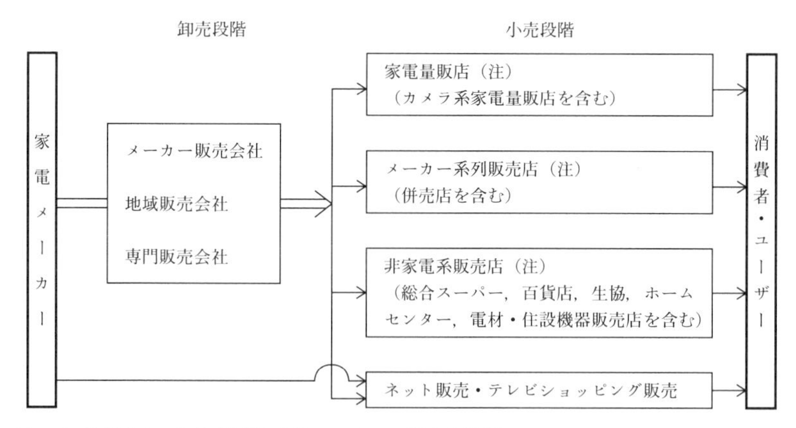

注：小売段階での各有店舗販売店ではネット販売も展開している。
（出所）　リック『家電流通データ総覧2010』。（株）リック「我が国の情報化社会における基盤整備事業（家電流通実態に関する調査研究）報告書」，2012年２月などをベースに作成。

チャネルがマルチ化する背景には，消費者のニーズ多様化の動きやICTの進歩を受けた，同業種（同種商品を扱うところに特徴がある）チャネルの発展に加えて，業態（販売方法や営業方法に特徴がある）を中心に編成されるチャネルの発展が無視できない。小売業におけるさまざまな業態の出現と成長がチャネルの多様化に大きな影響を与えている。

(3)　チャネルの幅（開・閉）をどの程度にするか

メーカーが製品を販売する場合，卸売段階においてどの程度の販売店を利用するか，同じく小売段階ではどの程度の販売店に自社製品の取扱いを認めさせるかといった，卸売段階や小売段階での中間業者数の決定であり，それぞれの市場における店舗密度の問題を解決しなければならない。これには，厳密には区分がむずかしいが，代表的な3つの政策類型がある（図14-3参照）。

(a)　開放型チャネル

(b)　選択型チャネル

(c)　専売型チャネル

(a)　開放型チャネル：独立した多数の卸売業者や小売業者を利用し，彼らに自社の製品を扱ってもらうことで，できるだけ多くの消費者に購買の機会を与えようとする方式である。これはメーカー（特定企業）が他の流通段階

図 14-3　チャネルの政策類型

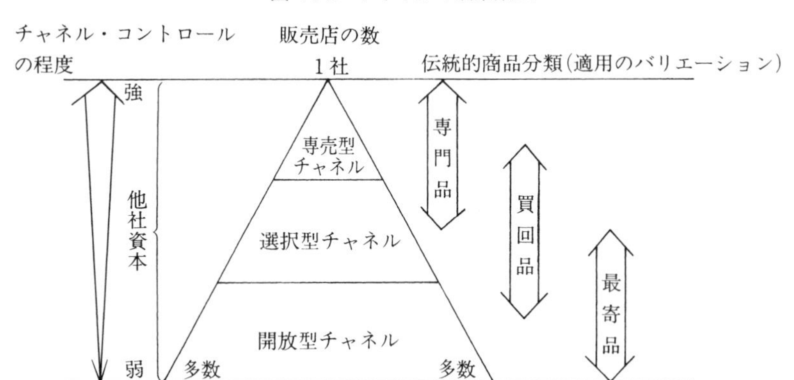

の企業に何ら大きなコントロールを発揮しないという意味で，社会的な分業システムとして成立している独立した多数の卸売業者や小売業者を積極的に利用している。

(b) 選択型チャネル：中間業者に一定の条件や資格（卸売業者や小売業者の経営資源の程度，経営者の意欲，協力度などを参考にして）を設置して，その水準に合致した中間業者に自社製品の販売取扱いを認めさせる方式である。販売店の数をある程度限定することで，限界企業が排除され，マーケティング・コストを効果的に操作できるし，チャネル内での協力も得やすくなる。アフターサービスや専門知識の要求される製品の場合には，メーカーは販売店への技術指導や各種の援助を行なうことで，協調体制を作ろうとする。この場合は，競合製品の取扱いを自由に認めているので，販売店には品揃え面で自由度があり，次に述べる専売型チャネルより，市場の変化に柔軟に適応できるメリットがある。しかしメーカーにとっては，自社製品の専売比率／インストア・シェアを向上させるためには競争力のある製品の投入，競合メーカーよりも優れた販売店の指導援助が求められる。

(c) 専売型チャネル：いっそう限定された形で，少数もしくは1社の卸売業者や小売業者との間で契約を通して，自社の指定商品・サービスを指定地域で販売するため営業独占権を与える方式である。一般に，代理店や特約店といわれるものがこれであるが，厳密にいえば地域商圏の大きさによって，一手販売代理店契約（一定地域1社）や共同専売代理店契約（一定地域2社以上の少数）があり，全商品を指定する場合と数個の品目に限る場合とがある。後者の例は，自動車販売のディーラー・システムがこの方式で編成されている。新車の場合は，自動車メーカーが，販売地区，車種，車格（排気量など）を基準とした系列のディーラーを抱え，他社の車はもちろん，同じメーカーの車でも違う車種は扱えない形をとっており，仕入と販売の自由が制約されている。最近は，訪問販売と店頭販売のバランスをはかったり，メーカー系列を超えた企業同士や異業種での複合店の展開などもみられる。販売地域の厳格な指定や競合品の取扱い禁止などを厳密に実施するタイプには，卸売段階では共同出資もしくは単独出資形式の１地域１販売会社や，小売段階ではフランチャイズ・システムがあげられる。出牛正芳教授によると，専売型チャネルの採用がメーカーと専売店にどのようなメリットとデメリットをもたらすのかについて以下の点を指摘している[9)]。

① メーカーにとってのメリット・デメリット：この方式は，自社のマーケティングの意図がチャネルに浸透しやすくなり，自社製品のプレステージ・品質イメージや価格水準が維持できる。多数の販売店と取引する必要がないので，販売店援助指導が集中でき，この面ではコストの節約になり，サービスが末端にも徹底する。しかし市場の急激な変化や拡張には柔軟性がなく，こうした販売業者の選定自体がかなりの負担となったり，コスト増になることが起こり得る。

② 専売店にとってのメリット・デメリット：知名度や競争力のあるメーカーの製品それに豊富なマーケティング活動をバックにして，自店の信用や地位の向上をはかることができる。それに多くの販売店援助指導を期待できる。しかしこの裏返しとして，自由度がなく，常にメーカーの政策に左右されやすく，競合メーカーの品揃えは制約されるので，消費者ニーズの変化・多様化に柔軟に対応することがむずかしい場合がある。

3　チャネル管理とパワー基盤

この上記の(b)と(c)の範囲は，チャネルの組織化・系列化と呼ばれる動きを網羅しており，すでにふれた寡占メーカーによる系列化や，最近では大型小売業者のサイドから，とくに納入問屋や中小メーカーに対する逆系列化が進められてきている。商品流通の垂直的な連鎖を，特定の企業の意図の下に，中間業者を組織し系列化することで，チャネル・システム全体としての効率や有効性を追求するようになってきた。

この場合，いったん設置されたチャネルは，特定のメーカーと特定の中間業者との間で形成される協調（cooperation）のシステムである。協調とは，相互協力の状態を内容にしているが，そうした状態が自動的に達成できるわけではない。直営店以外のチャネルは，相互に独立した企業組織間の取引に本質があり，一面では市場取引の要素をもち，他方では同時に内部組織の要素をあわせもつという不安定な性格を抱えている[10)]。チャネルが常に協調のシステムとして，構成企業間で設定される全体的な目標に向かって円滑に方向づけられるという保証はない。たとえば，メーカーによる二重／多数チャネルの採用は，チャネル・システム間競争を誘発し，既存のチャネル・メンバー内での垂直的衝突やメーカーへの不信を高める原因となるなど，衝突も日常的に発生する。チャネル・システム内では，リーダーと他のメンバー間で役割と期待についての認識が常に一致しているわけではないので，絶えず調整が必要となる。

公式であれ，非公式であれ，チャネル内に発生する衝突を抑制し，協調を促進するためにチャネル・リーダー（キャプテン）のリーダーシップが期待されるのもこのためである。そうしたリーダーシップのもとで，高い利益率，新製品・在庫情報，ディーラー・プロモーション，販売店援助指導，共同広告などが組織化され実施される。リーダーとしてのメーカーは，チャネル・メンバーに対して，主に販売割当の達成，平均的在庫水準，企業のプロモーションや教育計画への協力，消費者への配送時間や他のサービスなどの点から評価する[11)]。

とくにリーダーにとって，従来の業種や業態と異なったチャネルへ進出する機会が増大するにしたがって，新しいチャネル・メンバーの特徴や行動特性に合致したチャネル戦略の開発が必要となる。しかも，新しいチャネル形成のインパクトとして，既存のチャネル・メンバーの反応や衝突発生にも十分な対応が果たされなければならない。

スターン（L. W. Stern）とエルアンサリー（A. I. El-Ansary）によると，チャネル・リーダーシップは，チャネル・メンバーの行動に意識的に影響を及ぼすためのパワーの行使とみなされている[12)]。そのねらいは，チャネル成果（performance）の望ましい水準を維持したり，また達成したりすることに貢献するような方法でメンバーに行動させることにある。パワーの基盤や内容は，多様な角度からとらえられるが，基本的に以下のような形でまとめることができる[13)]。

⑴　報酬パワー（reward power）：メーカーが取引のある販売店に多くの利益，マージンあるいはリベートなどを提供する場合の能力にもとづく。

⑵　制裁パワー（coercive power）：メーカーが販売店との取引を行なううえで，他の販売店に切り替える可能性をほのめかすとか，出荷停止やマージンの切下げをちらつかせてコントロールする場合の能力にもとづく。

⑶　専門性パワー（expert power）：高度な製品の開発能力，マーケティング上の専門知識やノウハウあるいは販売店への指導援助，熟練したセールス担当者の役割によって取引が優位に進められる場合の能力。

⑷　情報パワー（information power）：上記の専門性パワーの一種とみなすこともできるが，論者によってはこれを別個の重要性をもつものとしてとらえる。リーダーがメンバーを説得できるのは，メンバーが現時点で知り得ない価値のあるさまざまな市場情報を収集し，解釈しさらに伝達することができるからである。

⑸　一体化パワー（referent power）：チャネル・メンバーがリーダーの名声・プレステージ，有名ブランドを扱うこと，それによる相互の利益追求に魅せられて，メンバーになりたいと考える場合に生ずる。

⑹　正統性パワー（legitimate power）：チャネル・メンバーが，大規模な企業をリーダーとして承認し，リーダーの影響力を受け入れる場合にもとづく。メンバーがリーダーのオーソリティを受容することがポイントになる。論者によっては，法律もこの正統性のパワーを生み出す手段とみなす。たとえば，フランチャイジーは，契約によって，フランチャイザーの設定する共通の販売店フォーマットや統一的な営業時間を守る。

チャネル・リーダーは，その主導するチャネル・システムにとって利用可能な資源を組織しかつ操作して，こうしたパワー基盤を創出し，環境の特性にあわせて，メンバー間にマーケティング機能の遂行に必要な一定の役割を設定し，効果的に機能を遂行させながら，彼らとの衝突に適切に対処していくマネジメント能力が求められている。

第3節　マーケティング・チャネルの発展動向

多くの企業によってマーケティング・チャネルが構成されているが，こうしたチャネルを誰がリードすべきなのかが多数の人々の関心を集めてきた。また流通過程で，どの段階の企業がチャネル・リーダーになるのかも議論されてきたが，わが国の歴史をみても，商品分野や企業によっては卸売業者主導型，メーカー主導型，近年では小売業者主導型などの流通システムも出現しつつある。理論的には，流通過程に参加し，流通機能を担当できる担い手のすべてにその可能性があるということもできるが，先にみたようなパワーを保持できる主体となると，現実にはかなり限定されることになる。以下では，近年のチャネル発展の特徴的な傾向を検討しておこう。

1　ダイレクト・マーケティングに対する関心の高まり

近年の動きとしては，マーケティング・チャネルの短縮化の動きが一般化しつつある。むろんあらゆるチャネルがダイレクトになり，中間業者を完全に排除してしまうことは起こりえないが，一定の範囲でこのような傾向が出現してきたことは注目されてよい。

まず，従来のチャネル設定は，自社製品やサービスの移転をその商品特性に応じて考えるパターンが支配的であった。つまりチャネルの長さは，その商品の物理的性質，生産状態および購買習慣などを含めた商品特性によって決まる割合が大きかったといえる。とくに戦前のわが国では，チャネルが商品種類ごとに分化し，問屋や卸売業者の役割を中心に比較的長いチャネルが編成されてきた。伝統的な商品の場合，今日でもその傾向が残っている。これに対して，戦後，寡占メーカーのマーケティングの展開や中小生産者の協同組合事業および共同出荷事業の進展などによって，必ずしも商品要因に大きく制約されず，むしろ一定の事業目的の下にチャネルを再編成する形で中間段階を短縮したり除去するようになってきた。つまり特定企業（いわゆるチャネル・リーダーと呼ばれるチャネル・グループの中核企業）ごとに長さの異なるチャネルが発展するようになった。こうした企業要因を中心としたチャネル短縮化の方向は，成熟化時代に入った現在いっそう強められている。さらにこの方向を強化するもうひとつの要因は情報通信処理技術の進歩によっている。成熟化・情報化時代において生じるチャネル短縮化の動きを次の2つの領域に分けて考察してみよう。

⑴　成熟化時代には，消費需要の個性化・多様化・短サイクル化を背景にメーカーにおける新製品開発競争が激化しており，メーカーはいっそうの競争優位性を得るために，消費者ニーズや各種販売情報を研究開発や商品企画にこれまで以上に迅速に反映させるようチャネルの見直しと短縮化に取り組むようになった。そのため，卸売段階に一度設置していた販売会社や商事会社を管理効率やコミュニケーション効率の点から中核企業に吸収・合併するケースがみられた（たとえば，かつてはトヨタ自動車工業とトヨタ自動車販売の合併，東芝と東芝商事の合併など）。最近では，消費者ニーズの多様化・短サイクル化によるさまざまな業態の出現，小売業の大規模化にともなう仕入・納品要求，卸売業者の能力低下などの動きにあわせて，市場需要への機動的な対応をはかるために卸売段階での販売会社の集約化・機能強化，卸売段階数の削減などが行なわれている。またこうした消費者のさまざまな変化を受けて，新規事業計画の一環として，小売段階でのアンテナ・ショップ，実験店あるいはコンセプト・ショップの設置も目立つ。

⑵　このようなチャネル短縮化の動きは，情報オンライン・ネットワークの展開から推進され，さらに密接に最終消費者との直接的な接触の機会を得ようとする傾向も広がりつつある。情報オンライン・ネットワークは，POS，EOS あるいは EDI の活用によって，商品や消費者に関するデータを企業間で迅速かつ正確に処理し，従来は長いチャネル連鎖を通して収集され

た取引情報や決済情報に依存する割合を低下させている。そのため，卸売段階の整理や統合が進行する動きにつながっている。

この流れは，インターネットや電子メールなどのエレクトロニック・マーケティングによって一段と加速している。とくに，インターネットを利用することで，メーカーは消費者に直接販売することや，消費者からネットを通して自社の商品やサービスについての反応を迅速に吸収できるようになってきた。90年代までは，大量販売力や情報収集力を梃子としたバイイング・パワーによって，量販店チェーンの小売企業は低価格販売を浸透させてきた。川下の小売企業が消費者の意向を代弁しメーカーや生産者それに卸売業者に強い発言権をもってきた。しかし，インターネットによる販売は小売企業主導型に傾斜しがちな流通の流れを変化させようと動き出している。つまり，メーカーや生産者がインターネットを通して直接消費者と結びつく割合が増えており，消費者から離れた存在であるメーカーにとっては新たなビジネスのチャンスとなっている。すでにパソコンメーカー，家電メーカー，文具メーカー，出版社，航空会社などは，消費者がネットから直接，商品やチケットの注文を出せるように新たなネットのチャネルを構築することで，チャネルの短縮化と消費者ニーズの吸収に積極的に乗り出すようになってきた。インターネットによる消費者からの注文の獲得は，時間や立地条件に制約されない強みがある。また音楽配信や電子書籍などの場合は，卸売業者や小売業者を飛び越えて，消費者に必要なコンテンツが直接ダウンロードされて届くことになる。

こうした動きは，単にチャネルの短縮化をもたらすだけではない。メーカー・生産者と消費者との関係が緊密化する効果が期待されている。ネットを通して結びついた消費者とメーカーはその双方向性を活かすことで，消費者の要求する条件での商品の設計・仕様・生産などを行なうことを可能にしている。これには情報通信処理技術や物流技術の進歩によって，コストアップを抑えながら，さまざまなバリエーションでの消費者への個別対応が実現できることを示唆している。インターネットによる消費者からの注文の獲得は，時間や立地条件に制約されない。このことは新規顧客の獲得に有効であるだけでなく，既存顧客の維持にとってもネット販売が有効であることを示唆している。最近の成熟市場を背景に強調されるようになったワン・トゥ・ワン・マーケティングやマス・カスタマイゼーションの重点は，新規顧客の獲得に時間とコストがかかるようになってきたこと，これに対して既存顧客の維持に対する投資の方が複合的効果を生みやすいことへの期待が反映されている。企業の市場シェアから顧客シェア（顧客の生涯購入における自社商品の比率もしくは特定顧客がその企業や商品に一生の間にもたらす全利益の価値）にマーケティングの焦点を移そうとする論調は，既存顧客の維持の重要性を指摘している。ここでは新規顧客であれ，既存顧客であれ，ネットが顧客との関係性維持に有効に利用されることが決め手となることである[14]。

とりわけ，既存顧客との関係性維持が重要な理由は，①継続的な関係で蓄積された顧客に関する真のニーズの発見や開拓，それにネットなどを通して顧客が対話などを通して進んで提供してくる意見や要望が次のマーケティング展開に効果的であること，そのことが顧客満足を生み出すことにもなる。②企業は自社の顧客との継続的なリレーションを通して顧客の好みを確認し，製品やサービスをカスタマイズすることが可能となり，その顧客の企業へのロイヤリティが高められるほど，競争との関係で，競争相手の攻撃から当該企業を守ってくれる効果が期待できる。ネットを通したチャネルの短縮と消費者ニーズの吸収は企業と消費者との緊密な関係性の維持によって競争優位性を生む可能性が高い。

2　マルチ・チャネルの発展

消費者ニーズの多様化・個性化それと短サイクル化にともなって，同一商品が同じタイプのマーケティング・チャネルを経由するだけでなく，異なったチャネル・ルートを並行して流れるケースが目立つようになってきた。これは，最近の消費者の変化，それに対するメーカーや流通業者の対応などが複合して生み出される現象といえる。

最近の消費者の変化は，1970年代半ばあたりから物質的豊かさよりも，心の豊かさを重視する消費者層の増加，1985年には働く主婦が専業主婦を上回る現象，シングル・ファミリーや単身赴任の増加，新しい感覚をもった若者による消費市場の形成，それに急速な少子高齢化社会の出現など，さまざまな要因によって生まれている。消費者の意識と行動の変化は，新製品を急増させ，事業や製品の多角化を加速するだけでなく，チャネルのマルチ化現象の大きなバックボーンとなっている。

こうした動きは，さらに政府の規制緩和やICT（情報通信技術）の進歩によっても加速している。

これまで，医薬品としてのドリンク剤の販売は薬局・薬店にのみ限定されていた。99年４月の規制緩和により，ドリンク剤が薬局・薬店以外の一般小売店でも販売できるようになり，その主力チャネルとしてコンビニエンス・ストアが注目されている。医薬品メーカー各社は，既存のチャネルである薬局・薬店の反発を懸念しており，新チャネルの品揃え拡大やマーケティング活動に慎重な態度を示しているものの，すでに，コンビニエンス・ストアでのドリンク剤の販売は好調なペースで推移している。この規制緩和は，これまで医薬品の扱いを受けていたドリンク剤を配合成分や種類によって医薬品から医薬部外品へ移行することで，一般の小売チャネルでも扱えるようにしたものである。今回の規制緩和では，対象とするドリンク剤が100mlを中心としたものになっている[15)]。

ドリンク剤がコンビニエンス・ストアやスーパーで販売できるようになったことで，これまでどちらかというと中高年男性の商品というイメージが強かったが，20代の若者を中心に新規顧客の開拓が期待でき，実際に若い女性の購入者が増えてきたといわれる。このようにドリンク剤のチャネルは薬局・薬店のみではなく，コンビニエンス・ストアやスーパーをはじめホームセンター，ホテルなどの他のチャネルへ複数化することで医薬品メーカーにとっては販売機会の拡大を期待している。その影響は，ドリンク剤が他のルートで販売される機会が増えるにつれて，これまで医薬部外品でない健康ドリンクの顧客がドリンク剤に流れる動きも同時に発生している。また，薬局・薬店でこれまで安定していた売上高がコンビニエンス・ストアなどの他の一般ルートに移転する動きも現われており，薬局・薬店で取扱うドリンク剤の差別化が課題となっていくだろう。かくしてドリンク剤のチャネルのマルチ化は，チャネル間（薬局・薬店と新規の販売ルート）それに商品間（ドリンク剤と健康ドリンク）の垣根を低め，消費者選択の機会を増やしながら，競争関係をいっそう熾烈にしている。

医薬品販売の規制緩和は，さらに医薬品のインターネット販売（2014年6月施行）でも行なわれており，こうした規制緩和の動きは医薬品に限らず，コメの販売（1995年食糧管理法の廃止＝許可制から登録制になり原則自由化），酒の販売（2001年距離基準の廃止，2003年人口基準の廃止，2006年緊急調整区域の撤廃により原則自由化）に関して規制緩和が進行し，それまでそれぞれ主要チャネルであった業種専門店である米屋，酒屋のルートから，スーパーやコンビニエンス・ストアにとどまらず，ホームセンター，ドラッグストア，ネット通販などのチャネルでも販売されるようになり，競争の関係が異業態間と有店舗対ネット間のレベルに変質してきている。

一般に，企業は成長しているチャネルに自社製品を積極的に乗せようとする傾向がある。とくに，小売段階では，業種店の発展以上に，業態店の成長が目覚ましく，この面からメーカーのマルチ・チャネル化の対象になっている。この点で注目されているのがコンビニエンス・ストアと通信販売であろう。前者での雑誌やチケットの販売はかなり定着した感があるし，このルートにはさまざまなサービス商品が乗せられている。後者ではパソコンやスマートフォンの普及によるインターネットの利用がさまざまなバーチャルショップやオークションでの買物機会を提供している。さらに，電子技術の進歩と人手不足・人件費上昇などともからんで，さまざまな商品やサービスを自動販売機で販売する動きも目立つようになってきた。これによって，同一商品が異なったタイプのチャネルに流されることが多発するようになり，またある特定の成長チャネルに，多くの種類の違った商品が混流されるよう

図 14-4　商品と店舗との関係

最寄品店―最寄品	買回品店―買回品	専門品店―専門品	伝統的対応

⬇

最寄品店―買回品	買回品店―最寄品	専門品店―最寄品	近年の対応
最寄品店―専門品	買回品店―専門品	専門品店―買回品	〔組合せの拡大〕

⬇

業態店の成長（商品の混流とマルチ・チャネル化）

になった。

このようなチャネルのマルチ化現象は，その結果として，伝統的に想定されていた商品のタイプと店舗のタイプとの一対一のリジッドな対応関係――たとえば，食料品は食料品店でという業種対応と，専門品は専門店でという業態対応をより相対化・流動化するように働き，最寄品店でも専門品が品揃えされ，逆に専門品店に最寄品が取扱われるという混流現象が加速するようになったといえよう。これまでは，どういう商品やサービスがいかなる場所や方法で売れるのかには一定の対応関係がみられたが，それがしだいに崩れつつあることを意味している（図14-4参照）。

こうした事情を生み出す背景は，先にもふれたように，規制緩和やICTの進歩，それに消費者ニーズの個性化・多様化・短サイクル化が指摘できる。近年では働く主婦の増加からも想定できるように，購入場所，購入方法それに購入内容のどれをとっても変化しており，販売店にとっては客層の変化が発生し，メーカー自体も既存のチャネルだけでは対象顧客を十分カバーできなくなってきたことにある。

3　垂直的マーケティング・システムの成長

チャネルは，近年ますます組織化されるようになってきた。これはわが国だけではなく米国においてもみられる傾向である。米国では，特定企業の

図 14-5　伝統的チャネルとVMSとの比較

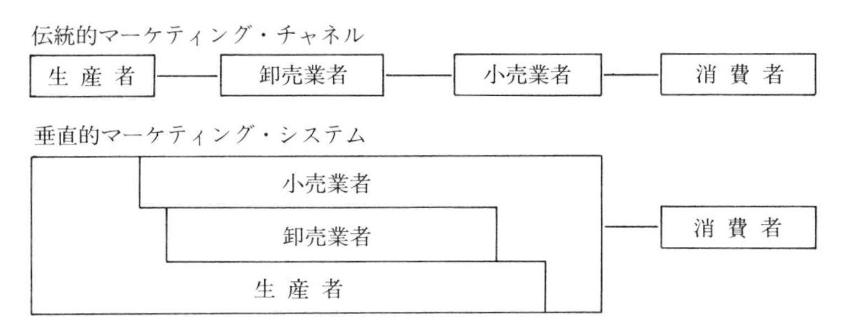

（出所）　P. Kotler, *Principles of Marketing*, 2nd ed., Prentice-Hall, 1983, p. 360.

リーダーシップの下で組織された商品流通のチャネル部分を Vertical Marketing Systems（VMS：垂直マーケティング・システム）と呼んで，従来の伝統的なチャネル編成と区別している。わが国の流通系列化も，その組織化の歴史，方法，背景，競争効果などは必ずしも同列に論じられないが，基本的にはVMSと同じねらいをもって発展してきたものとみることができる。

VMSは，伝統的なマーケティング・チャネルに挑戦し代替する形で成長してきた。伝統的チャネルは，商品やサービスの権利移転をめぐって独立企業同士の自由かつ放任的な取引関係を内容としているのに対して，VMSの方は企業間関係が比較的緊密で，固定化する傾向を特徴としている。つまり，生産者・卸売業者・小売業者という営利目的をもった企業組織間の関係は，前者の場合は緩やかに関係づけられるにすぎず，それぞれが独自のペースと判断でバラバラな対応を行なう。VMSの場合には，共通の利益を追求する形で相互に協力しあい，事前に確立されたプログラムをベースに互いに影響関係を維持しながらひとつの統一化されたシステムとして行動しようとする（図14-5参照）。

VMSには，管理型システム，契約型システムそれに企業型システムという3つのタイプが存在する（図14-6参照）。「管理型システム」は，所有権を通して生産―流通の一連の段階を調整するものではなく，各段階での独立の企業同士からなるシステムにおいて，もっぱらチャネル・リーダーのリー

図 14-6　伝統的マーケティング・チャネルと垂直的マーケティング・システム

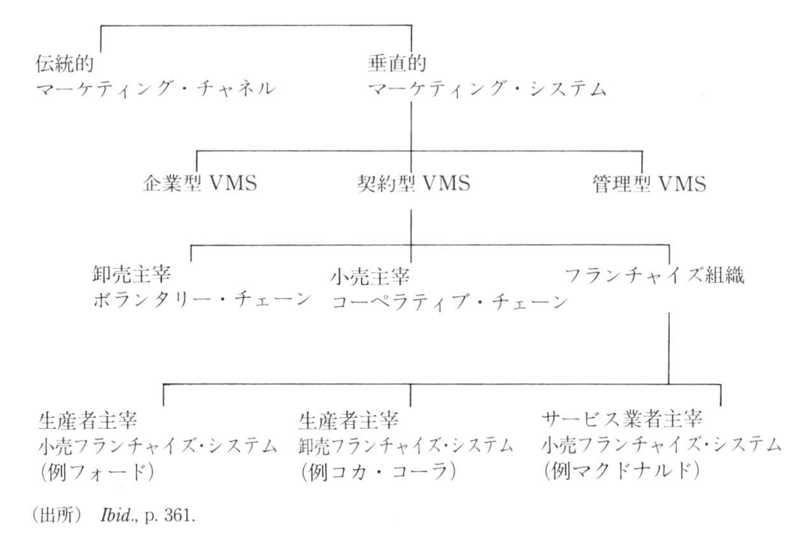

（出所） *Ibid.*, p. 361.

ダーシップやパワーによって組織化され，調整されるものである。特別の資本関係をもたずに，メンバーになる卸売業者や小売業者から強い支持や協力が得られるのは，チャネル・システムの中で，チャネル・リーダーが自社の強力なブランドや企業イメージをバックにして発揮するパワーがあるからであり，さまざまな経営指導などが期待できるからである。わが国では，このタイプの企業組織間の取引関係がメーカーによる流通系列化として発展してきたことはすでにふれたが，米国以上に，人間関係や取引実績による信用重視といった形での伝統的な日本の取引慣行を基礎に発展してきた面がある。しかし，近年では，大手小売企業における販売力の拡大と情報処理能力の増大を背景に，メーカーに対する交渉力が高まっており，主にチェーンベースの大手小売企業とブランドメーカーとの戦略提携によるパートナーシップの確立など，単純に既存の流通系列におさまらない，機能依存を特徴とした長期的な取引関係による新たな管理型チャネルが発展しつつある。

「契約型システム」は，法的な契約にもとづいて生産および流通の異なった段階での独立企業同士のマーケティング・プログラムを統一化し，経済効果や販売効果を達成するため，垂直的な協調や準統合（資本的にはまだ独立した企業間関係が維持）の状態を確立する。わが国で，以前から存在するタイプとしては代理店契約や特約店契約によってチャネルが組織化される場合である。近年は，新しい経営手法にもとづくタイプが急速に増加しつつあり，多数の業種や業態に適用され大きな影響力をもつようになってきた。この方法には，ボランタリー契約（卸売業者主宰ボランタリー・チェーンおよび小売業者主宰のコーペラティブ・チェーン）およびフランチャイズ契約（自動車，ファースト・フード，コンビニエンス・ストア，ホテルなどに適用例が多い）を通して形成されるシステムである。

「企業型システム」は，同一企業資本によって生産・流通段階の一連の活動を統合しており，同じ所有権にもとづいて拡張された活動は垂直的統合の状態におかれている。生産者が直営の小売店の設置を通して卸売と小売の両機能を遂行する場合には前方垂直的統合が確立することになる。この点では，同一の所有権の下での調整となり，直営店の店長も社員のひとりである。

VMS はチャネル・リーダーによりメンバー間での協調を高め，コンフリクトを適切にコントロールすることによって，取引を同期化して取引の重複や過剰在庫を回避し，規模の経済性を実現し，伝統的なチャネルに対して競争的優位性を示しつつあるといわれている。VMS が伝統的チャネルと相違する点は，垂直的な企業組織間の緊密な相互関係の確立という質的な面におかれている。それと同時に，VMS がよりトータルなチャネル・システムの成果を強調するという点である。しかも近年の大きなトレンドとして，メーカー主導型の VMS ではなく，小売企業主導型の VMS が展開されるようになってきたことが注目できる。とくに PB 商品開発や SPA（Specialty Retailer of Private Label Apparel：製造小売）という小売業のバック・システムへの介入が進むにつれて，こうした提携や統合が強められつつあり，小売企業のチャネル・リーダーによる VMS への動きが注目されている。

以上のように，チャネルの発展は特定の有力企業としてのリーダーを中心に垂直的なチャネル・システムが編成され，それによってチャネル・システムとしての効率や有効性が追求されるマネジメント姿勢が前面に提示されるようになってきた。このことは現実の商品流通が，私的な利害を共通にするチャネル・グループ同士によっても大きく影響され，社会的な流通機構をダイナミックに変化させてきていることを知ることができる。

注

1) A. D. Chandler, Jr., *The Visible Hand : The Managerial Revolution in American Business*, Harvard University Press, 1977（鳥羽欽一郎・小林袈裟治訳『経営者の時代――アメリカ産業における近代企業の成立(上)』東洋経済新報社，第3部)。
2) 米国におけるメーカーと中間業者（商業）との対立関係の歴史的経緯については，風呂勉著『マーケティング・チャネル行動論』千倉書房，1968年に詳しい。
3) 「消費・流通」研究推進協議会・日本経済新聞社『流通消費動向分析'90・'91』，1990年，pp. 359-369。および田口冬樹「わが国における小売業の構造変化と流通イノベーションの展開」『専修経営学論集』第72号，2001年，pp. 166-173。
4) 尾崎久仁博著『流通パートナーシップ論』中央経済社，1998年，特に第3章―第6章。田口冬樹著『流通イノベーションへの挑戦』白桃書房，2016年，第7章に詳しい。
5) 中嶋嘉孝著『家電流通の構造変化――メーカーから家電量販店へのパワーシフト』専修大学出版局，2008年，第4章および第6章参照。
6) 野田實著『流通系列化と独占禁止法――独占禁止法研究会報告』大蔵省印刷局，1980年。
7) 経済産業省「平成25年度我が国経済構造に関する競争政策的観点からの調査研究（消費インテリジェンスと競争法の垂直的制限規制に関する調査研究）報告書」（みずほ情報総研株式会社）2014年3月，pp. 11-12。および公正取引委員会「流通・取引慣行に関する独占禁止法上の指針」2015年3月。
8) P. D. Bennett, *Marketing*, McGraw-Hill, 1988, p. 392.
9) 出牛正芳著『現代マーケティング管理論』白桃書房，1996年，pp. 260-262。
10) 石井淳蔵著『流通におけるパワーと対立』千倉書房，1983年，pp. 36-37。
11) P. Kotler, *Marketing Essentials*, Prentice-Hall, 1984 （宮沢永光・十合

眺・浦郷義郎共訳『マーケティング・エッセンシャルズ』東海大学出版会, 1986年, pp. 340-341)。

12) L. W. Stern and A. I. El-Ansary, *Marketing Channels*, 3rd ed., Pretice-Hall, 1988, pp. 410-418.

13) L. W. Stern, A. I. EI-Ansary and J. R. Brown, *Management in Marketing Channels*, Pretice-Hall, 1989, pp. 329-334.

14) 田口冬樹「エレクトロニック・マーケティングの特性とビジネス・カテゴリー」専修大学経営研究所『専修経営研究年報』第24号, 2000年, pp. 65-66。

15) このことからわかるように, すべてのドリンク剤が薬局・薬店からコンビニエンス・ストアやスーパーで販売できるようになったわけではない。医薬品として位置づけられるドリンク剤は配合成分の量や種類によって決められており, 依然として, 症状や体質に応じて薬剤師の助言が必要とみなされている。これに対して, 医薬部外品は一般の商品と違って, 含有量が医学的に有効であるかを科学的根拠にもとづいて厚生労働省により承認される必要がある。医薬部外品でない健康ドリンクは炭酸飲料や清涼飲料に分類され, 飲用量の記載義務がないし, 食品もその効果の科学的根拠を求められることもない。その代わり効能や効果をうたうことができない。日経流通新聞編『流通経済の手引き2000』日本経済新聞社, 1999年, pp. 77-78。および『日経流通新聞』2000年 6 月13日。

第15章 わが国の流通政策

第1節　流通政策の役割と市場の失敗

1　流通政策の概念と役割

流通政策とは，政府や地方自治体などの公的機関が流通過程で望ましい流通の状態を実現するために行なう各種の行政措置を総称したものである。つまり，行政が公権力を基礎に流通活動，流通機関それに流通機構に対して規制や誘導という形で介入を実施することである。流通政策は，公益の実現に向けた公共政策として特徴づけることができるが，その強調点をどのようなものとするかによって，いくつかの性格をあわせもっている。流通政策は，一般には経済政策の一部門とみなされるが，国・地域の事情やそこでの人々の要求によって，さまざまな政策主体と政策手段が組み合わされることで必ずしも単一の目的・手段にまとまるとは限らず，場合によっては社会政策的な側面や都市・環境政策的な側面などをあわせもつ多様な性格から構成されている。これらは，流通政策の展開に際し，流通の望ましい状態や公益をどのようにとらえるかによって複雑な性格をもつことを示唆している。

ここで，流通政策と流通行政という2つの用語は，混同されやすいが，流通政策は政府や地方自治体が流通過程において示す公権力の展開方針や方向づけにかかわる部分であり，流通行政は政策での方針を受けてより具体的なレベルで実行することを意味している[1)]。政府や地方自治体によって流通政策が行なわれる根拠には，国会で審議された法律や，地方議会で審議された条例などの行政法規が裏付けとなっているが，単に法的な権限にとどまらず，行政指導にみられるように行政機関の設置法による一般的権限にもとづいて行なわれる場合もあり，この場合には罰則のような強制力をともなわない形で行なわれることも少なくない[2)]。

それでは，政府が流通過程に介入することには，どのような理由や合理性が認められるのであろうか。

通常，市場機構は，そこに参加する多数の行為者間の自由な競争を通して，社会における資源を最適に配分することが期待されている。このメカニズムの下で，企業は消費者によって最も望まれる商品やサービスを生産し販売する。消費者は自らの選好にもとづいて，必要な商品やサービスを選択することが可能である。完全競争の条件が満たされている限り，企業も消費者も自らの利益の追求の結果として，一方で政府の介入を最小にし，他方で個人の自由や社会の福祉を最大化することができると考えられてきた。しかし，自由放任の市場運営が，歴史的にもしばしば経済を困難に陥れ，現実の市場条件は完全競争状態からはほど遠いギャップを常に抱えていることを認識すると，市場機構の運営にともなう失敗の矯正や補正が不可欠である。市場機構が作動せず，あるいは作動したとしても，社会の資源配分に失敗する場合を，市場の失敗という。このように，市場機構が希少資源を最適に配分する働きを失ってしまう場合，あるいはもともと市場機構が適用できない分野については，政府や地方自治体の流通過程への介入が正当化される。つまり，個人の利益が社会の利益と衝突するような場合には，政府の介入が必要となる。これは，経済過程に対する政府介入の理由を説明するための論拠でもある。

2　市場の失敗のタイプ

一般的に観察できる市場の失敗のタイプとしては，独占（monopoly），外部性（externalities）それに不完全情報（imperfect information）の３つの分野が指摘でき，そうした分野への政府介入の合理性を基礎づけている[3)]。市場の失敗は流通過程でもみられる。この点を，石原武政教授はやはり３つの分野から接近し，行政介入のロジックを提示している[4]。

⑴　競争と独占の問題：一般に競争は市場機構での希少資源の最適配分を生み出し，流通過程での効率を実現する。競争の不在は流通過程での資源配分を滞らせ，流通成果を歪めてしまうことがある。しかし競争が常に望ましい成果をもたらすとは限らない。競争の結果が独占状態をもたらしたり，不公正な取引方法が採用されたりすることがあり，競争に伴って生じる市場の失敗を矯正する必要がある。独禁法の役割は，主としてこの分野におかれている。

⑵　適応速度の問題：現実の市場参加者は，経営資源の保有や利用の点で，十分に確実性のある状況におかれているわけではない。流通業者は常に環境の変化にさらされており，経営資源の不足に直面し，変化への適応に時間が必要となることがしばしば起こる。ある業種や業態での流通活動は，企業にとってある特定分野に経営資源を固定化した形で，対象とする事業に投入していることを物語っている。この場合，対象とする事業に経営資源を固定化することがより効率的であるが，逆に他への転用は，これまでの資源の固定化がききすぎると移動障壁が高くなり，不可能になるかもしれない。競争の結果から淘汰という局面を迎える以前に，市場機構ではカバーできない失敗について，企業に対して競争と変化への適応力をつけさせるために，一定の保護や振興策を用意するという役割が，主としてこの分野におかれている。

⑶　外部性の問題：市場機構が正常に作動し，効率的な取引が促進されたとしても，必ずしも解決できない問題を抱える場合がある。商品によっては，ある特別の専門的な知識や技能が求められるのに，市場の競争に委ねるだけでは，その商品の販売業者が十分な知識や技能をもって対応するという保証が得られず，安全性が確保できない場合がある。そのひとつとして，医薬品や医療機器の安全性を確保するために薬機法【2014年11月に薬事法が改正され，「医薬品，医療機器等の品質，有効性及び安全性の確保等に関する法律」（通称・医薬品医療機器等法もしくは薬機法）に変更された。医薬品医療

機器法とも略称される。】で規制する場合がそれにあたる。こうした分野以外でも，商店街の活性化を内容としたまちづくり，都市再開発，郊外商業地開発を推進するために，行政が介入して，さまざまな規制・振興策を進める例がそれである。

しかしここで，注意すべき点は，何を市場の失敗とみるかには，まだ十分なコンセンサスが得られているわけではないし，市場の失敗と経営の失敗が区別なくとらえられてしまう問題（ちなみに(2)の例）もある。また後でも検討するが，市場の失敗を矯正するために，政府や地方自治体などの公的機関の流通政策が展開されることになるが，こうした政府の政策が万能というわけにはいかない。公的機関自身の政策もときに，市場の失敗を読み違えたり，政策目的間で矛盾したり，過剰介入によって非効率な企業や産業を温存することによって，政府の失敗も起こるという問題を抱えている。

流通政策の基本的な目的は，私的利益と社会的利益とが乖離しがちな現実の流通市場に公的に介入することによって，社会的利益を最大限に実現できるような施策や指導を展開することにほかならない。私的合理性の追求が社会的合理性の追求に正しく結びつくように，市場機構の貫徹を促進したり，あるいは逆に市場機構の不備や欠陥をカバーしたりすることで，市場機構を行政が誘導し制御することを通して，国民に社会的利益を実現していくことがその基本的な役割といえよう。

第2節　わが国の流通政策の展開と政策目的

1　流通政策のスタート地点と小史

わが国において，流通政策という用語が本格的に使用され，実施されるようになったのは，1960年頃からのことである。それ以前は，もっぱら商業政策という表現が一般的であり，対象も文字どおり商業を中心に，中小小売業者の保護に傾斜した性格のものが支配的であった。当時，わが国経済の高度成長を背景に，急激な消費者物価の上昇が社会的な問題となり，その原因に流通機構の前近代性・非合理性が関与しているという認識が提起された。そこで，行政サイドからもこうした流通機構の複雑さと非効率性を解消し，円滑な経済の発展を促進しようとする意図の下で流通政策が，流通近代化行政としてスタートした。

物価上昇の問題と絡んで，常に政府の政策課題として登場してきていたのが，流通機構を構成する大多数の中小商業者の取扱いであった。戦後，わが国の流通機構は，その構造的特質として零細過多性，多段階性，低生産性を有するものとしてしばしば指摘されてきた。中小商業者は，流通機構の構成者として圧倒的多数をなし，その構造的特質を具体的に形づくってきた部分である。すでに，戦前から中小商業者保護政策として存在していた問題は，戦後，新たな形で受け継がれていくようになった。すでに，1953（昭和28）年独占禁止法第2次改正により日用品の価格競争から中小小売業者を保護する効果をもった再販売価格維持の適用除外，1956（昭和31）年には中小小売業者の事業機会を確保するねらいから第2次「百貨店法」（第1次百貨店法は1937年成立―1947年廃止）が成立しており，また同じく1959（昭和34）年には中小小売業者の営業権を守るために「小売商業調整特別措置法」（商調法）が制定され，中小商業者の保護を目的とした法律が準備されてきたが，1960年に入ってから状況が大きく変化する。1963（昭和38）年には，「中小企業基本法」ならびに「中小企業近代化促進法」が制定され，中小企業の近代化・合理化や国際競争力の強化を背景に，単に中小商業者を保護するための政策から自助努力・自己革新を促進するような気運も生み出される。

1960年代当時の流通環境は，高度成長の進行にともなって，流通近代化への期待をいっそう強めた。とくに，都市化の進行とともに，物資流動量が増大し，物流施設の不足や労働力不足が表面化し，物流コストの上昇となって経営活動や物価を圧迫した。このための問題解決にさまざまな流通システム化政策が取り入れられるようになった。それに米国をはじめとする海外から流通部門の資本自由化要求が高まりつつあり，わが国市場への外国企業の参入や国際競争の活発化に直面する危機感から，わが国の流通企業の経営体質の強化が大きな課題とされ，この面からも流通の近代化・合理化策が推進された。このように物価上昇に加えて，消費財メーカーによるチャネルの系列化，小売段階でのスーパー業態の登場と成長，物資流動量の増大，それに海外からの資本自由化要求など，急速に新しい環境を生み出しており，通産省（現，経済産業省）を中心とした政府の政策は中小商業者の保護一辺倒から，この層の経営の近代化・合理化を通して流通機構の近代化・合理化を達成し，物価問題の解決に役立てようとした。ここで，社会政策的なニュアンスの強い保護政策を完全に放棄して経済政策としての流通政策に転換してしまったわけではないにしても，政府は中小商業者の経営体質を強化し大企業への対抗力を育成しようといくつかの施策を実施した。とくに，中小の小売業者や卸売業者の協業化・集団化・組織化（ボランタリー・チェーン，店舗共同化，卸売商業団地化）それに流通近代化に対する環境の整備（一貫パレッチゼーション，コンテナリゼーション）が推進された。

1968（昭和43）年に示された産業構造審議会流通部会第6回答申「流通近代化の展望と課題」は，これまで個別に取り上げられてきた流通近代化政策をより体系的に把握し，その後の通産省（現，経済産業省）の流通近代化行政を方向づけ，そのうえ各省の物資別流通行政にも大きな影響を及ぼし，流通政策を総合的に展開するものとして注目された。しかも，この答申は次に展開された流通システム化行政へのガイド役を果たし，翌69年には流通部会答申「流通活動のシステム化について」，さらに70年にはその答申を受けて発足した流通システム化推進会議によって「流通システム化基本方針」が策定され，物資別，地域別，取引流通別に，さらに規格化推進についての各委員会が設置されるなど，流通システム化行政が活発に展開された。

しかし，1970年代にはわが国経済は二度のオイルショックに直面して，低成長局面を迎え，大型小売店と中小小売店の調整問題がクローズアップされた。オイルショックと前後して，すでに1973（昭和48）年に大規模小売店舗法（「大規模小売店舗における小売業の事業活動の調整に関する法律」）が成立し，1974年3月から実施されることになったが，後にもふれるように1978年には改正を余儀なくされる。それほど中小小売店の不満が高まった時代であり，同時に流通政策の振り子が近代化から保護政策に引き戻されることになった。こうした大型小売店と中小小売店との対立が社会問題となる一方で，流通近代化・システム化行政の面では1978（昭和53）年にわが国はEAN（European Article Number）のコード・センターに加盟し，国際的に利用可能なJAN（Japanese Article Number）コードを制定し，ソースマーキングやPOSシステムの普及に行政が大きな役割を演じてきた。1980年代に入って，政府による情報化施策はいっそう強力に推進されるようになった。1985（昭和60）年4月施行の電気通信事業の自由化を受けて，VAN事業の本格的な展開の道が開かれる。この時代のもうひとつの大きな政策テーマは，貿易摩擦にともなって海外からわが国の流通機構に対して提起された批判をめぐる政策対応である。流通政策が，単に国内の利害調整にとどまらず，国際的な利害を調整する方向に発展することが求められるようになってきた時代のはじまりといえる。急速な円高を背景に，貿易不均衡の解消法として，外国企業や輸入品の日本市場への参入を阻害している問題を政府サイドから見直す必要に迫られ，輸入や参入を促進するための施策を検討することになった。

1990年代では，89年から90年にかけて開催された日米構造問題協議の場において，恒常化する日米貿易不均衡の解決に向け，日本の流通機構や政府規制に対する問題が検討され，閉鎖的な流通を生み出すとみなされる大店法，商取引慣行，公的規制の改善が求められた。こうした外圧を契機に，91年5月には，改正大店法と関連4法（輸入品専門売場特例法，商業集積法，中小小売商業振興法改正法，民活法改正法）が成立した。これには大型店の出店手続きを透明かつ迅速にする一方，商業集積法にみられるように地盤沈下しつつある中小小売商業を活性化し，まちづくりを行政的にも支援するねらいから当時の通産省，建設省それに自治省の3省共管による支援体制がこれまでの縦割り行政の壁を越えて生み出された。91年7月には公正取引委員会が「独禁法ガイドライン」を発表することで独禁法の運用を強化し，92年11月からは発売後2年経過した旧譜CDの再販を外す措置，またこれまで指定再販品として一般家庭用医薬品と化粧品に対し再販制の適用を認めてきたが93年以降段階的縮小を経て最終的には97年４月に全廃した。80年代末から90年代に入って，米国を中心に国内外から政府規制の緩和を要求する声が一段と高まるにつれて，個別の業種分野での規制緩和の動きも活発化し，物流二法（貨物自動車運送事業法・貨物運送取扱事業法）による貨物輸送の規制緩和，ガソリンスタンド出店自由化やセルフサービス方式の導入，化粧品の並行輸入，酒類小売免許制度の緩和や地ビール生産の規制緩和，米流通の開放と新食糧法の制定，医薬品のカテゴリーの見直しなど，一連の規制緩和によって新たな競争環境が形成されている。

さらに，大型小売業の領域では，大店法が90年に法運用の適正化と出店調整期間の１年半以内の条件設定，91年に出店調整期間１年以内に短縮化，それに94年に店舗面積1000平方メートル未満の原則出店自由，97年には見直しとして地域社会との融和をはかる方向への転換を経て同法は2000年５月には廃止された。それに代わって，すでに98年５月に制定された大店立地法が2000年６月から実施され，1000平方メートル以上の基準面積をもつ店舗を対象に，交通，騒音，ごみなど周辺地域の生活環境の保全を内容とする法律での調整に移行した。これは大店法が大型店と中小小売店との競争上の利害調整による経済的規制であったのに対して，大店立地法は地域環境問題や街づくりの視点から大型店の立地を調整する社会的規制に性格を変えた。しかも，大型店立地に対する政策の実施は，地方分権の立場や街づくりや環境問題への適切な対応を行なうために，都道府県や市町村に委ねられた。そこで，大店立地法に加えて，建物の特別用途地域指定を行なえるように都市計画法を改正し，中心市街地の空洞化を避けるため商業集積の整備に補助金の支援を行なうねらいから中心市街地活性化法が用意された。地方自治体がまちづくりを円滑に推進する上で，大店立地法とともに，中心市街地活性化法と改正都市計画法がそれぞれ98年の７月と11月に実施されており，これらをあわせてまちづくり三法という。

わが国における流通政策の簡単な歴史的足跡からも想像がつくように，時代によって政策の対象も内容もさまざまに変化し，ダイナミックに発展してきたが，流通活動を活発にさせるため行政による流通インフラストラクチャーの整備や競争環境の条件づくり，あるいは中小小売店の保護と振興の展開などそれぞれの局面で重要な役割を演じてきたことがうかがえる。しかし，政府や地方自治体の果たす流通政策のねらいや方法が多様化するが，国内だけでなくグローバルなスケールで流通活動が発展するにつれて，過剰規制や規制緩和などに関する政策の整合性や成果の評価が十分に検討されないまま，社会的利益の確保が不明確にされるという反省も生んでいる。

2　流通政策における政策目的と政策主体

流通政策の目的について検討してみよう。流通政策は，流通の望ましい状態の実現を目的としており，経済政策の一部門として成立する限りにおいて，流通効率の追求が目的であるとみなされる。しかしすでにふれたように，単にそれだけに限定されない性質も有している。このことは経済政策においても同じ傾向がみられる。経済が本来的に限られた資源をいかに有効に活用するかという問題の追求であり，節約や合理化の意味を示唆している点から効率（efficiency）が当然の要請として表わされるが，この目的以外に異質な価値前提から平等（公平），自由および安定など有効性（effectiveness）の目的が設定されることがある[5)]。

流通政策でも，経済政策と同様に，効率以外の目的として何が採用されるべきかについて定説はない。流通効率概念がそれ自体多義性を有するものであることや[6)]，むしろ経済政策の他の目的ともなっている平等（公平）もしくは安定といった有効性に関する価値前提が流通政策の分野でも受け入れられてきていることからすると，複数の目的を同時に抱えて展開されていることになる。本書の第１章で流通活動の評価の尺度として，コストとベネフィット（効率性と有効性）の視点を取り上げたのも，実はコストや効率のみですべての流通活動や政策を評価できない側面をもっているからである。このため究極的には広い意味での国民生活の向上・厚生の増大に到達する目的設定のルートには，さまざまな目的―手段の選択と階層化が形成されることになる。しかし流通政策の目的が多岐にわたるということは，ときには目的間でのトレードオフや整合性のない政策が展開される可能性が生まれることにもなる。

久保村隆祐教授によると，「流通政策の目的は，生産と消費の間の懸隔を架橋するという流通システムの経済的機能をより十分に発揮すること。すなわち流通システムが近代化され，流通有効性（distribution effectiveness）が向上するところに置かれる」ととらえ，流通の望ましいあり方を規定する価値基準として，①取引便宜性，②流通生産性，③配分平等性，④競争公正性を指摘している[7)]。この基準は，それぞれ流通政策の目的を形作るものでもあり，①取引便宜性の向上（消費者の買物を含む流通システムにおける構成員間の売買取引の便利さや快適さを向上させること），②流通生産性の向上（流通システムへの人的・物的資源の投入とそこから算出される成果との比率を通して，単位当たりの流通コストを引き下げ，成果を向上させること），③配分平等性の確保（流通システムの構成員によって実現される成果の配分を構成員の貢献度に応じて平等に分配しようとすること），④競争公平性の確保（流通システムの構成員間において自由で公正な競争が行なわれること）というねらいをもっている。この場合，②流通生産性は効率性を代表する指標であり，それ以外の基準は主として有効性を代表する基準と理解することができる[8)]。

こうした目的を実現する方法の視点から，複数の政策手段が考えられる。まず，代表的には⑴競争政策：流通過程での市場メカニズムを有効に機能させるための競争ルールを守らせる。⑵近代化・振興政策：流通システムの構成員が新たな環境変化に対応できるように経営ノウハウ，資金面や税制面で支援する。⑶基盤整備政策：流通活動が円滑に推進され発展する上で不可欠なインフラストラクチャーとして物流基盤や情報通信ネットワークの提案や整備。⑷調整政策：主として中小小売業者の事業機会を確保するため，大規模小売業者からの競争圧力を緩和し中小小売業者に自立の機会を提供しようとする。⑸需給安定政策：流通の直接的な政策ではないが，特定の商品を取扱う事業分野において需給確保や価格の安定をはかるために免許制，許可，制，届出制などで事業者の参入や営業を規制する。⑹公共福祉政策：流通活動が消費者にとってまた地域環境にとって，安全で健康的なしかも秩序ある役割を果たせるように，さらに負の外部効果（交通渋滞，騒音，公害など）を減らし，正の外部効果（商業集積の利便性など）を促進することを含めた社会的利益の実現に向けて規制や誘導を行なうこと[9]。

流通政策は流通の望ましい状態を達成しようとして公的主体によって実施されるものである。その望ましい状態をどのようにとらえるかには，上述のようにさまざまな基準が存在する。流通政策の体系を考える場合，流通政策の主体，対象，方法によってさまざまな政策内容が生まれることになる。とくに，政策主体に注目した場合，これまで流通政策は国の行政組織レベルや都道府県・市町村単位の地方自治体レベルでの政策によって推進されてきている。時代とともに，また地域ごとに流通政策の強調点は多様に変化し，都市や地域計画の立場からの商業施設や物流センターの立地，流通分野での競争政策，消費者保護行政など，必ずしも従来の通産省（現：経済産業省）を中心とした流通行政には限定されない，さまざまな国の行政組織や都道府県や市町村レベルの各地方自治体によってきめの細かい政策が要求されるようになってきた。このことのもつ意味は，政策主体の違いによって政策目標が相違し流通政策のねらいが多様化し，場合によっては相互に対立する状態が発生することも起こるという問題を含んでいる[10]。とくに，流通活動の規模拡大，広域化やグローバル化につれて，地域環境や都市計画に及ぼす外部効果が大きくなっており，流通政策の対象も特定産業に焦点を当てた限定的な対応から，消費者や環境問題を含むよりトータルな社会的利益の視点での対応が求められている。

以下では，1960年頃から本格的に展開されるようになった流通政策の焦点が，それ以前の焦点も含め，調整政策，競争政策それに振興政策の３つにおかれてきたことに注目し，この３つの内容についてそれぞれ検討していくことにしよう。

第3節 調整政策

これまで，わが国の流通機構は,大多数の中小商業者によって構成されており，流通機構の円滑な発展のために彼らの競争力を育成する前提としてその事業機会が適正に確保されることが重要であるという認識を定着させてきた。したがって，流通過程での調整政策とは，流通業者間の競争条件が大企業と中小企業との間で大きな格差を生み出さないように，人為的に競争条件を補正したり，適応の時間を猶予することで，中小企業の存立基盤を確保しようとする政策を意味している。このような政策は，わが国に限らず，欧州にもみられ，流通制度の多様性を創出する効果をもっている。しかしこの政策は，長期化するとかえって，流通機構の効率を阻害し，停滞を招く危険性をともなっていることも事実であり，競争力強化のためには近代化・振興策とをセットで推進すべき性質のものといえる[11)]。一般には，大企業側に対してなんらかのハードルを課すことによって，競争条件を補正しようとする方法がとられ，その代表的なものが参入規制といえる。調整政策はもっぱら中小小売業者を対象に行なわれてきた。

1 小売商業調整特別措置法

この法律は，すでに指摘したように，中小小売業者の営業権を守るために，1959（昭和34）年に制定された法律であり，商調法と略称される。小売業の事業機会を確保し，正常な秩序を維持するねらいから，その内容として，次のものを含んでいる。

(a) 購買会事業に対する規制：事業者が従業員の福利厚生活動のために用意した購買会事業が員外（従業員とその家族以外の者）利用を含むことで，中小小売業者の事業活動に影響を与える場合，都道府県知事が員外利用を禁止できる。

(b) 小売市場の許可：小売市場は政令指定地域内でひとつの建物において

政令指定物（野菜や生鮮魚介類）の全部もしくは一部を販売する10店以上の小売店舗が入居しているもので，建物内の店舗面積の多くが50平方メートル未満に区分されているものをいう。ショッピング・センターと混同されやすく，小売市場に対して大店法と商調法との二重規制を避けるために，1978（昭和53）年に大店法が改正されたのにあわせて，店舗面積に関しての要件が付け加えられた。小売市場相互間で，また小売市場と周辺小売業者との間で過当競争が発生しないように，小売市場の開設と店舗面積の増加などを都道府県知事による許可制にしている。

(c)　製造業者の小売兼業の届出：政令指定地域内で製造業者が小売業を営もうとする場合，その旨を都道府県知事に届出なければならない。製造業の小売兼業は本来自由であり，この法律ではそれを禁止しているのではなく，兼業による競争環境の変化によって，中小小売業者と製造業者との紛争が高められる恐れがあり，調整に際しても，届出により開業と廃業の実態を把握しておこうというものである。

(d)　中小小売商業に関する紛争の調整：都道府県知事は，中小小売業者と他の形態の業者との紛争（小売兼業の製造業者や卸売業者との紛争，小売市場の開設者や小売市場内小売業者それに周辺小売商との紛争など）について，当事者の申請にもとづいて斡旋・調停・勧告ができる。

2　大規模小売店舗法

(1)　大店法のねらいと問題点

1973（昭和48）年，それまでの百貨店法に代わって，大規模小売店舗法（大店法）が制定された。すでに，第8章第2節2の店舗の規模の項においても検討を加えたように，正式名称を「大規模小売店舗における小売業の事業活動の調整に関する法律」と称し，大店法と略称されている。百貨店法では，出店に対する方針が許可制と企業単位の規制を特徴としていたのに，大店法では事前審査付き届出制と店舗（店舗面積）単位に変わった。ここで許可制から事前審査付き届出制への移行は，百貨店法よりは緩やかな規制になったが，一定以上の売場面積をもつ店舗であれば，業態や企業数がどうであれ，すべて規制の対象とされた。大店法は，事前審査付き届出制の採用により一見百貨店法より緩やかな規制となったといったが，これもその後，運用の仕方で多様に変化した。この法律のねらいは，同法第1条で次のように規定されている。「この法律は，消費者の利益に配慮しつつ，大規模小売店舗における小売業の事業活動を調整することにより，その周辺の中小小売業の事業機会を適正に確保し，小売業の正常な発展を図り，もって国民経済の健全な進展に資することを目的とする」。この条文に盛られている目的は，百貨店法にはなかった消費者利益への配慮を謳いながら，大規模小売業の事業活動を規制しようとすることにおかれている。

同法施行の74年以降，オイルショックによる低成長経済を背景に，中小小売業者は大規模小売業者による規制基準面積（百貨店法の店舗面積基準から受け継いだ1500平方メートル以上，東京都の特別区や政令都市では3000平方メートル以上）すれすれの出店の増加に直面して不満を高め，大型小売店と中小小売店との対立を強めた。その結果，大店法が1978（昭和53）年に改正され，大型店舗の規制基準が500平方メートル以上にまで引下げられ，大型店規制はいっそう強化された。そこでの最初の改正大店法は，大規模小売店を2つのタイプでとらえ，それまでの1500平方メートル以上の大規模小売店を第1種大規模小売店舗とし，新たに500平方メートル以上から1500平方メートル未満の対象を第2種大規模小売店舗として設け，前者は通産大臣（都道府県知事経由による），後者は都道府県知事に届出ることで，調整権限を分けたところに特徴があった。またこの時期から80年代においては，地方都市における大型店出店の増加を反映して，都道府県や市町村などが条例や要綱によってさらに小規模の出店も規制し，中小小売店の保護に傾斜していった。

届出には，建物を設置する者（第3条申請）とその建物内で小売業を営もうとする者（第5条申請）が行なう場合の2つがある。届出を受けると，通産大臣や都道府県知事は，調整4項目といわれる店舗面積，開店日，閉店時刻，休業日数に関して，商工会議所あるいは商工会を通して商業活動調整協議会（商調協）を召集し，周辺小売業への影響を協議する。影響があると判断された場合には，大規模小売店舗審議会（大店審）の意見を聞いて，開店日の繰り下げや店舗面積の削減など計画の見直しを勧告・命令することができる。実際には，地域の出店調整は地元の商調協が担当し，ここで決着のつかない場合が大店審に委ねられるという状況をつくってきた。このように，大型店の出店の手続は，出店表明→事前説明→建物設置者の届出（3条申請）→事前商調協（商業活動調整協議会）→小売業者の届出（5条申請）→正式商調協（商業活動調整協議会：調整4項目の審議）→大店審の審議→通産大臣もしくは都道府県知事の勧告・命令→開店という一連のステップを踏んで進むことになるが，通常はこうした出店調整期間が長引くのが珍しくなかった。

とくに，通産省は行政指導の形で，これまで大店法の手続が開始される条件として地元小売商業者と出店予定者間で合意を得ることに重点をおいてきたため，事前説明の段階が実質的に事前調整の場となり，大店法の本来の調整手続が行なわれることなく，事前説明がいたずらに長期化することが多くみられた。審議の長期化の回避や地元の強力な反対の発生を緩和するねらいから，出店者が3条申請前の説明段階で地元商業者と，店舗面積や閉店時刻などの4項目について話し合う，事事前商調協という方式も生まれた（神奈川県では神奈川方式と呼ぶ)。事事前商調協にしても，事前商調協にしても，また事前説明にしても，いずれも大店法の条文にはない非公式の調整を制度化してきたともいえる。これは事前審査届出制が実質的に許可制の効果をもっていたことになる。しかも，大型店の出店自体が地元小売業者の反対を受けた場合に，地域によっては，大型店サイドから地元商店街に地元振興資金が流されたり，出店自体が凍結されるという事態が生まれたりで，調整の進め方として不透明な問題を生み出してきた。また自治体によっては，地元中小小売業者の合意を取りつけない限り大店法にもとづく出店届出を受理しない（上乗せ規制）ケース，あるいは大店法で定めた基準面積よりも低い，厳しい面積を条例で定め（横出し規制），独自の調整に乗り出すなど，地域ごとに大型店への対応が異なることも問題を複雑にしてきた。

⑵ 大店法の展開とその限界

80年代後半になって，この法律は国内外で大きな注目を集めるようになった。それは，国内的にも調整の公正さや迅速さを確保することがむずかしい法律として問題視されていたが，貿易摩擦の深刻化によって海外からもこの法律の存在に疑義を挟むような動きが多発してきた。つまり大店法によって，輸入品を多く扱う大型店の出店にブレーキがかけられており，また海外からの小売企業の日本市場への参入にとっても障壁をなしているという不満や批判であった。日米構造協議の場において，改めて消費者の利益の確保という大義のもとにこうした大店法の存在にメスが入れられることになり，改善案が勧告された。

日米構造協議の結果，大店法の扱いについて第3のラウンドまでの展開方向が決められた。第1ラウンドは，法改正ではなく行政指導により大店法の調整期間の短縮と運用の適正化がはかられることになった。第2ラウンドは，通常国会において大店法改正法案を提出し，出店調整期間をさらに半年短くして1年以内に短縮することを決めている。さらに第3ラウンドとしては，この大店法改正の2年後にさらに大店法を見直し，特定地域における規制の撤廃（適用除外）を予定していた。

通産省でも，まず第1ラウンドの動きを受けて，1990（平成2）年5月30日から大店法の施行規則の改正と，新通達によって出店規制緩和措置を関係機関に通知した。大店法の運用を有効に機能させるために，これまでの事前説明のステップが利害関係者の合意を得るための調整の場ではないこと（地元の了解が得られなくてもかまわないという認識を示した）を明確にし，調整の全過程に期限を設ける「促進ルール」を導入するなど，いくつかの新たな通達を出した。具体的には，⒜出店調整処理期間の短縮（事前説明は原則4カ月であり，最長6カ月までとし，その後の事前・正式商調協を経て開店可能になる期間を1年とし，トータルで1年半の期限を設定した），⒝輸入品売場にかかおる特例措置，⒞調整不要店舗面積の設定，⒟閉店時刻，休業日数に関する対象範囲の緩和，(e)出店調整処理手続の透明性向上，が直ちに実施される措置として構造協議の中間・最終報告書にもられ，1990年5月30日から実施された。

さらに，1990年5月の運用適正化措置に続いて，第2ラウンドとして大店法が再び改正され，1992年1月31日に施行された。その主なものとしては3点が指摘できる。①種別境界面積の引上げ：通産大臣が調整を行なう第1種大規模小売店と都道府県知事が調整を行なう第2種大規模小売店との境界面積（種別境界面積）を，現行の2倍に引き上げ，3000平方メートル（東京都の特別区と政令指定都市においては6000平方メートル）以上とする。これは当時，専門店を中心に新規出店が2000平方メートル前後の案件で増加していたことへの対応として，第2種案件の集中処理と出店調整を迅速化するためのものであり，さらに出店調整が大店審へ移行したことで，大店審の審査・調整機能の強化をはかるための措置であった。これによって，第2種大規模小売店舗は500平方メートル以上から3000平方メートル未満（東京都の特別区と政令指定都市は500平方メートル以上から6000平方メートル未満），第1種大規模小売店舗は3000平方メートル以上（特別区・政令指定都市6000平方メートル以上）となった。②大規模小売店舗審議会（大店審）の意見聴取対象の拡充：従来実質的な調整にあたってきた商業活動調整協議会（商調協）を廃止し，国と都道府県の大店審をもっぱら出店調整機関とすることによって，各案件の調整審議にあたっては，消費者，小売業者および学識経験者の意見を聴かなければならない。③地方公共団体の独自規制の適正化：地方自治体が独自に規制している「上乗せ」，「横出し」については，大店法の趣旨を尊重することで，地方独自規制の是正を促した。④輸入品売り場の新増設は大店法の特例措置として，90年5月から100平方メートルを限度に原則自由化してきたが，さらなる輸入拡大の国際的要請に応えるために，大規模小売店舗内に1000平方メートルを限度に大店法の調整を受けることなく設置できるようにした。

大店法の改正は，1991年5月8日に国会で成立し（5月24日公布），1992年1月31日施行された。この年の改正大店法は，小売商業や商店街の生き残りと近代化のため国の支援策として成立した関連４法，つまり①輸入品専門売場設置に関する大店法の特例法，②特定商業集積の整備の促進に関する特別措置法（商業集積法もしくは特定商業集積整備法と略称される），③民間事業者の能力の活用による特定施設の整備促進法（民活法）改正法，④中小小売商業振興法の改正法と一体になっているところに特徴がある。しかし大店法改正の主たるねらいは，日米構造協議での合意にもとづいて，出店手続きをわかりやすいものとすることおよび出店調整を迅速化することにおかれている。そのため，省令や通達で定められていた「出店表明」や「事前説明」それに実質的な出店調整の場であった「商業活動調整協議会」（商調協）を廃止し，大店法で定める大規模小売店舗審議会（大店審）に調整を一元化したことである。つまり法律で定められていない不透明機関として，槍玉にあがった商調協を廃止し，運用面の手続きにすぎない出店表明や事前説明も，出店調整の足かせになって審議が長期化し混乱を生む原因だったことから廃止に踏み切った。さらに出店調整期間を現行の１年半から１年に短縮した。これまで３条申請前に行なっていた事前説明を廃止したことから，３条申請から手続きがスタートすることになった。あくまで法律に定めるところにしたがって，建物設置者が届出た時点（３条申請）から最長４カ月で地元説明を終了する。それに続き小売業者が届出（５条申請），準公的機関である大店審による最長８カ月間の地元からの意見聴取・審議を経て出店できるようになった。従来の出店調整プロセスとこの改正を比較すると次のようになる（図15-１参照）。

さらに，1992年１月の大店法改正時に２年後の見直しが盛り込まれたのを受けて，法改正をともなわない大規模小売店舗法の運用基準が緩和され，1994年５月１日から実施された。その主な内容は，

⑴　店舗面積が500平方メートル以上1000平方メートル未満の出店を原則自由とし，届出のみとする。

⑵　届出が必要な閉店時間を現行の午後７時から同８時に遅らせることができる。さらに，そのうえ年間60日に限って１時間の延長が可能となっ

図 15-1　出店調整処理手続のフロー

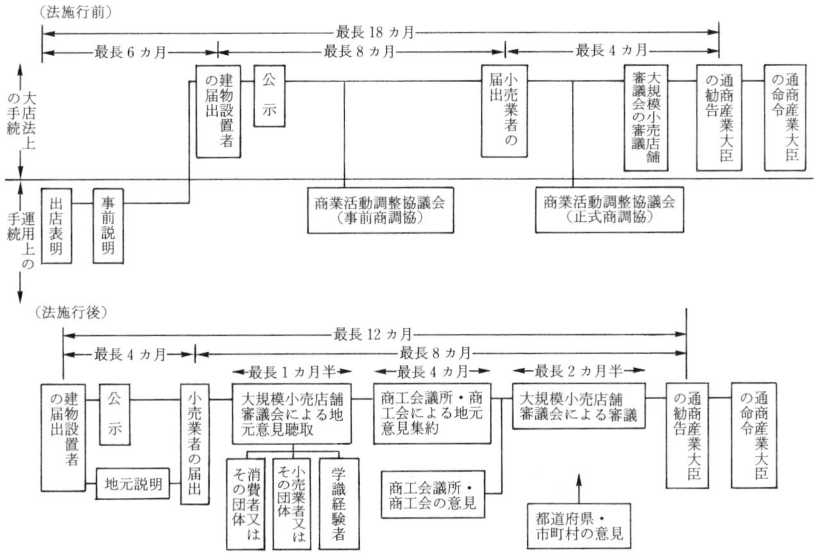

（法施行前）

最長18カ月
最長6カ月　最長8カ月　最長4カ月

大店法上の手続
運用上の手続

出店表明
事前説明
建物設置者の届出
公示
商業活動調整協議会（事前商調協）
小売業者の届出
商業活動調整協議会（正式商調協）
大規模小売店舗審議会の審議
通商産業大臣の勧告
通商産業大臣の命令

（法施行後）

最長12カ月
最長4カ月　最長8カ月
最長1カ月半　最長4カ月　最長2カ月半

建物設置者の届出
公示
地元説明
小売業者の届出
大規模小売店舗審議会による地元意見聴取
消費者又はその団体
小売業者又はその団体
学識経験者
商工会議所・商工会による地元意見集約
商工会議所・商工会の意見
大規模小売店舗審議会による審議
都道府県・市町村の意見
通商産業大臣の勧告
通商産業大臣の命令

（出所）　通産省「大店法の一部を改正する法律の概要」。

た。

(3)　年間休日の日数を24日（これまでは44日）まで届出なしで削減できる。

(4)　出張販売に関する届出義務を廃止する。

(5)　テナントの一部が確定していない場合でも5条申請を認める。

などである。

通産省は，こうした大店法の一連の規制緩和措置によって米国からの要求をなし崩し的に乗り切ろうとした。しかし，依然として減らない対日貿易赤字のもとで96年6月米国はWTO（World Trade Organization：世界貿易機関）に日本の大店法がWTOの一般規定に違反する旨の提訴をし，日本政府としては規制緩和推進3カ年計画のなかで97年12月までに大店法の見直しを約束せざるを得ず，最終的には廃止に踏み切ることになった。具体的には，97年12月に産業構造審議会流通部会と中小企業政策審議会流通小委員会の合同会議において大店法の廃止が決定された。

こうした外圧が廃止を決定させる直接的要因となり，国内的にも政府による規制緩和の気運が高められ，円高と価格破壊の進行を受けて，中小小売店の事業機会の確保を特別扱いすることへの否定的な風潮を作り出していった。大店法の存在にもかかわらず，中小規模の小売商店数の減少やそれによって構成される商店街の空洞化は加速するばかりで，大店法の規制緩和はいっそうそうした傾向に拍車をかけたが，その反面で規制緩和とともに，大型店の進出にともなう交通渋滞・騒音・廃棄物処理など周辺地域環境の問題が大店法では解決できないことがより明確になってきた。大型店進出が生み出す負の外部効果を解決するためには，大型店と中小小売店との利害関係の調整を意図した大店法では限界があるという判断がとられるようになった。そこで大店法を廃止して，大型店の立地を環境問題や街づくりへの対応という視点から調整する「大規模小売店舗立地法」（大店立地法と略称される）を98年5月に制定することになった。

3　大規模小売店舗立地法の特徴とまちづくり三法

大店立地法は，第1条にその目的を次のように規定している。「この法律は，大規模小売店舗の立地に関し，その周辺の地域の生活環境の保持のため，大規模小売店舗を設置する者によりその施設の配置及び運営方法について適正な配慮がなされることを確保することにより，小売業の健全な発展を図り，もって国民経済及び地域社会の健全な発展並びに国民生活の向上に寄与することを目的とする。」

大店立地法は，第1条に明記された目的からうかがえるように，大型店の設置者に周辺地域の生活環境に配慮を求める法律として作られたものである。大店法のように大型店と中小小売店との競争上の利害を調整する法律とは性格が異なっている。

大店立地法の特徴は，大型店の新設（第5条）もしくは施設の配置の変更・運営方法の変更をする場合（第6条），地域の生活環境保持の観点から周辺環境との調和をはかることにねらいがある。この法律は，政令で定められた店舗面積1000平方メートルを基準面積とし，これを超える大型店の設置者は新設をする日や店舗面積などについて都道府県もしくは政令指定都市に届出て，出店地の市町村内において大型店の設置もしくは運営方法に関する届出内容を周知するための説明会を開かなければならない（第7条）。都道府県もしくは政令指定都市は，同内容を公告・縦覧するとともに，市町村に通知し，市町村から意見を聴取しなければならない。

大型店の設置者が配慮すべき事項を第4条で指針として定めており，大型店の周辺の交通渋滞，交通安全，駐車場・駐輪場，廃棄物などの問題に対し，都道府県もしくは政令指定都市は，出店がなされる市町村，地域住民，事業者，商工会議所・商工会などの意見を聞きながら，大型店の設置者に「大規模小売店舗の周辺の地域の生活環境に著しい悪影響を及ぼす事態の発生を回避することが困難であると認めるときは」（第9条1項）必要な措置をとることを勧告できる。設置者に対する意見や勧告については，大規模小売店舗立地審議会の意見を参考にする都道府県も存在する。勧告には強制力はないが，応じない場合は企業名を公表することができる。

大店法と大店立地法の特徴を比較すると次のように要約できる（表15-1参照）。これによって，大型店への調整の視点が大店法にみられた中小小売店と大型店との需給調整を目的とした経済的規制から大店立地法では周辺環境との調和を目的とした社会的規制に変化したこと，さらに大店法では大型店の出店の可否を最終的に判断するのは国であったが，大店立地法では都道府県・政令指定都市が行なうことになった。

大店立地法に基づく大型店の新・増設に関する調整手続きの流れは図15-2に示されている。出店を予定している大型店は都道府県・政令指定都市に計画を提出し，2ヵ月以内に説明会を開催する。地元住民は提出から4ヵ月以内に意見を提出し，これをもとに都道府県・政令指定都市が意見をまとめ，計画に異議がなければ大型店が出店できる。逆にいえば，この間，提出から8ヵ月経過しないと大型店が新増設できない。異議が出た場合は，大型店は対応策を示さなければならない。出店者の自主的対応策にも2ヵ月以内

表 15-1　大店法と大店立地法との比較

	大規模小売店舗法	大規模小売店舗立地法
目　　的	中小小売業者の事業活動の適正な確保（営業規制）	大型店周辺の生活環境の保持（環境規制）
調整事項	店舗面積，開店日，閉店時刻，休業日数を調整	設置者が配慮すべき事項としての指針：交通，駐車場・駐輪場，騒音，廃棄物への配慮
店舗面積	①第１種：3000m^{2}以上 政令指定都市では6000m^{2}以上 ②第２種：500m^{2}以上3000m^{2}未満 政令指定都市では6000m^{2}未満 （ただし，1994年以降，運用上は1000m^{2}未満原則自由）	1000m^{2}以上
運用主体	①国：通産大臣（現：経済産業大臣） ②都道府県：都道府県知事	都道府県と政令指定都市（市町村の意見の聴取義務あり）
審査期間	最短１年	最短８ヵ月
行政措置	勧告・命令	勧告・公表

にさらに異議が出されると，都道府県・政令指定都市は大型店に再度の勧告を行なう。このように合計10ヵ月が必要とされるが，これに届出者の自主的対応策を提示するための必要な検討期間を加えると，大型店の届出から新・増設までの期間は約１年と見込まれている。

大店立地法の成立には，外圧の増大だけでなく，大型店をめぐる負の外部経済を無視できなくなった背景もあり，大型店出店にともなう交通・環境問題ならびに計画的まちづくりへの対応を中心とした「地域との調和」に焦点をあてた流通政策が求められるようになってきたといえる。このような「地域との調和」を焦点においた流通政策の運用の権限は地方分権の視点に立って都道府県や政令指定都市に委譲され，都道府県や市町村の実状に相応しいまちづくりを推進する方向が打ち出しやすくなる。そのために，1998年に大店立地法に加えて，都市計画法（1968年制定）を改正することで地方自治体が建物の特別用途地域の指定を行なえるようにし，同時に中心市街地活性化法の制定により，中心市街地の空洞化を避けるため商業集積の整備に補助金

図 15-2　大規模小売店舗立地法の基本的な手続の流れ

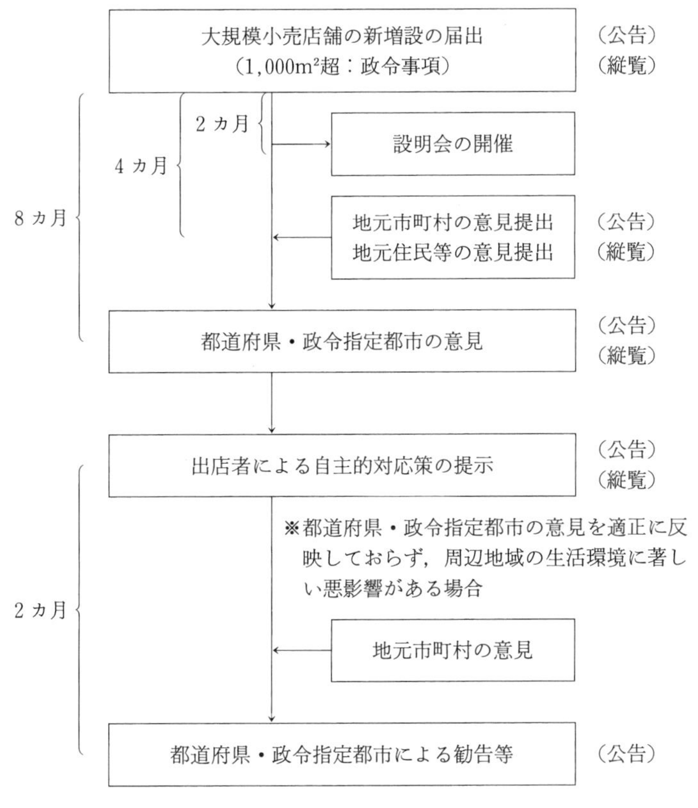

（出所）　通商産業省流通産業課「大規模小売店舗立地法関係資料」平成11年10月。

の支援を行なう対策も実施されている。この大店立地法，改正都市計画法および中心市街地活性化法を合わせて「まちづくり三法」と呼んでいる。

「改正都市計画法」では，まず1998年の一部改正において，大型店に対し都市計画法によるゾーニング規制を可能とする転換を行なった。この改正法では用途地域にその上塗りとなる形で特別用途地域の指定を行なうことを市町村に認めた。このことで，市町村が独自の判断で中小小売店地区や特別住居地区を定めたりし，大型店の出店を制限でき，逆に郊外に大型店の出店可能な地域を設けて地域を区分することもできる。

しかも，これらの法律とセットにして，また大店法廃止の見返りの意味もあって，空洞化が進む中心市街地の再生をはかろうとする「中心市街地活性化法」が用意された。この法律のねらいは，中小小売商業に対する活性化のための各種支援策を内容としており，その性格からいって近代化・振興政策のところで取上げることにする。

しかし，大店立地法を中心に，中心市街地活性化法と都市計画法がまちづくり三法として運用され出すが，年数が経過するにつれて予期せぬ結果が生じるようになった。大店立地法は，出店地域の周辺環境を保持するために店舗面積に見合った駐車場の確保，交通渋滞の緩和への配慮，ごみ処理・騒音への対応が求められており，そのことは大型店の出店には地価の高い都市部ほど不利に働き，地価の安い，広大な敷地が入手しやすい郊外ほど有利に働くことが明らかになった。当然のように，大店立地法は郊外への大型店の出店を加速し，都市部の大型店の参入を抑制する役割を果たし，都市部の商業施設の衰退にいっそう拍車をかける結果となった。これにともなって，都市部から公共的な施設である，病院，役所，図書館，公共のイベントホールなどが郊外へ移転する動きが続き，中心市街地の空洞化や商店街のシャッター通りを拡大した。そのため，政府は，まちづくり三法の改革の一環として，都市計画法を2006（平成18）年５月に改正して，大規模集客施設の郊外への出店を大幅に規制する政策に乗り出した。そこで建築基準法を改正し，床面積１万平方メートル超の大規模集客施設の進出は，近隣商業，商業，準工業だけに限定し，それ以外の地区には出店を許容しないこととし，2007年11月には完全施行された。

これまで述べてきたように，近年の調整政策のねらいは，大型店と中小店の利害調整から，地域の実状に即した大型店と周辺の生活環境との調和の確保というように変化してきた。したがって，本節でのタイトルになっている調整政策は，従来の調整政策とは性格を異にしており，環境や都市計画と結びついた調整を内容とするものになってきた。こうした大型店に対する調整方針の変更は，海外からの圧力を原動力としてきたといっても過言ではない。それは一方では，大型店の出店にともなう環境問題の重要性が無視できなくなったという社会的認識の形成が影響している。その結果，都市計画法の改正に象徴されるように，都市計画と環境問題をゾーニングによって一体的に解決するという，欧米と類似した方式を採用することで日本の流通政策に対する欧米の圧力を減殺させようとしたとも考えられる。さらには，近年では日本社会の急速な高齢化と人口減を背景に，地方の過疎地に限らず，都市部でも小売店舗の撤退や廃業の増加，公共交通機関の衰退，高齢化にともなう体力低下などで買物に困難を感じる人達の増加が予測されている。大型店と中小店との調整，周辺環境との調和，さらには買物に困難を感じる人々への対策など，調整政策に求められる課題や内容が時代によって変化しており，流通政策として迅速で的確な対応が求められている[13)]。

第4節　競争政策

流通過程での自由で公正な競争は，流通の近代化・振興政策にとっても不可欠であり，消費者利益の確保はこうした競争促進・維持の結果として得られるものである。調整政策についても，ときに競争政策と対立する性格をもつが，長期的には中小企業の競争力の強化のための一時的な補正と位置づけるべきであり，競争原理の役割を否定しようとするものではない。

競争政策は，流通過程での自由で公正な競争を促進し維持するために，事業者による競争制限行為や競争阻害行為を厳しく取り締まることを内容としている。さらに近年，国の内外から注目を集めているように，流通過程に対する行政の過剰な介入が自由な競争を阻害するという問題も生まれており，この点の改善も競争政策の重要課題となっている。競争政策の主たる根拠法としては，独占禁止法とその補完法である景品表示法（「不当景品類及び不当表示防止法」の略称）があり，これらは公正取引委員会によって所管されてきた。これに対して，景品表示法（景表法）は，2009年９月の消費者庁の発足によって消費者庁に全面移管された。公正取引委員会は，近年，第３次産業の拡大を背景に，製造業のみならず，流通業でも独禁法の運用を強化するようになってきた。まず，1980（昭和55）年３月，公正取引委員会の私的諮問機関である独禁法研究会によって提出された報告書「流通系列化に関する独占禁止法上の取り扱い」から，フランチャイズ・システムの独禁法上の検討，小売業における合併審査基準の明確化，バイイングパワー（購買力）や優越的地位の濫用規制，さらに不公正な取引方法（一般指定）の改正など流通問題を焦点に独占禁止政策を積極的に展開してきた。なお競争政策の主体が，常に公正取引委員会というわけではなく，所管する産業や物資に関しての省庁が担当することもある。その場合は，対象とする産業の諸政策と関連づけた形で，競争促進や独禁法に抵触しないかどうかの予防行政を推進することになる[14]。

1　独占禁止法

1947（昭和22）年に，わが国において，アメリカの反トラスト法をモデルとした独禁法（正式名称は，「私的独占の禁止及び公正取引の確保に関する法律」）が制定され，競争と市場機構を調整原理とする自由主義経済体制が確立した。その後，独禁法は数度の改正を重ね今日に至っているが，基本的な構造は変わっていない。

独禁法の第１条にはその目的が示されている。長文ではあるが，非常に重要な条文であるので，ここに引用しておこう。「この法律は，私的独占，不当な取引制限及び不公正な取引方法を禁止し，事業支配力の過度の集中を防止して，結合，協定等の方法による生産，販売，価格，技術等の不当な制限その他一切の事業活動の不当な拘束を排除することにより，公正且つ自由な競争を促進し，事業者の創意を発揮させ，事業活動を盛んにし，雇用及び国民実所得の水準を高め，以て，一般消費者の利益を確保するとともに，国民経済の民主的で健全な発達を促進することを目的とする。」この条文の前段にも示されているように，独禁法は３つの点をねらいにしている。

(a)　私的独占の禁止（第３条前段）：私的独占とは，「他の事業者の事業活動を排除し，又は支配することにより，公共の利益に反して，一定の取引分野における競争を実質的に制限すること」（第２条５項）と規定されている。このために独占的な経済力や市場支配力を排除しようとするものである。私的独占の禁止については，その予防的・補完的措置として，株式保有・役員兼任・合併などの企業結合に対して規制が行なわれる。さらに，1977年の改正では，企業結合によらない内部成長によって形成された独占状態に対して，競争の回復をはかるため当該企業への営業譲渡等の命令（第８条４：企業分割規定）が導入された。97年の改正では，これまで禁止されていた持株会社の設立が認められ，大手小売企業の場合にはこの方法を利用して子会社の株式保有を通してグループ事業の再編をはかろうとしている。

(b)　不当な取引制限の禁止（第３条後段）：不当な取引制限とは，「相互にその事業活動を拘束し，又は遂行することにより，公共の利益に反して，一定の取引分野における競争を実質的に制限すること」（第２条６項）と規定されている。これはカルテルを禁止したものであり，公正取引委員会が不当な取引制限と認定した場合，事業者には排除措置が命じられる。1977年の改正では，価格カルテルに対する課徴金の徴収（第７条の２）と価格の同調的引上げについての報告徴収（第18条の２）が導入された。カルテルには，契約であれ，協定であれ，どのような方法を利用しようと，価格，数量，技術，製品，設備，取引相手などについて相互拘束や共同遂行を行なう場合は独禁法違反となる。しかも99年の法改正では，これまで独禁法の適用除外として認められていた不況カルテルや合理化カルテルが廃止された。

(c)　不公正な取引方法の禁止（第19条）：この不公正な取引方法の禁止は，とりわけ流通分野との関連が深いといえる。不公正な取引方法の禁止とは，これまでみてきた私的独占や不当な取引制限に対する予防的・補完的規制として，また取引ルールの遵守として位置づけられ，「公正な競争を阻害する恐れがあるもののうち，公正取引委員会が指定するものを

表 15-2 行為類型

1．共同の取引拒絶	9．不当な利益による顧客誘因
2．その他の取引拒絶	10．抱き合わせ販売等
3．差別対価	11．排他条件付取引
4．取引条件等の差別的取扱い	12．拘束条件付取引
5．事業者団体における差別的取扱い等	13．優越的地位の濫用
6．不当廉売	14．競争者に対する取引妨害
7．不当高価購入	15．競争会社に対する内部干渉
8．ぎまん的顧客誘因	

2009年10月改正，2010年1月1日施行。

いう」（第2条9項）と定めている。独禁法第19条は事業者が不公正な取引方法を用いることを禁止している。さらに第2条9項では，どのような取引方法が不公正であるかについて定義規定を用意している。それには，不当な差別的取扱い，不当対価取引，取引強制，不当な拘束条件付取引，取引上の地位の不当利用さらに競争業者への妨害もしくは内部撹乱の6つの行為を定めている。この特徴は，自由な競争，競争手段の公正さ，自由競争基盤を侵害する恐れのある行為を禁止するものであり，取引のルールの遵守にねらいがある[15)]。

こうした包括的な禁止行為の特徴を示すことに加えて，さらに公正取引委員会は過去の事例などを考慮して独禁法上，問題のある行為を不公正な取引方法の具体的な類型として示している。これにはあらゆる業種に適用される「一般指定」と，特定の事業分野を対象に適用される「特殊指定」があり，いずれも公正取引委員会の告示によって行なわれる（第72条）。「一般指定」については，2009（平成21）年に改正され，表15-2のように15の行為類型が指定されている。「特殊指定で」では，新聞（1955年制定），物流（2004年制定），大規模小売業（かつては百貨店業特殊指定であったがそれが廃止され，大規模小売業特殊指定となった：2005年制定）の3つの事業分野が対象となっている。

流通やマーケティングの分野では，この不公正な取引方法の禁止との関連がしばしば問題となる。一般指定の行為類型では，近年では，とくに再販売価格維持の拘束，優越的地位の濫用，差別対価，ぎまん的顧客誘引，抱き合わせ販売[16)]，排他条件付取引などが不公正な取引方法の問題として取り上げられるケースが多い。独禁法に違反した場合には，公正取引委員会は排除措置の勧告を行ない，それに従わない場合は審判（裁判に相当）が開始され，審判手続き途中で事業者が違反事実を認め和解が成立すれば「同意審決」となり，違反事実を認めず判決としての審判にまでもち込むと「正式審決」となる。これに不服の場合は，審判取り消し訴訟を東京高等裁判所に起こすことができる。独禁法の違反行為に対しては，排除措置と課徴金が課せられることになる。排除装置は違法状態を除去するための命令であり，その種類には違法行為自体の差し止め，営業の一部譲渡，事業者団体の解散，将来の再発防止のための同種違反行為の反復禁止が内容となっている。課徴金は，カルテル・入札談合等の違反行為の防止のために，違反事業者に対して課す金銭的不利益のことであり，すでにふれたように，1977年改正で価格カルテルに対する課徴金の導入，1991年と2005年の改正によってそれぞれ金額の引き上げが行なわれている。その際に対象行為として「支配型私的独占」（他の事業者の事業活動を支配することによる私的独占のこと）が対価に影響するものを含むように拡大された。2009年の改正では課徴金の対象となる行為類型が拡大され，「排除型私的独占」（事業者が他の事業者の事業活動を排除する行為），共同の取引拒絶，差別対価，不当廉売，再販売価格の拘束，優越的地位の濫用を対象とするようになった[17)]。

2　わが国の流通・取引慣行の改善

(1)　構造協議の背景

日米構造協議（SII＝Structural Impediments Initiative）は，1989年７月のアルシュ・サミット（主要先進国首脳会議）での日米首脳会談で合意し，約１年間にわたって日米間に存在する貿易と国際収支の調整上の障壁を協議し，1990年６月28日に最終報告を提出した[18)]。日米構造協議のテーマは，必ずしも流通だけをテーマとしていたわけではないし，流通問題の解決によってのみ日米間の貿易摩擦が解消できるという性格のものでもない。しかし，その認識においては，日本と米国との間に存在する貿易収支の不均衡の恒常化が，個別の商品分野の輸入自由化要求だけでは改善しないことが明らかになるにつれて，日米の経済構造，つまり日本にとっては膨大な貿易黒字を生み出す直接間接の影響要因として貯蓄・投資パターン，土地利用，流通制度，排他的取引慣行，系列関係，価格メカニズムといった構造的要因にまで立ち入って，改革を求められるようになった。しかし日米構造協議が終了しても，貿易摩擦は解消しなかった。そのため93年からは，さらに日米包括経済協議（Economic Framework Talks）において分野別に貿易に関する障壁を取り除くために日米間で協議や交渉がもたれた。

わが国の流通機構は海外企業や輸入品の参入にとって閉鎖的であるだけでなく，国内の消費者にとっても，世界的にも高水準の物価をもたらし，内外価格差に象徴されるように消費者不在のままであるという問題がことあるごとに指摘されてきた。ここで日本の流通が国の内外から複雑で，不透明であると批判されるとき，具体的にはいくつかの性質の違う問題が同時に取り上げられていることが多かった。その論点を整理すると，流通を複雑にし，不透明にしている要因として，①政府規制：当時，米に象徴される自由化規制など産業への行政介入，独占禁止法の運用の不徹底さ・曖昧さ。②商取引慣行・企業行動：返品制度，派遣店員制度，人間関係重視の取引形成，系列化，グループ化など。③消費者行動：有名ブランドや高価格志向，贈答品にみられる有名店舗志向が存在する。さらに④海外企業のマーケティング努力の不足：日本人の嗜好，生活習慣，規格にあわないものを画一的にもち込もうとする。こうした問題点は日米構造協議の場に限らず，さまざまな場において多角的に検討されてきたが，今日ではその検討方向として，わが国の流通をどのようにして世界に開かれたものとし，競争政策をどのように根づかせるかが焦点となってきた。流通がその国独自の文化や歴史のもとに生成してきたものであるとはいえ，世界の市場で通用する取引ルールの形成や商取引慣行の普遍性・合理性が問われるようになってきたものといえる。

⑵　公正取引委員会による独占禁止法運用の明確化

公正取引委員会は，不公正な取引方法の禁止に関連して，80年の独占禁止法研究会（公正取引委員会の諮問機関）の報告書「流通系列化に関する独占禁止法上の取扱い」において流通系列化に対する独禁法の考え方や手段の扱い（このことについてはすでに，本書第14章第1節2の⑶「流通系列化の問題点」で述べている）について示し，82年には一般指定において不公正な取引方法にあたる行為を明らかにしてきたが，これだけでは十分でなかった。80年代末には，日米構造協議の場で，独禁法運用の不徹底が日本の取引慣行の不透明さを生み出していることが問題視され，より明示的な形で運用面のガイドラインを提示するように迫られた。公正取引委員会は，日米構造協議での最終報告に対応する形で，公正取引委員会委員長の私的諮問機関である「流通・取引慣行等と競争政策に関する検討委員会」を設置し，そこでの提言を受けて，91年7月「流通・取引慣行に関する独占禁止法上の指針」（流通・取引慣行ガイドライン）を作成し，独禁法の運用をできるだけわかりやすくし，違反行為を未然に防ごうとした。

同指針では，「①事業者の市場への自由な参入が妨げられず，②事業者の取引先の選択が自由かつ自主的に行なわれ，③価格その他の取引条件の設定がそれぞれ事業者の自由かつ自主的な判断で行なわれ，また④価格，品質，サービスを中心とした公正な手段による競争が行なわれること」[19)]が公正かつ自由な競争を促進することを強調する。しかも，公正取引委員会のとった法的措置・警告の公表，課徴金の引き上げ，独禁法第25条の損害賠償制度の効果的運用によって違反行為に対する積極的排除や未然防止をはかろうとしている。

指針は全体で3部から構成されており，第Ⅰ部は事業者間の取引の継続性・排他性に関するもの，第Ⅱ部は流通分野における取引に関するもの，第Ⅲ部は国内市場を対象とする総代理店におけるものからなっている。以下では，流通分野の取引において重要と思われる事項を考察しよう。

⑶　流通・取引慣行ガイドライン

ここでは消費財の取引を想定して，どのような場合に独禁法上問題になるかを行為類型として検討している。

A，再販売価格維持の拘束：メーカーが流通業者の販売価格（再販売価格）を拘束することは，原則として不公正な取引方法として違法となる。次の場合は，再販売価格の拘束性があるとみなされ違法である。

① 文書によるか口頭によるかを問わず，メーカーと流通業者との合意によって，メーカーの示した価格で販売するようにさせている場合

② メーカーの示した価格で販売しない場合，経済上の不利益を課し，または課すことを示唆するなど，何らかの人為的手段を用いることによって，当該価格で販売するようにさせている場合

B，メーカー希望小売価格：希望小売価格や建値は，流通業者が価格設定を行なう上での単なる参考価格として示されるのであれば問題にはならない。しかし，確定した価格を守らせようとしたり，次のような一定範囲内の価格での販売を要請したりする場合は再販売価格の拘束として違法となる。

① メーカー希望小売価格の○%引き以内の価格

② 一定の範囲内の価格（□円以上△円以下）

③ メーカーの事前承認を得た価格

④ 近隣店の価格を下回らない価格

⑤ 一定の価格を下回って販売した場合には警告を行なうなどにより，メーカーが流通業者に暗に下限として示す価格

C，非価格制限行為：非価格制限行為は，メーカーによる再販売価格の拘束以外の流通業者に対する拘束の総称であり，メーカーによるマーケティングを通して行なってきた流通系列化の手段が流通業者の取扱商品，販売地域，取引先，小売業の販売方法の制限を行なう場合は次のような問題を生じるとしている。

① 流通業者の創意工夫による事業活動を妨げる。

② 流通業者のメーカーに対する依存性を高め，流通業者がメーカーと協調行動をとることによって末端価格が維持される。

③　ブランド間競争やブランド内競争が減少・消滅する。

④　メーカーや流通業者が新規に参入しようとする場合の障壁が高くなる。

⑤　消費者の商品選択が狭められる。

これらは，いわゆる流通系列化の弊害・デメリットに関する問題といえる。この場合，メーカーの流通業者に対する非価格制限行為が独禁法に違反するかどうかは，個別具体的なケースに即して，市場の競争に与える影響の程度から判断される。一般的には，市場における有力な事業者が行なう場合には，競争阻害的効果が大きく，不公正な取引方法として違法となる[20]。

D，リベートの供与：リベートは，さまざまな目的のために支払われ，また価格の一要素として市場の実態に即した価格形成を促進するという側面もあり，リベートが直ちに独禁法上問題となるものではない。しかしリベートの供与の方法によっては流通業者の事業活動を制限することになり違法となる場合がある。独禁法上問題となるリベートとしては次のような4つのリベートを指摘している。

①　流通業者の事業活動に対する制限の手段としてのリベート

②　占有率リベート—流通業者の一定期間における取引額全体に占める自社商品の取引額の割合に応じたリベートの供与が競争品の制限として機能する場合など—

③　著しく累進的なリベート—市場における有力なメーカーがこのようなリベートを供与し，それによって流通業者の競争品の取扱いが制限される場合など—

④　帳合取引の義務付けとなるようなリベート—価格維持を目的に，間接的な取引先である小売業者に対し，特定の卸売業者を通した仕入高のみを計算の基礎としたリベート供与の場合—

E，流通業者の経営に対する関与：流通業者の経営に対する関与は，メーカーのマーケティング政策を浸透させる目的や，経営指導，債権保全，マーケティング情報の収集などの理由からも行なわれており，そうした行為が直ちに独禁法上問題となるわけではない。

メーカーによる流通業者の経営に対する関与の具体的内容として，例えば，流通業者が定款，事業内容，資本の額，役員，主たる株主，取扱商品，販売方法などを変更する場合にはメーカーの事前の承認なり協議などを義務付けることがあり，あるいは流通業者の販売状況に関する帳簿などの書類をメーカーに提出するのを義務付けていることがみられる。

しかし，経営関与の方法と程度によっては，価格維持や違法な取引制限により流通業者の事業活動を制限することになり，流通業者に不利益を与えることになり，独禁法上問題となる場合がある。

この「流通・取引慣行ガイドライン」に対して，2015年に見直しが行なわれた。公正取引委員会は，「規制改革実施計画」（平成26（2014）年６月24日閣議決定）を踏まえ，「流通・取引慣行に関する独占禁止法上の指針」（1991（平成３）年７月）の第２部第１及び第２に関し，「平成26年度措置」とされた事項について，明確化を行なうため，流通・取引慣行ガイドラインを一部改正した。そのポイントは，①垂直的制限行為に係わる適法・違法性判断基準について（垂直的制限行為とは，メーカーが自社商品を取り扱う卸売業者や小売業者といった流通業者の販売価格，取扱い商品，販売地域，取引先等の制限を行なう行為と定義され，競争阻害効果だけでなく，競争促進効果があることも認めるようになった。具体例として，新商品について高品質であるとの評判を確保するうえで重要といえる場合やサービスの統一性やサービスの質の標準化がはかれる場合などを示している），②再販売価格維持行為の「正当な理由」についての考え方（独禁法では「正当な理由」がないと再販売価格の拘束は不公正な取引方法として違法となるが，「正当な理由」とは実際に競争促進効果が生じてブランド間競争が促進され，それによって当該商品の需要が拡大し，消費者の利益がはかられ，当該競争促進効果が再販売価格の拘束以外のより競争阻害的でない他の方法によっては生じ得ないものである場合，必要な範囲及び必要な期間に限り認められる），③流通調査についての考え方（流通業者の販売価格に関する制限をともなうものでない限り，通常，問題とならない），④「選択的流通」についての考え方（選択的流通とは，メーカーが自社の商品を取り扱う流通業者に関して一定の基準を設定し，当該基準を満たす流通業者に限定して商品を取り扱わせようとする場合，当該流通業者に対して，自社の商品の取り扱いを認めた流通業者以外の流通業者への転売を禁止すること）としている。商品を取り扱う流通業者に関して設定される基準が，当該商品の品質の保持，適切な使用の確保等，消費者の利益の観点からそれなりの合理的な理由にもとづくものと認められ，当該商品の取り扱いを希望する他の流通業者に対しても同等の基準が適応される場合には，たとえメーカーが選択的流通を採用した結果として，特定の安売り業者等が基準を満たさず，当該商品を取り扱うことができなかったとしても，通常，問題とならない，とより明確な基準を示すことになった[21)]。

F，小売業者による優越的地位の濫用行為：優越的な地位にある小売業者が，納入業者に対してその地位を利用して，次のような行為を行なう場合は正常な商習慣に照らして不当に納入業者に不利益を与えることとなり，独禁法上問題がある。このような行為によって小売業者間あるいは納入業者間などにおける公正な競争が阻害されるおそれがある場合に当該行為を排除しようとするものである。

① 押し付け販売―優越的地位にある小売業者が納入業者に対して，その地位を利用して自己の販売する商品やサービスを強制的に購入させる場合，不当に納入業者に不利益を与えることとなり，独禁法上問題を生じやすい。

② 返品―優越的地位にある小売業者が納入業者に対して，その地位を利用して，一方的な都合で返品を行なう場合，不当に納入業者に不利益を与えることとなり，独禁法上問題を生じやすい。

③ 従業員等の派遣の要請―優越的地位にある小売業者が納入業者に対して，一方的な都合で派遣を要請する場合，派遣するメーカーや卸業者に不当に不利益を与えることとなりやすく，独禁法上問題を生じやすい。

④　協賛金等の負担の要請―優越的地位にある小売業者が納入業者に対して，一方的な都合で催事，広告などの費用負担をともなう協賛金などの金銭的な負担をさせることは不当に納入業者に不利益を与えることとなり独禁法上問題を生じやすい。

⑤　多頻度小口配送等の要請―優越的地位にある小売業者が納入業者に対して，一方的な都合で多頻度小口配送の要請を行なったり，システム化にともなって生じる費用について具体的な負担の根拠や割合を示さないまま，たとえば，受発注オンライン・システムの利用料や物流センターの使用料として納入業者に負担を要請する場合には，不当に納入業者に不利益を与えることとなり，独禁法上問題を生じやすい。

これに加えて公正取引委員会は，小売業の大規模化とバイイングパワーの増大を背景に，従来の百貨店特殊指定を見直し，特定の小売業態に限定しない形で，2005年には大規模小売特殊指定（「大規模小売業者による納入業者との取引における特定の不公正な取引方法」）を告示した。一般指定では優越的な地位になる幾つかの基準を示しているのに対して，特殊指定では時代に合わせた実態に近い基準を示すことで，禁止行為を明確にしている。それには，①不当な返品，②不当な値引き，③不当な委託販売取引，④特売商品等の買いたたき，⑤特別注文品の受領拒否，⑥押しつけ販売等，⑦納入業者の従業員等の不当使用，⑧不当な経済上の利益の収受等，⑨要求拒否の場合の不利益な取り扱い，⑩公正取引員会への報告に対する不利益な取り扱いを禁止している。さらに，2009（平成21）年に独禁法の一部改正によって，優越的地位の濫用が新たに課徴金納付命令の対象となったことを踏まえて，優越的地位の濫用規制の考え方を明確化するために，2010年11月には「優越的地位の濫用に関する独占禁止法上の考え方」を策定している[22]。

⑷　競争促進と規制緩和

a）小売企業における合併審査基準の緩和

公正取引委員会は，産業におけるグローバルな競争関係の形成を背景に，海外企業の日本市場への参入可能性が高まる状況を踏まえて，独禁法を改正し，新しい合併審査の運用基準を明確化した。従来は合併により国内シェア25%以上で業界首位となる合併計画は公正取引委員会が競争政策上問題が多いとして，重点審査の対象とし，計画を大幅に修正させたり，許可しない場合が多かった。しかし，98年12月（99年1月実施）に独禁法改正にともなう合併の新しい審査基準（正式名称「株式所有，合併等に係わる『一定の取引分野における競争を実質的に制限することとなる場合』の考え方」：略称「企業結合ガイドライン」）では「シェア25%以上が重点審査」という規定そのものを廃止し，業種を問わず国内シェア25%以上となる寡占型の合併であっても，海外からの競合企業の国内参入が自由で，国際的なシェアが数%にとどまるような事例では合併を許可する方針を打ち出した。これまで小売業の合併の際に採用されていた「小売業における合併等の審査に関する考え方」（81年7月）を廃止し，すべての事業分野に共通した「企業結合ガイドライン」にもとづいて取扱われる。しかし，これまでのガイドラインでは，事業者が自らの案件について公正取引委員会がどのように審査し判断するか予測することがむずかしいという批判が生まれていた。そこで2004年5月には，「企業結合審査に関する独占禁止法の運用指針」（企業結合ガイドライン）が策定され，よりいっそう合併審査の透明性を確保し事業者の予見可能性を高めようとし，81年策定のガイドラインは廃止された。さらに2007年4月にはこのガイドラインの一部改正と審査基準の緩和が行なわれた。2011年7月には，日本の企業結合規制については，世界市場における競争実態を十分に考慮していないこと，審査に時間がかかり迅速な合従連衡による企業の競争力強化を妨げているという産業界の声を反映して，迅速性や透明性を確保するために①事前相談制度の廃止，②届出会社と公取委とのコミュニケーションの充実，③企業結合審査の結果の届出会社への通知，④企業結合審査の結果の公表について見直しを行なった。さらに，企業結合審査の対象とならない場合を明確化し，とくに議決権保有比率が10%以下等のときは，企業結合審査の対象とならないことを明示，一定の取引分野（地理的範囲）の考え方として，世界市場・東アジア市場を認定する場合の例示を追加した。しかし，その判断のベースとなる市場を広くとらえるか（国際市場を考慮），あるいは狭くとらえるか（国内市場を考慮）については決着がついていない。また破たん企業の扱いについても，破たん状態になる前に企業再編などの救済する必要をめぐって，公正取引員会と産業界の間では認識の隔たりが大きく存在している[23)]。

b）景品表示法（「不当景品類及び不当表示防止法」の略称，景表法とも略される）

イ　景品類の規制―

企業が顧客に商品やサービスを販売するとき，顧客に対し不当な方法で有利なものと誤認させるような行為を禁止する必要がある。このような行為は独禁法の不公正な取引方法の禁止やその一般指定でもぎまん的顧客誘引と不当な利益による顧客誘引の２つを定めている。これにさらに，1962年に景品表示法が制定されたのは，60年に起きた「にせ牛缶事件」というぎまん的表示の社会問題化や当時消費者の射幸心をあおるような過大な景品・懸賞付き販売が増加し，本来あるべき品質と価格の競争から乖離すような事態が発生したからである。独禁法では，こうした違反事件を解決するための調査，勧告，審判に多大な年数がかかることから，消費者保護の観点から，独禁法の特例法としてこの法律が制定された。その後，景表法は2009年９月からは消費者庁発足にともない消費者庁に全面移管され，それまでの業務は独禁法との関係が切り離され，消費者庁表示対策課が引き継いでいる。それによって公正取引員会では「排除命令」として対応されていたものは，消費者庁では「措置命令」と名称が変更されている。内容は同じである。

2013年には高級ホテル等のメニュー不当表示事件を契機に，2014年（平成26年）６月に景品表示法が改正され，さらに同年11月には，課徴金を導入するための改正も成立した。さらには，2015年４月（2013年６月公布）に施行された食品表示法では，現行の法律（JAS 法，食品衛生法，健康増進法）の義務表示の部分を一つにしたもので，一元化にあたって，消費者庁はより安全でわかりやすい表示を目指して，新法の制定を行なった。とくに，流通に関連した問題としては「製造所固有記号の使用に係るルールの改善」が行なわれている。原則，PB商品の製造業者名や製造所の記載を義務付けることにしている。PB商品にも適用することになったきっかけは，2013年12月に起きたマルハニチロHDの子会社「アクリフーズ」（現マルハニチロ）の群馬工場での冷凍食品への農薬混入事件による。同社は，自社ブランド商品だけではなく，大手スーパーやコンビニのためのPB商品の製造もOEMで行なっていて，製造業者名が記載されていなかったことで消費者からの回収が遅れたことなどが背景にある。なお，食品表示法施行後，加工食品は5年，生鮮食品は1年6カ月の猶予期間がある[24]。

景品表示法にもとづく景品規制は，3つの種類に分けられる。①一般懸賞に関するもの（商品・サービスの利用者に対し，くじ等の偶然性，特定行為の優劣等によって景品類を提供することを「懸賞」といい，共同懸賞以外のものは，「一般懸賞」と呼ばれている），②共同懸賞に関するもの（複数の事業者が参加して行なう懸賞のことである），③総付景品に関するもの（一般消費者に対し，「懸賞」によらずに提供される景品類は，一般に「総付景品（そうづけけいひん）」，「ベタ付け景品」等と呼ばれており，具体的には商品・サービスの利用者や来店者に対してもれなく提供する金品等がこれに当たる。商品・サービスの購入の申し込み順または来店の先着順により提供される金品等も総付景品といえる）。景品の最高額などは以下のようになっている（表15-3参照）。

表 15-3　景品の種類と最高額

	取引価額	景品の最高額	景品の総額
一般懸賞	5,000円未満 5,000円以上	取引価額の20倍 10万円	懸賞に係る売上予定総額の2%
総付景品	1,000円未満 1,000円以上	200円 取引価額の10分の2	――― ―――
共同懸賞		取引価額にかかわらず30万円	懸賞に係る売上予定総額の3%

（出所）消費者庁：景品規制の概要。

ロ　表示の規制―

景品表示法で規制されている表示には，商品やサービスの内容について行なわれる広告その他の表示が対象となり，内閣総理大臣が指定するものをいう。以下の３つの種類が景品表示法で不当表示として禁止されている。①優良誤認：商品又はサービスの内容について実際のものもしくは競争者のものよりも著しく優良であると消費者に誤認させる表示（駅から20分かかるのを10分と表示した不動産広告，成分を偽って表示した食品，中古自動車の販売店がメーターの走行距離を変更して走行距離数を少なめに表示する場合），②有利誤認：商品又はサービスの取引条件について実際のもの又は競争者のものよりも著しく有利であると消費者に誤認される表示（メーカー希望小売価格あるいは当店通常価格の３割引きと二重価格を表示しても，それらの比較対照価格がいずれも実際に根拠のないでっち上げで，実売価格をいかにも安く印象付けようとした場合）[25]，③その他の不当表示：上記以外で消費者に誤認される恐れがあるもので，内閣総理大臣が指定する表示（「無果汁の清涼飲料水等の表示」，「商品の原産国に関する表示」，「消費者信用の融資費用に関する表示」，「不動産のおとり広告に関する表示」，「おとり広告に関する表示」）が定められている[26]。

ハ　比較広告の規制―

これまでわが国では競争企業の製品と直接比較する広告は禁止されていたが，外国政府の要請や海外企業の日本市場進出の増加にともなって，公正取引委員会は87年４月「比較広告に関する景品表示法上の考え方」を公表し，次の条件を設けてそのすべてを満たす場合に認めるようにした。それには，①比較広告に示された内容が客観的に実証されていること，②実証されている数値や事実を正確かつ適正に引用すること，③比較の方法が公正であること，④誹謗・中傷でないこと，を満たす場合には不当表示ではないと判断する。

第5節　振興政策

すでに小史のところでもふれたように，近代化・振興政策は，物価上昇が社会問題としてクローズアップされるにつれて，その原因部分に関与するとみられた中小商業者の経営体質の改善強化と競争力強化をねらいとし，それまでの基調であった商業保護政策からの脱却という形で，1960年代頃に成立した。

1　中小商業近代化・振興政策

中小商業近代化・振興政策は，「中小企業基本法」（1963〈昭和38〉年）における，中小企業者の自助努力による成長発展を援助することをうたった基本方向に求められるが，さらにその実現のために業種別近代化を目的に主要な手段を提供する「中小企業近代化促進法」においてより具体化された。なお99年になって，中小企業基本法が36年ぶりに改正され，新たな視点からの政策フレームが提示されている。それは「低賃金・低生産性に陥っている問題企業」というこれまでの中小企業観から「新産業の担い手」，「就業機会増大の担い手」，「市場競争の担い手」，「地域経済活性化の担い手」という新しい企業観を提起し，さらに政策目標も「大企業との格差是正」から「独立した中小企業の多様で活力ある成長発展」を支援するものに転換し，その施策・手段も従来の格差是正を目指す産業構造政策型から革新的な中小企業の創出を促進する競争政策型へと変化してきた点が特徴となっている。同時に，中小企業の定義も変更となった[27]。

中小小売商業への体系的な政策は，「大規模小売店舗法（大店法）」（1973年）と同時に制定された「中小小売商業振興法」（小振法）から整備されたといえる。これは，主に事業の協業化や共同化を中心としたものからなり，当初は商店街整備事業，店舗共同化事業及び連鎖化事業の３つを柱としてきた。これによって，日本の中小小売商の近代化・合理化・共同化が推進されてきた。この法律の政策手法は主に，診断指導・人材育成，資金面の助成それに税制面の助成からなる。91年になって大店法の規制緩和にともない，小振法の改正が行なわれ，先の3つの柱のほかに，店舗集団化計画，電子計算機利用経営管理計画それに商店街整備等支援計画の3つが新たに加わり，同時に従来の柱であった店舗共同化事業と連鎖化事業計画の内容の拡充が行なわれた。

① 商店街整備：特定地域の商店街を近代化するために，店舗の増改築，共同駐車場，カラー舗装，共同販売促進など，店舗の改造や魅力ある街づくりを推進するための事業に必要な支援をしようとする。とくに，近年では，小売商店の後継者難や車客の増加に対する適切な対応を欠いており，多くの中心市街地の地盤沈下が目立っている。商店街の空き店舗への対策，適切な店舗の誘致，共同駐車場の運営などの努力が求められているが，こうした点を含めハード面・ソフト面の支援が求められている。

② 店舗集団化：91年に新たに追加された事業支援であるが，車による消費者の購買スタイルの普及や商店の立地環境の変化に対応して，事業協同組合などが商業に適する新しい区域で，商業施設やショッピング・センターを設置し中小商店を入居させることを支援する。

③ 共同店舗等整備：従来は，中小小売業者が個別の店舗で独自に経営するよりも，共同の店舗を設立し，そこをスーパーや百貨店形式で運営し，ワンストップ・ショッピング効果と会計の集中処理を高めることで経営の合理化をはかろうとするねらいが大きかった。従来からあるこの施策は，90年代に入って共同店舗の設置以外に，中小小売業者の共同出資会社が多目的ホール，駐車場，スポーツ施設などのコミュニティー施設を共同店舗に設置する事業への支援も行なうようになった。

④ 電子計算機利用経営管理：91年に新たに追加された事業支援であるが，中小小売業者の共同出資会社が電子計算機を利用して，POS や

EOS などの導入をはかったり，商店街でのポイントカード，プリペイドカードなどの発行による情報活用の推進および経営の合理化を支援する。

⑤　連鎖化：資本的に独立した中小小売業者に対して，ボランタリー・チェーンを組織することで経営を近代化し効率化しようとする事業である。共同仕入や共同輸入などを推進する事業のための施設・設備の設置への支援である。連鎖化事業としては，フランチャイズ・チェーンについても取上げられているが，このねらいは中小小売業者の法的保護にあり，本部（フランチャイザー）が契約上の一定事項を事前に公布し，記載内容の説明を十分に行なう開示義務を課しており，加盟店（フランチャイジー）が不利にならないよう運営の適正化をはかろうとしたものである。

⑥　商店街整備等支援：91年に新たに追加された事業支援であるが，中小小売業者を支援するためにまちづくり会社（地方公共団体と商店街組合などが共同で出資した会社や公益法人のこと）が事業の主体となって，共同店舗，駐車場，広場，スポーツ施設，多目的ホールなどを設置する事業への支援。

中小商業近代化政策としては，卸売業レベルでも行なわれてきた。卸売商近代化・共同化事業はすでに60年代後半から推進されてきた。とくに，中小卸売業者や伝統的な問屋街は，都市の過密現象にともなって，卸売機能を低下させてきた。そのため経営体質の改善に加えて，交通混雑や駐車場難を解消するために郊外への物流施設の移転や店舗の集団化をはかることで卸売機能の強化などの事業を進めてきた。こうした卸商業団地の開発には中小企業近代化資金助成法による高度化融資が活用されてきた。

2　流通システム化・情報化政策

高度成長にともなう流通活動の活発化は，個別企業レベルや特定の企業集団レベルにとどまらず，また特定分野の流通活動や機能レベルに限られずに，流通機構のトータルな近代化・合理化に対する認識を高めていった。こうした発想と政策体系は，1969（昭和44）年「流通活動のシステム化について」（第7回答申）を基礎に，さらに1971（昭和46）年に流通システム化推進会議の報告「流通システム化基本方針」でいっそう具体化された。

これまで，政府は流通活動の標準化を推進してきた。その対象は，取引（商）流通，物流，情報流通にわたる広範囲な内容をもち，今日の高度情報化の進展を支える基盤を作ってきたといえる。

取引（商）流通や情報流通面では，受注・発注・在庫管理へのコンピュータの導入，統一取引コードの制定，商品コードの制定，伝票の統一，それに取引条件の標準化などを推進し，企業ごとにあるいは業界ごとに異なる取引方法や情報処理への対応をできるだけ共通化する方向で整備してきた。

また物流面では，物流機器・資材の規格統一，コールド・チェーン・システムやコンテナ輸送の推進によって，物流活動の基礎的部分にあたるコンテナ，パレット，トレイ等の規格を統一化し，企業や業種，国境を越えて利用できる体制を整備しようとした。

ところで，POS システムの発展にとっては先に示した商品コードの統一が大きな役割を果たした。商品名のコード化は企業ごとに不統一では円滑な取引ができず，政府主導で食料品や日用雑貨の商品コードが統一された。1978年にわが国はEAN（European Article Number）のコード・センターに加盟し，JAN（Japanese Article Number）コードのJIS 規格を制定し，1980年にはOCR タッグの標準表示方式を制定し，POS システムの普及を促進してきた。バーコードのソースマーキングが製造段階で定着するにつれて，小売業へのPOS システムの導入が急速に実現される。受発注処理の迅速化・正確化・合理化を実現するためのEOS に関しても，その普及にあたって政府のこれまで果たしてきた支援策は無視できない役割を演じてきたといえる。

90年代に入ってコンピュータと情報通信技術の進歩は目覚しく（いわゆるICT 革命），EC（電子商取引）を中心とした新たな情報ネットワークが発展するようになり，従来の取引関係を超えたところで，また規模の大小に係らず新たなビジネスチャンスを生み出す可能性を高めている。それだけに商品コードの統一などに関連してプロトコルの標準化，EDI，とりわけ流通BMSの推進，ICカードの普及，インターネット利用促進のための施策として定額制の導入，電子署名や電子認証の法制化，情報セキュリティ対策などECの基盤整備が関連省庁において進められようとしている。

3　中心市街地活性化法と流通政策の方向

90年代に入って，流通政策のなかで近代化・振興政策に関する部分で明らかな変化が生まれている。それは地域との密接な関連性において商業の役割を重視する政策がより鮮明に提起されるようになったことである。こうした発想はすでに，83年の「80年代の流通産業ビジョン」において，小売商業の地域社会で果たす役割に注目し，地域の文化や伝統の担い手という評価が示されていた。この問題意識が，84年から実施されることになった地域生活者への暮しの広場としてのコミュニティ・マート構想であった。これは，地域社会の中で中小商業や商店街の役割を評価しなおし，商業を核とした人々のふれあいや交流の場を提案しようとし，ハードに傾斜しがちな施策をソフトも含め，意欲のある小売商に対し積極的な支援をはかろうとしたものである。

この発想は，90年代以降の近代化・振興政策においてまちづくりという方向をより具体的に導くことになる。この点は，すでに調整政策においてみてきたように，小売業を取り巻く環境変化は，車による買物客の増加，商業施設の郊外での展開，中小小売店の経営者の高齢化それに後継者難などを特徴として，個店としての商店のみならず，それらによって構成される場としての商店街をも直撃し，既存の街全体が衰退の危機に直面しているところが少なくない。これに加えて，当時大店法の規制緩和は大型店の出店を容易にし，業種や業態を超えた競争関係を生み出していた。大店法の規制緩和の見返りに，商業集積法（「特定商業集積の整備に関する特別措置法」）が中小小売業者向けに手当てされたといえる。この法律は，中小小売商業の振興と地域の発展をはかるため商店街やショッピング・センターなどの商業集積を整備しようとしたものである。中小小売業者が中心となって組合を組織し，市町村などの行なう街づくりの基本構想にもとづき公共事業と一体的に商店街整備を進める地域商業活性化タイプが支援の主な対象となっている。

しかし大店法は，米国をはじめ国の内外からの圧力もあり，また大型店の出店にともなう交通渋滞や騒音などの生活環境の悪化といった事態に対して有効に機能していないという認識もあって廃止された。それに代わって2000年６月からは大店立地法が施行されることになった。大店立地法は，大店法と違って地域の需給調整をねらいとするのではなく，すでにふれてきたように，地域の生活環境の保持の観点から社会的規制を行なうことにねらいがある。それと同時に，大店立地法は都市計画法と密接に結びつけて運用され，地域の適切な商業のデザインに際しては，都市計画法によって大型店を含む地域商業の立地がガイドされる。都市計画法が改正され，市町村が独自の裁量で特別用途地区の種類や目的を決定できるようになり，用途地域が商業地域であっても，商店街を育成するため中小小売店の集積をはかろうとすれば，大型店の立地を制限できる地区をつくることも可能となった。

98年７月に施行された「中心市街地活性化法」（正式名称は「中心市街地における市街地の整備改善及び商業等の活性化の一体的推進に関する法律」）は，街づくりをこれまで以上に総合的・体系的に推進しようとするものである。つまり，中心市街地がモータリゼーションの進展，大型店の撤退や空き店舗の増加などにより空洞化していることに対し，地域の創意工夫により市街地の整備改善と商業の活性化をはかる総合的・一体的な支援を内容としている。これはまず国が基本方針を作成し，市町村が国と都道府県の助言を受けながら基本計画を作成し，街づくりを総合的にプロデュースし調整する役として商工会・商工会議所や第三セクターで組織されたタウンマネジメント機関（TMO：Town Management Organization）が中心市街地の商業地全体をショッピング・モールに見立て，モール開発・運営のディベロッパーのような形で，市町村の基本計画に沿って施設整備や空き店舗対策など事業計画の策定を行ない，中心市街地活性化を推進する。国の認定を受けて実施する場合，各種融資・補助金・税制面での支援措置がある。

2006年５月になって，「まちづくり三法」が改正された。そのねらいは，これまで施行されてきた大店立地法，中心市街地活性化法，都市計画法の相互矛盾を解消するために行なわれた。大店立地法は都市部よりも郊外への大型店の出店を加速し，中心市街地をさらに疲弊させシャッター通り商店街を増加させることになった。都市計画法では，各自治体が中心市街地の機能回復のためには，ゾーニングを活用して，中心市街地とそれ以外の地域での適切な役割分担を行なうことを進めようとしても，都市中心部よりも郊外に大型店が出店しやすい法制度になっていた。中心市街地活性化法は商業機能の再生に焦点が当てられ都市機能の充足が欠如しており，同時に先の２つの法律の逆機能によって円滑に運用できなかったことである。改正されたのは，都市計画法（2006年11月施行）であり，床面積１万平方メートル超の大規模集客施設の立地できる郊外出店を大幅に規制した。ここで大型集客施設とは大規模小売店舗だけではなく，飲食店，劇場，映画館，展示場などを規制対象とした。さらに用途地域では近隣商業，商業，準工業の３地域のみに限定し，それまで出店可能となっていた第二種住居地域，準住居地域，工業地域，それに用途地域外の白地地域が今回新たに規制の対象となった。準工業地域は３大都市圏と政令指定都市を除く地方都市の準工業地域は条件付きで制限することになった。

さらに中心市街地活性化法の改正（2006年８月施行）は，名称が従来の正式名称「中心市街地における市街地の整備改善及び商業等の活性化の一体的推進に関する法律」から「中心市街地の活性化に関する法律」へと変更された。特徴的な改正は，市町村が中心市街地活性化法による支援措置を受けるために，国の基本計画にもとづいて中心市街地活性化計画を策定し，さらに内閣総理大臣による認定を受けなければならない制度に改められ，国の主導を強化したことである。これまで商業活性化の取り組みの主導役だったTM

Oに代わって地域に中心市街地活性化協議会を組織し，商業に限らずまちづくり全体としての総合的な企画や調整が考慮されるようになったことである[28)]。それとともに，これまで経済産業省が主導してきた中心市街地活性化法は国土交通省サイドにリードされるようになってきたことも省庁間での主導権の変化を表している。

都市機能の無秩序な拡散を防止する一方で，まちなか居住の推進，賑わい拠点の創出，公共交通の利便性向上や歩いて暮らせるまちづくりを進めるコンパクトシティの提案として注目された。しかし，コミュニティの再生や住みやすさを目指したコンパクトシティの役割は想定通りには進んでいないのも現状である。商業機能は都市機能とも密接に結びついており，商業機能だけを中心部に戻すだけでは地域は再生しないし，いったん郊外に移転した商業施設，医療・福祉施設の中心市街地での新築・移転は高地価・高家賃・駐車場の制約によって円滑には進んでいない。総合スーパーのような大規模小売企業は，出店政策を転換し小型店に焦点を当てるように変化している。2009年７月には経済産業省が主導する形で「地域商店街活性化法」が新たに立ち上げられ，空き店舗利用，高齢者・子育て支援，意欲ある人材育成など地域住民のニーズに対応した商店街の再生をはかろうとしている。しかしすでに発展してしまっている郊外地域との役割関係はまちづくり三法やこうした新たな法律にとって挑戦課題となっている。

流通政策の方向が時代とともに，規制緩和と規制強化の狭間を揺れ動いてきたが，90年代以降は日米構造協議に象徴される国際的な外圧を背景に，流通活動に対する効率性を向上させるために規制緩和が積極的に推進されてきた。すでにふれたように90年代に入って流通政策の中に地域との密接な関連でまちづくりや商業の役割を重視する姿勢が生まれてきたと指摘したが，まちづくり三法は規制緩和の影響の下で，必ずしも中心市街地のまちや商業を再生することには十分に機能しなかった。

2000年に入って次第に規制緩和の弊害が現われるようになってきた。確かに消費者のライフスタイルが郊外での居住の増加によって車での買物を普及させ，そのことが郊外での大型小売店や公共施設の立地を支えたことも事実である。大店法の廃止から大店立地法の施行の切り替えは，結果として大型店を郊外にさらに増加させ，消費者の中心市街地での買物行動を抑制し，郊外での購買行動を加速した。この時点では消費者の行動は合理的で非難されるべきものではない。しかしその結果は都市部や過疎地での商店街の衰退を招いてきた。規制緩和がこうした消費者の行動をさらに支えてきたということもできる。しかし現在日本の流通で大きな問題となりつつことは，効率性を強化しようとして取り組んだ規制緩和だけではまちや商業施設がうまく機能しないという現実である。中心市街地の商店街や過疎地の商店が規制緩和と人口の少子高齢化の中で，需要減，経営者の高齢化や後継者難に直面し，地域商業が立ちいかなくなってしまっている。地域住民の急速な高齢化の進行は，撤退する近隣商店の中で，高齢者の体力低下や運転免許の返納などによって次第に買物に困難を感じる人々が増加することが予想されている。その一方で，インターネットやスマートフォンなどの普及が買物の姿を急速に変えつつあり，立地に依存しないネット空間での流通の世界を拡張し，リアルな店舗への影響を強めてきている。オムニチャネルに象徴されるように，リアルとネットの流通を同時に対象とした流通が発展しつつある。流通の手段が多様化する中，時代とともに流通政策に課せられる役割も変化している。効率性に偏重した政策に対して，公共性をベースに改めて流通の有効性をバランスさせた政策方針が求められてきている。最初の章で指摘したように，マクロレベルであれ，ミクロレベルであれ，効率性と有効性のバランスや同時達成による流通イノベーションが求められており，社会的ニーズを先読みする形でバランスの取れた同時的実現をはかることが政府や経営者にとって挑戦課題となっていると考えられる[29)]。

注

1)　田島義博「日本における流通政策の体系と課題」E. バッツアー・鈴木武編『流通構造と流通政策――日本と西ドイツの比較』東洋経済新報社，1985

年，pp. 122-123。

2) 青木幸弘「流通行政の方向」田島義博編『流通のダイナミックス――進化の方向と条件』誠文堂新光社，1984年，pp. 197-198，241。

3) A. D. Strickland, *Government Regulation and Business*, Houghton Mifflin Company, 1980, pp. 13-15.

4) 石原武政・池尾恭一・佐藤善信著『商業学』有斐閣Ｓシリーズ，1989年，pp. 211-217。

5) A. D. Strickland, *op. cit.*，pp.18-20.

6) L. E. Preston, *Markets and Marketing : An Orientation*, Scott, Foresman and Company, 1970. 彼は，効率概念を３つの次元に細分化し，①技術効率：ある特定の課題を最少費用の最大効果で達成すること，②交換効率：市場競争の完全性の程度から判断すること（パレート最適状態として，市場参加者は他の参加者を犠牲にすることなしには改善されない状態の達成）――その評価尺度として，ⓐ市場の安定性・弾力性，ⓑ市場参加者の満足極大化，ⓒ潜在的取引の実現可能性，そして③革新効率：利用可能な代替案の拡大，選択の多様性（時間的に変化する状況においての商品・サービス，情報，技術それに流通システムの多様性）を指摘している（pp. 29-36)。

7) 久保村隆祐「流通政策の目的・体系研究」久保村隆祐・田島義博・森宏著『流通政策』中央経済社，1982年，pp. 36-37。

8) この点の理解は渡辺達朗著『流通政策入門』中央経済社，2011年，pp. 27-28を参考にしている。

9) 同上書，pp. 30-34。

10) この問題の詳細は，田口冬樹「流通政策の役割と問題点――流通機構に対する行政介入を中心として」『専修経営学論集』第36号，1983年，pp. 139-158に詳しい。

11) 田島義博，前掲書，p. 136。

12) 波形克彦著『大店法廃止：影響と対応』経営情報出版社，1998年，pp. 42-48。

13) 杉田聡著『買物難民――もうひとつの高齢化問題』大月書店，2008年。および経済産業省商務情報政策局　商務流通グループ流通政策課『買物弱者応援マニュアル』2015年３月。農林水産省 食料産業局食品小売サービス課『「食料品アクセス問題」に関する全国市町村アンケート調査結果』2014年３月。農林水産省調査報告書『買物弱者・フードデザート問題等の現状及び今後の対策のあり方に関する調査報告書』［外部リンク］http://www.maff.go.jp/j/shokusan/eat/access_genjo.html#asuno_syokusanに詳しい。

14) 田島義博「競争維持政策」久保村隆祐・田島義博・森宏著，前掲書，

pp. 161-162。

15）内田耕作「不公正な取引方法の規制」内田耕作・岸井大太郎他著『経済法：独占禁止法と競争政策』，2001年，有斐閣アルマ，pp. 177-178。

16）抱き合わせ販売が違法となるのは，顧客（事業者・消費者を問わず）の選択の自由が妨げられる恐れのある競争手段であり，能率（効率）競争の観点からみて競争手段として不公正であるかどうかを中心に判断される。抱き合わせ販売で問題となったケースは，人気のあるテレビゲーム・ソフトや携帯用液晶ゲーム機（ゲームボーイ）を，売れ残っているゲーム・ソフトと抱き合わせて小売店に卸売した藤田屋事件（92年審決），表計算ソフトをワープロ・ソフトと抱き合わせるなどしたマイクロソフト事件（98年10月勧告審決）などが違法とされた。業界によっては，ヒット商品が生まれると，売れない商品と抱き合わせて在庫を一気に処分する販売方法が採用されてきたところがあり，公正取引委員会もこうした慣行にメスを入れるようになった。抱き合わせ販売が違法とならないケースとしては，①二つの商品を組み合わせて販売しても，顧客とってそれぞれの商品が単品でも購入できる場合，②二つの商品が組み合わせにより内容・機能に実質的変更がもたらされ，別個の特徴をもつ単一の商品となる場合である。この点の詳細は内田耕作稿，同上書，pp. 226-228に詳しい。

17）公正取引員会「課徴金制度」(http://www. jftc. go. jp/dk/seido/katyokin. html）2016年３月２日現在。渡辺達朗著，前掲書，pp. 61-63。

18）日米構造問題研究会編『日米構造問題協議――最終報告』財務詳報社，1990年。

19）山田昭雄・大熊まさよ・楢崎憲安編著『流通・取引慣行に関する独占禁止法ガイドライン』商事法務研究会，1993年，p. 8。

20）「市場における有力なメーカー」とは，当該市場（制限の対象となる商品と機能・効用が同様であり，地理的条件，取引先との関係から相互に競争関係にある商品の市場）におけるシェアが10%以上，またはその順位が上位３位以内であることが一応目安となっている。この点の詳細は同上書，参照。

21）以下の展開は，同上書，第２編。公正取引員会「『流通・取引慣行に関する独占禁止法上の指針』の一部改正について」2015年３月。
http://www. jftc. go. jp/houdou/pressrelease/h27/mar/150330. html

22）公正取引委員会「優越的地位の濫用に関する独占禁止法上の考え方」2010年11月。

23）公正取引委員会「平成23年（2011年）度における 主要な企業結合事例」2011年６月。

24）石橋忠子「製造業者表示が引き起こすメーカー，小売りの地殻変動」『激

流』4月号，2015年，pp. 16-21。

25）二重価格表示は消費者の商品選択にとって重要な情報を提供することからそれ自体違法ではない。しかし，企業によってはもともと安い値段でしか売れない商品を消費者に二重価格で買わせる手段として利用し，もとの値段が本当にその値段だったかがわかりにくく，値下げの期間のほうが通常の販売期間より長いといったこともあり，元値（メーカー希望小売価格や通常価格）をうその表示にする場合や比較参照価格を示さないで現在表示されている価格（実売価格）がいかにも値引きして販売しているように消費者に有利誤認を与える事例も少なくない。2000年6月に公正取引委員会は，大手スーパーや紳士服専門店チェーンなどの景品表示法違反事件に対応して二重価格に対する新しい基準「価格表示ガイドライン」を公表した。これまで比較の対象となる通常価格の定義が明確でなかったことや販売実績を従来は「耐久財で3カ月，季節商品で1カ月」を目安としていたが，商品のライフサイクルの短縮化を背景に，公取委は31年ぶりに運用基準を改定し，二重価格の許容範囲を明示した。通常価格，メーカー希望小売価格，市価の根拠を明確にすること，通常価格に対してはセール前の販売実績が「8週間から4週間までの商品については，その半分以上の期間で売られていた価格」，「4週間未満の場合は最低でも2週間は売られていた価格」をそれぞれ比較対照価格とすれば不当表示には当たらないとした。『読売新聞』2000年8月11日および『朝日新聞』2000年7月1日。

26）石居正雄「流通と法規制」田中由多加・渡辺好章他著『流通と商業』創成社，1998年，p. 167。なお，消費者庁への移管後の景表法の取り扱いと2014年12月施行の改正景表法については，消費者庁のページ，表示対策の解説など http://www.caa.go.jp/representation/keihyo/qa/hyoujiqa.html に詳しい。

27）黒瀬直宏「戦後日本の中小企業政策の変遷」渡辺幸男・小川正博・黒瀬直宏・向山雅夫著『21世紀中小企業論』有斐閣アルマ，2001年，pp. 296-299。中小企業庁編『2000年版　中小企業白書』2000年5月，p. 425。

28）渡辺達朗著，前掲書，pp. 249-250。『日経流通新聞』2006年5月31日。

29）さらに詳しくは，田口冬樹著『流通イノベーションへの挑戦』白桃書房，2016年を参照されたい。

「各章の演習問題＆討論テーマ」

第1章

1．交換取引に中間商人や貨幣を介在させるメリットとデメリットを考えてみよう。

2．流通業者による生産者への販売代理機能や消費者への購買代理機能が成立する条件について考えてみよう。

3．流通イノベーションとはどのような条件で成立するのか，身近な具体例を使って考えてみよう。

第2章

1．競争のタイプとして異業態間競争やブランド間競争が活発化する理由を具体例を使って考えてみよう。

2．OEM はなぜ利用されるのだろうか。そのメリットとデメリットについて，委託（利用）企業や受託（提供）企業の立場それに消費者の立場から検討してみよう。

3．行政の介入をめぐって，規制緩和と規制強化はそれぞれなぜ必要になるのかを考えてみよう。

第3章

1．流通機能にはどのようなタイプが存在しているかを挙げ，それぞれの相互関係について考えてみよう。

2．建値制とオープン価格のそれぞれのメリットとデメリットを考えてみよう。

3．日本の百貨店が豊富な品揃えを実現するのにはどのような仕入方法を採用しているのか，その問題点も含めて調べてみよう。

第4章

1．ある完成品の物流を取り上げ，原材料の段階から消費者に渡るまでの物流活動とその範囲を調べてみよう。

2．ユニットロード・システムはなぜ利用されているのか。そのメリットとデメリットを考えてみよう。

3．SCM とは何か，3 PL はどのように関連して利用されているかを調べてみよう。

第5章

1．情報は商流と物流にどのような役割を果たしているのかを考えてみよう。

2．POS システムや ID-POS が小売業でどんな仕組みで，どのような活用のされ方をしているか，何がどこまでわかるのか，問題点は何かを調べてみよう。

3．自分の利用しているポイントカードは，企業に対してどのような影響を与えているのか，逆に企業からどのような影響を受けているのを考えてみよう。

第6章

1．流通過程での危険の種類とそのための対策について検討してみよう。

2．リースやレンタルはどのような分野で，どんな条件で利用されているのかを調べてみよう。

3．消費者信用による需要創造は流通にどのような役割を果たしているのか，具体例を用いて考えてみよう。

第7章

1．流通機構（マクロ）とチャネル（ミクロ）にはどのような関係があるかを考えてみよう。

2．流通機構の空間的接近法の必要性や利点にはどのようなものがあるかを考えてみよう。

3．逆流通チャネルが円滑に機能するためには，どのような条件や活動が必要になるかを考えてみよう。

第8章

1．小売行為（活動）と小売業者の関係を整理し，小売企業以外にどのような企業が小売行為を行なっているか，具体的な事例を調べてみよう。

2．小売業態はどのようにして誕生し普及するのかを調べてみよう。

3．大規模小売店に対する政府規制と緩和の歴史を調べて，その効果を自分の意見としてまとめてみよう。

第９章

1．３つの小売チェーンの特徴を調べ，それぞれにどのような強みと弱点をもつかを検討してみよう。

2．日本でコンビニエンス・ストアが発展してきた理由と今日的な課題を調べてみよう。

3．専門店，百貨店，ショッピング・センターの違いを明確にし，それぞれの共存関係のあり方や棲み分けについて考えてみよう。

第10章

1．持続的に低価格，もしくは持続的に高価格の小売店を取り上げ，それぞれの経営的特徴と課題を調べてみよう。

2．総合スーパー，ハイパーマーケットおよびスーパーセンターの誕生の背景や経営的特徴を調べてみよう。

3．小売企業のグループ化の効果と課題を調べてみよう。

第11章

1．小売の輪の仮説の特徴を調べ，現代の小売業の発展に応用できる点とできない点を考えてみよう。

2．業種から業態へ移行する理由と異業態間競争の実情を具体的に調べてみよう。

3．少子高齢化の進行や中小零細小売店の激減の中で，買物難民・買物弱者問題をどのように解決できるかを考えてみよう。

第12章

1．卸売行為（活動）と卸売業者の関係を整理し，卸売企業以外にどのような企業が卸売行為を行なっているかの具体的な事例を調べてみよう。

2．総合商社や専門商社の果たしている役割と課題を調べてみよう。

3．卸売市場の仕組みと課題を調べてみよう。

第13章

1．インターネットを利用した電子商取引が卸売企業にはどのような影響を与えていると考えられるだろうか。中抜きを回避する方法を検討してみよう。

2．卸売業のポジションは今日では優位性がなくなっているという意見に対して，自分はどのように考えるかを論じてみよう。

3．成長している卸売企業とはどのような特徴や条件を有すると考えられるかを調べてみよう。

第14章

1．メーカーの流通系列化政策の功罪とは何かを考えてみよう。

2．最近のメーカーのチャネル政策の特徴的な動向を調べて，その理由を評価してみよう。

3．小売企業の高品質PB商品の開発はメーカーのチャネル政策にどのような影響を与えているのか考えてみよう。

第15章

1．国や地方政府の流通政策はなぜ必要なのだろうか，その効果と問題点を検討してみよう。

2．まちづくり三法とはどのような特徴を持つのか，相互の関係についてプラス面とマイナス面を評価してみよう。

3．流通に関係する法律で，最近，規制緩和された法律と規制強化された法律を調べてみて，その理由や期待される効果を評価してみよう。

「さらなる学習と研究のための参考文献」

英語（邦訳）文献

Christensen, C. M. (1997) *The Innovator's Dilemma : When New Technologies Cause Great Firms to Fail*, Harvard Business School Press（玉田俊平太監修・伊豆原弓訳『イノベーションのジレンマ――技術革新が巨大企業を滅ぼすとき』翔泳社　2001年）

Iyengar, S. (2010) *The Art of Choosing*, Bungei Shunju LTD.（櫻井祐子訳『選択の科学』文芸春秋　2010年）

Levinson, M. (2006) *The Box by Marc Levinson : How the Shipping Container Made the World Small and the World Economy Bigger*, Princeton University Press（村井章子訳『コンテナ物語――世界を変えたのは「箱」の発明だった』日経BP社　2012年）

McNair, M. P. and May, G. E. (1976) *The Evolution of Retail Institutions in the United States*, Marketing Science Institute（清水猛訳『"小売の輪"は回る』有斐閣　1982年）

Ortega, B. (1998) *In Sam We Trust*, Crown Business（長谷川真実訳『ウォルマート――世界最強流通業の光と影』日経BP社　2000年）

Stone, B. (2013) *The Everything Store : Jeff Bezos and the Age of Amazon*, Little, Brown and Company（井口耕二訳『ジェフ・ベゾス――果てなき野望』日経BP社　2014年）

Walton, S. with Huey J. (1993) *Sam Walton : Made in America*, Bantam（渥美俊一・桜井多恵子監訳『私のウォルマート商法――すべて小さく考えよ』講談社＋α文庫　2002年）

日本語文献

石井淳蔵・向山雅夫編著（2009）『小売業の業態革新』中央経済社

上田隆穂・田島博和・奥瀬喜之・斉藤嘉一編著（2014）『リテールデータ

分析入門』中央経済社
木立真直・齋藤雅通編著，日本流通学会監修（2013）『製配販をめぐる対抗と協調――サプライチェーン統合の現段階』白桃書房
金成洙著（2020）『消費者行動論――モノからコト・トキ消費へ』白桃書房
佐々木保幸・鳥羽達郎編著（2019）『欧米小売企業の国際展開――その革新性を検証する』中央経済社
杉田聡著（2008）『買物難民――もうひとつの高齢者問題』大月書店
田口冬樹著（2016）『流通イノベーションへの挑戦』白桃書房
田口冬樹著（2017）『マーケティング・マインドとイノベーション』白桃書房
田村正紀著（2008）『立地創造――イノベータ行動と商業中心地の興亡』白桃書房
田村正紀著（2008）『業態の盛衰――現代流通の激流』千倉書房
崔相鐵・岸本徹也編著（2018）『1からの流通システム』碩学舎
土屋純・金子純編（2013）『小商圏時代の流通システム』古今書院
中嶋嘉孝著（2008）『家電流通の構造変化』専修大学出版局
村松潤一編著（2016）『ケースブック　価値共創とマーケティング論』同文舘出版
南方建明著（2019）『日本の小売業態構造研究』御茶の水書房
目黒良門著（2018）『東南アジア市場参入のための流通戦略』白桃書房
森田富士夫著（2014）『ネット通販と当日配送――B to C-ECが日本の物流を変える』白桃書房
矢作敏行著（2007）『小売国際化プロセス――理論とケースで考える』有斐閣
矢作敏行編著（2011）『日本の優秀小売企業の底力』日本経済新聞出版社
矢作敏行編著（2014）『デュアル・ブランド戦略――NB and / or PB』有斐閣
渡辺達朗著（2011）『流通政策入門（第３版）』中央経済社

索　引

【数字・アルファベット】

【あ】

【い】

【す】

【せ】

【と】

【な】

【に】

【の】

【は】

【ひ】

【ふ】

▨著者略歴

田口冬樹（たぐち　ふゆき）

専修大学経営学部卒業
専修大学大学院経済学研究科博士課程修了
米国ワシントン大学（University of Washington）客員研究員
博士（経営学）
日本商業施設学会・学会賞優秀著作賞（『体系流通論』白桃書房）受賞

専修大学経営学部・大学院経営学研究科教授を経て，
現在　専修大学名誉教授
これまで東京大学経済学部，東京工科大学コンピュータサイエンス学部，
東京富士大学経営学部などで非常勤講師を担当

▨体系流通論（新版第2版）　　＜検印省略＞

▨発行日――2001年6月16日　初　版　発　行
　　　　　2005年6月26日　新　訂　版　発　行
　　　　　2016年5月26日　新　版　発　行
　　　　　2020年3月26日　新版第2版発行
　　　　　2025年5月16日　新版第2版4刷発行

▨著　者――田口冬樹

▨発行者――大矢栄一郎

▨発行所――株式会社　白桃書房

〒101-0021　東京都千代田区外神田5-1-15
☎03-3836-4781　FAX 03-3836-9370　振替00100-4-20192
http://www.hakutou.co.jp/

▨印刷／製本――三和印刷